숨마 주니어®

중·고 내신 및 수능을 위한

중학 국어 문법 연습 1 기본

국어 교과서 **문법 필수 개념 57**개 **30**일 완성!
중학 문법=고교 내신·수능까지 연계되는 기초 필수!

음운·품사와 어휘·문장·단어의 발음과 표기
언어의 특성·담화·한글 창제 원리 등 필수 문법

이룸이앤비 Education&Books

이 책을 펴내면서

INTRODUCTION

◆ '국어 문법' 공부가 왜 필요한가?

중학교 과정에서는 문법 교과서가 따로 있지 않고 국어 교과서에 문법이 함께 수록되어 있습니다. 문법의 학습 분량은 많은 편이 아니지만 **학교 시험에는 반드시 출제되며, 높은 수준의 이해력을 요구하는 유형의 문제도 있어 오답률 또한 높은 편입니다.** 또 국어 문법은 평소에 우리가 쓰는 말과 글의 의미를 정확하게 전달하고 이해하는 데에도 필요하지만, 내신 및 수능 시험을 준비하는 기본이 됩니다. 그러므로 중학교에서 배우는 문법 개념과 용어, 어법들을 체계적으로 정리하여 공부할 필요가 있습니다.

◆ '중학 국어 문법'을 통해 무엇을 공부할까?

'중학 국어 문법'은 고등학교 문법과 연계되며 수능 문법 문제에까지도 이어집니다. '문법'은 많은 학생들이 어려워하는 영역인 만큼 기초부터 제대로 다지는 것이 매우 중요합니다. 그러므로 '중학 국어 문법'을 통해 **단어, 문장, 문단, 글 단위에 포함되어 있는 문법 현상을 정확히 이해하고,** 그 속에 담겨 있는 규칙과 원리를 파악하여 문제 상황에 맞게 응용할 수 있는 능력을 키워야 합니다.

◆ '중학 국어 문법 연습' 이렇게 공부하세요.

다양한 삽화와 도표 등을 통해 필수 문법 개념을 이해합니다.

⋮

'문제로 연습하기'를 통해 학습 내용을 바로바로 확인 · 점검합니다.

⋮

'실력 완성하기'를 통해 공부한 내용을 적용하는 능력을 키웁니다.

⋮

'10분 Review 테스트'를 통해 반복 학습을 합니다.

⋮

약점 부분을 파악하여 개념부터 정리한 후 복습합니다.

◇ 중학 국어 문법 연습을 소개합니다.

1 문법이란?

'문법'이란 말의 구성 및 운용상의 규칙을 말합니다. 중학교 문법에서 공부해야 할 내용은 크게 '음운, 단어, 문장, 어문 규정, 국어사'로 나눌 수 있습니다. 이 같은 우리말의 다양한 문법 규칙을 이해하고 그 사례를 파악할 수 있어야 합니다.

2 문법을 벌써 공부해야 하는가?

국어의 문법은 변하지 않고, 정해져 있습니다. 따라서 중학교 시기에 배우는 문법 개념들이 고등학교 시기에 배우는 개념들과 이어지고, 이는 수능 문제에까지 반영됩니다. 따라서 중학교 때부터 문법 개념을 확실히 공부해 두어야 합니다.

3 무엇을 공부해야 하는가?

국어 문법은 크게 '음운, 단어, 문장, 어문 규정, 국어사'로 나뉘는데, 각 영역별로 자주 나오는 핵심 개념들을 정확하게 공부해야 합니다. 또 실제 사례에서 어떠한 문법 현상이 나타나는지를 파악하여 다양한 문제 상황에 맞게 적용할 수 있어야 합니다.

4 효과적인 문법 공부 방법은?

핵심 개념을 파악한 후, 확인 문제를 통해 정확하게 이해하고 있는지를 점검해야 합니다. 이후 문제를 풀어보면서 제시된 문제가 어떠한 문법 개념을 바탕으로 출제되었는지를 파악해야 합니다. 이때 자주 헷갈리는 개념이 있다면 그 부분을 따로 정리하고 해당 개념이 반영된 문제를 반복해서 풀어보는 것이 좋습니다.

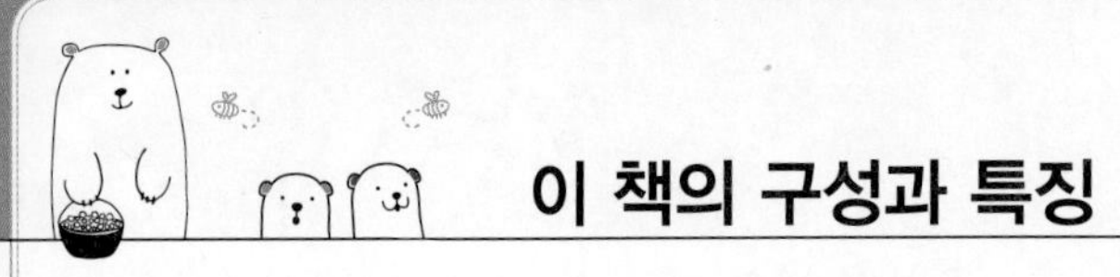

이 책의 구성과 특징

CONSTRUCTION

1 새 교육과정을 바탕으로 중학 국어 필수 문법 개념을 엄선하였습니다.

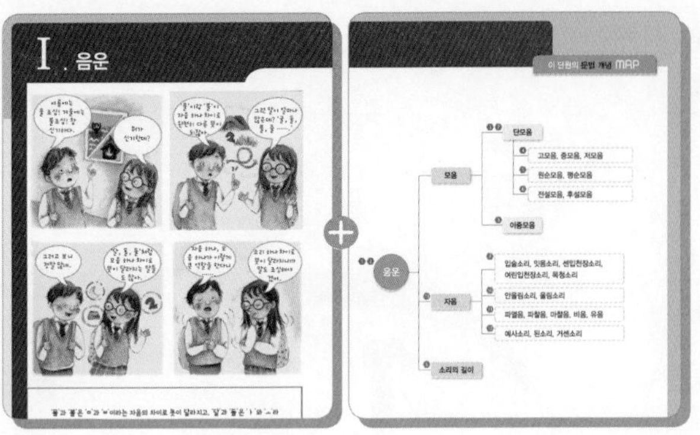

2015 개정 교육과정을 바탕으로 만들어진 중학교 국어 교과서에서 반드시 학습해야 하는 문법 요소들을 엄선하였습니다. 구체적인 예를 통해 핵심적인 문법 개념들을 익히고 연습 문제를 통해 이해했는지 확인하여 다양한 사례에 응용할 수 있게 하였습니다. 또 '이 단원의 문법 개념 MAP'을 통해 각 단원에 어떤 개념들이 있는지 체계적으로 파악할 수 있도록 하였습니다.

2015 개정 교육과정을 완벽하게 분석하였습니다.

▼

중학 국어 필수 문법 개념을 57개로 요약, 정리하였습니다.

▼

다양한 문제 유형으로 필수 개념을 익힐 수 있습니다.

2 교과서보다 더 자세하고 친절한 문법 개념 설명과 확인 문제로 구성하였습니다.

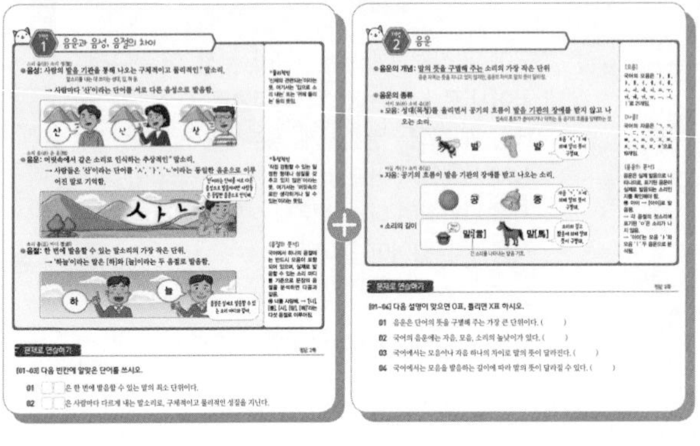

중학교 과정에서 반드시 공부해야 하는 핵심적인 문법 개념들을 다양한 예시와 함께 제시하였습니다. 또한 보조단에서는 어려운 어휘나 개념 등을 풀어 설명하여 혼자서도 학습이 가능하도록 하였습니다. '문제로 연습하기'에서는 빈칸 채우기, 줄 긋기, ○× 문제 등의 다양한 유형으로 문제를 구성하여 바로바로 확인 학습이 가능하도록 하였습니다.

시각 자료와 도표를 통해 문법 개념을 자세하게 설명하였습니다.

▼

다양한 예를 바탕으로 개념을 쉽게 이해할 수 있습니다.

▼

확인 문제를 통해 학습한 개념을 바로바로 확인, 점검할 수 있습니다.

3 '실력 완성하기'로 다양한 유형에 대한 문제 응용력을 높일 수 있습니다.

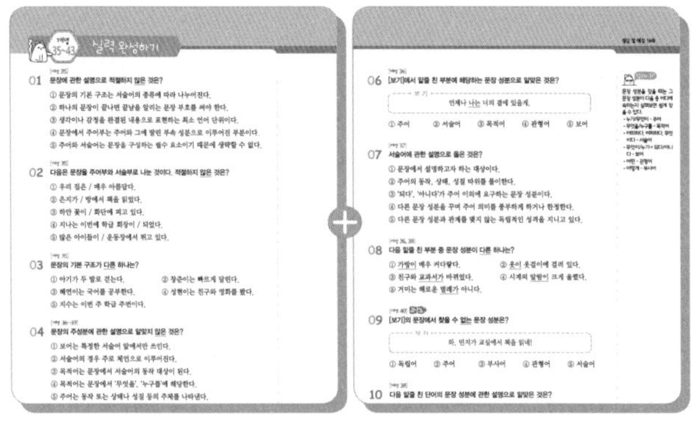

'실력 완성하기'에서는 학습한 여러 개념들을 묶어서도 잘 이해할 수 있는지를 문제를 통해 확인함으로써 학교 시험에 효율적으로 대비할 수 있습니다. 또한 정답 및 해설에서는 문제를 풀고 난 후 혼자서도 정답과 오답이 갈리는 부분이 무엇인지를 공부할 수 있게 정답과 오답의 풀이뿐만 아니라 중요 개념을 한 번 더 정리하여 학습 효과를 높일 수 있도록 하였습니다.

문법 개념을 복합적으로 묶어 학교 시험에 대비할 수 있습니다.

▼

다양한 유형의 문제로 자신의 실력을 점검할 수 있습니다.

▼

정답 및 해설을 통해 복습을 할 수 있습니다.

4 '10분 Review 테스트'로 실력 점검 및 반복 학습을 할 수 있습니다.

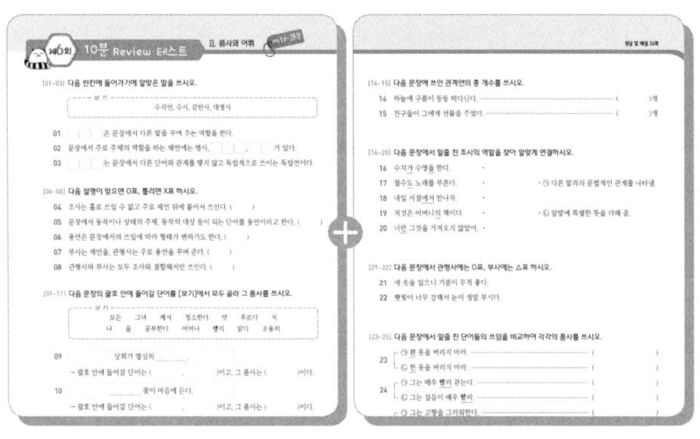

시간을 정해 놓고 문제를 푼 후, 채점을 하고 틀린 문제의 원인을 점검해 봅니다. 이렇게 실력을 점검하면 본문에서 공부한 내용을 얼마나 내 것으로 만들었는지를 확인할 수 있습니다. 만약 문제를 틀린 원인이 개념을 이해하지 못해서라면, 해당 단원의 개념을 반드시 복습하고 넘어가야 학교 시험뿐만 아니라, 수능에서도 좋은 성적을 거둘 수 있습니다.

다양한 문제로 문제 해결 능력을 키울 수 있습니다.

▼

학교 시험(중간, 기말고사) 및 수능까지 대비할 수 있습니다.

이 책의 차례

CONTENTS

I 음운

II 품사와 어휘

Ⅳ 단어의 발음과 표기

Ⅴ 기타

10분 Review 테스트

학습 계획표

PLANNER

• 권장 학습 플래너

※ 학습 계획표에서 '10분 Review 테스트'와 '실력 완성하기'는 공부하는 순서를 바꾸어서 학습하여도 됩니다.

학습 내용		학습 날짜		복습 내용
Ⅰ 음운	개념 1~3	Day 1	월 일	
	개념 4~6	Day 2	월 일	
	개념 7, 8 10분 Review 테스트 〈1회〉	Day 3	월 일	
	10분 Review 테스트 〈2회〉 실력 완성하기	Day 4	월 일	
	개념 9~13	Day 5	월 일	
	10분 Review 테스트 〈3회〉, 〈4회〉	Day 6	월 일	
	실력 완성하기	Day 7	월 일	
Ⅱ 품사와 어휘	개념 14~17	Day 8	월 일	
	개념 18~21	Day 9	월 일	
	개념 22~25	Day 10	월 일	
	개념 26~29	Day 11	월 일	
	10분 Review 테스트 〈5회〉~〈7회〉	Day 12	월 일	
	실력 완성하기	Day 13	월 일	
	개념 30~34	Day 14	월 일	
	10분 Review 테스트 〈8회〉, 〈9회〉	Day 15	월 일	
	실력 완성하기	Day 16	월 일	
Ⅲ 문장	개념 35~39	Day 17	월 일	
	개념 40~43	Day 18	월 일	
	10분 Review 테스트 〈10회〉, 〈11회〉	Day 19	월 일	
	실력 완성하기	Day 20	월 일	
	개념 44~46	Day 21	월 일	
	개념 47~48	Day 22	월 일	
	10분 Review 테스트 〈12회〉, 〈13회〉	Day 23	월 일	
	실력 완성하기	Day 24	월 일	
Ⅳ 단어의 발음과 표기	개념 49~52	Day 25	월 일	
	10분 Review 테스트 〈14회〉, 〈15회〉	Day 26	월 일	
	실력 완성하기	Day 27	월 일	
Ⅴ 기타	개념 53~55	Day 28	월 일	
	개념 56~57 10분 Review 테스트 〈16회〉	Day 29	월 일	
	실력 완성하기	Day 30	월 일	

Ⅰ. 음운

'물'과 '불'은 'ㅁ'과 'ㅂ'이라는 자음의 차이로 뜻이 달라지고, '달'과 '돌'은 'ㅏ'와 'ㅗ'라는 모음의 차이로 뜻이 달라져요. 이처럼 말의 뜻을 구별해 주는 소리의 가장 작은 단위를 '음운'이라고 하는데, 국어의 음운에는 자음과 모음이 포함돼요. 그럼 이제부터 자음과 모음을 포함한 음운의 개념과 종류에 대해 자세히 공부해 볼까요?

이 단원의 문법 개념 MAP

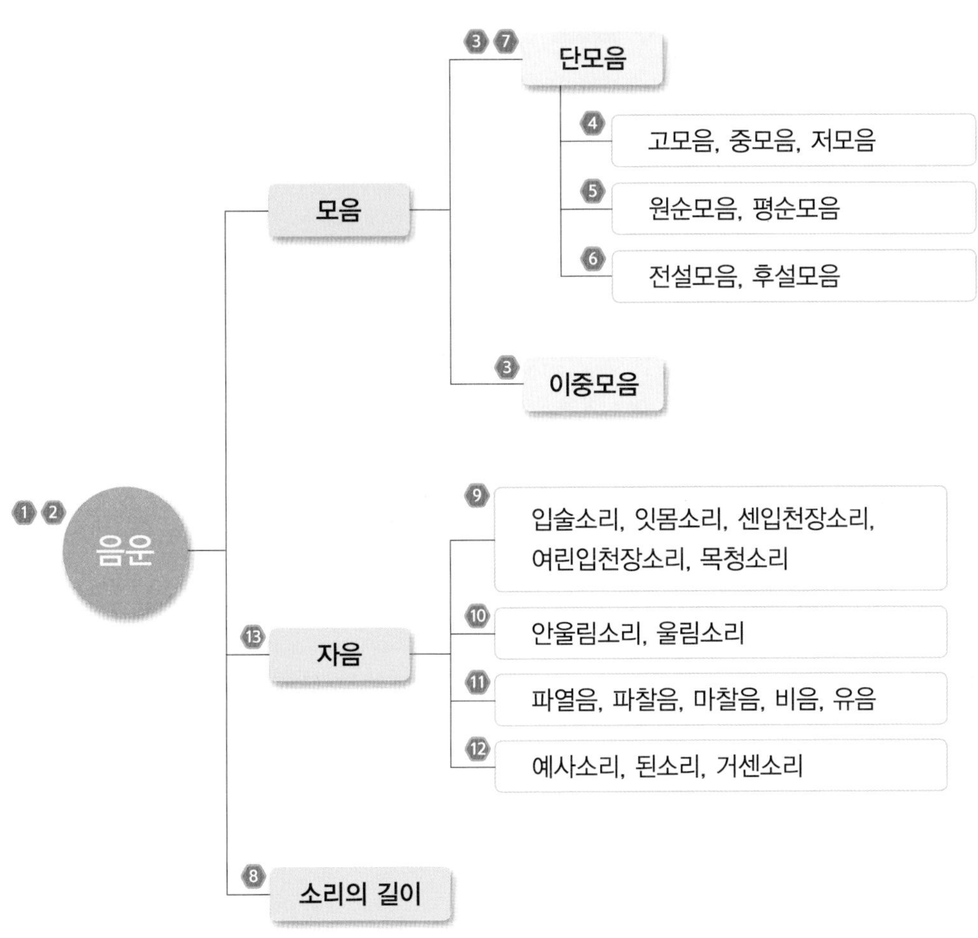

1 ~ 13 소단원 개념 번호입니다.

개념 1 음운과 음성, 음절의 차이

소리 음(音) 소리 성(聲)

● **음성:** 사람의 발음 기관을 통해 나오는 구체적이고 물리적인* 말소리.

말소리를 내는 데 쓰이는 성대, 입, 혀 등.

→ 사람마다 '산'이라는 단어를 서로 다른 음성으로 발음함.

소리 음(音) 운 운(韻)

● **음운:** 머릿속에서 같은 소리로 인식하는 추상적인* 말소리.

→ 사람들은 '산'이라는 단어를 'ㅅ', 'ㅏ', 'ㄴ'이라는 동일한 음운으로 이루어진 말로 기억함.

'산'이라는 단어를 서로 다른 음성으로 발음하지만 사람들은 동일한 음운으로 인식해.

소리 음(音) 마디 절(節)

● **음절:** 한 번에 발음할 수 있는 말소리의 가장 작은 단위.

→ '하늘'이라는 말은 [하]와 [늘]이라는 두 음절로 발음함.

*** 물리적인**
'신체와 관련되는'이라는 뜻. 여기서는 '입으로 소리 내는' 또는 '귀에 들리는' 등의 뜻임.

*** 추상적인**
'직접 경험할 수 있는 일정한 형태나 성질을 갖추고 있지 않은'이라는 뜻. 여기서는 '머릿속으로만 생각하거나 알 수 있는'이라는 뜻임.

[음절의 분석]
국어에서 하나의 음절에는 반드시 모음이 포함되어 있으며, 실제로 발음할 수 있는 소리 마디를 기준으로 문장의 음절을 분석하면 다음과 같음.
예 너를 사랑해. → '[너], [를], [사], [랑], [해]'라는 다섯 음절로 이루어짐.

문제로 연습하기

정답 2쪽

[01~03] 다음 빈칸에 알맞은 단어를 쓰시오.

01 □□은 한 번에 발음할 수 있는 말의 최소 단위이다.

02 □□은 사람마다 다르게 내는 말소리로, 구체적이고 물리적인 성질을 지닌다.

03 같은 언어를 사용하는 사람들은 하나의 단어를 두고 동일한 □□으로 인식한다.

[04~06] 다음 설명이 맞으면 O표, 틀리면 X표 하시오.

04 '밥'과 '발'은 음성도 다르고 음운도 다른 말이다. (　　　)

05 '어머니'라는 단어는 두 개의 음절로 이루어져 있다. (　　　)

06 '밥'에서 첫소리 'ㅂ'과 끝소리 'ㅂ'은 동일한 음운이지만 음성은 다르다. (　　　)

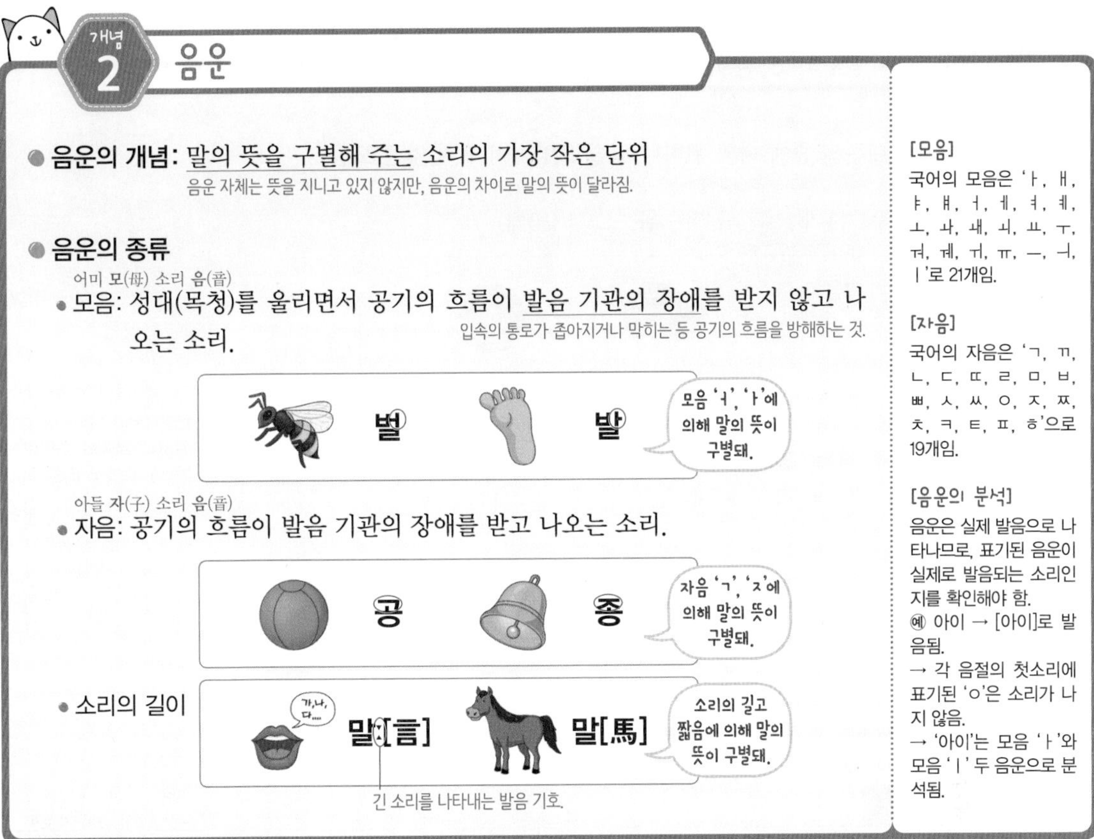

개념 2 음운

● **음운의 개념:** 말의 뜻을 구별해 주는 소리의 가장 작은 단위

음운 자체는 뜻을 지니고 있지 않지만, 음운의 차이로 말의 뜻이 달라짐.

● **음운의 종류**

어미 모(母) 소리 음(音)

• 모음: 성대(목청)를 울리면서 공기의 흐름이 발음 기관의 장애를 받지 않고 나오는 소리.

입속의 통로가 좁아지거나 막히는 등 공기의 흐름을 방해하는 것.

벌
발
모음 'ㅓ', 'ㅏ'에 의해 말의 뜻이 구별돼.

아들 자(子) 소리 음(音)

• 자음: 공기의 흐름이 발음 기관의 장애를 받고 나오는 소리.

공
종
자음 'ㄱ', 'ㅈ'에 의해 말의 뜻이 구별돼.

• 소리의 길이

가, 나, 다....
말:[言]
말[馬]
소리의 길고 짧음에 의해 말의 뜻이 구별돼.

긴 소리를 나타내는 발음 기호.

[모음]
국어의 모음은 'ㅏ, ㅐ, ㅑ, ㅒ, ㅓ, ㅔ, ㅕ, ㅖ, ㅗ, ㅘ, ㅙ, ㅚ, ㅛ, ㅜ, ㅝ, ㅞ, ㅟ, ㅠ, ㅡ, ㅢ, ㅣ'로 21개임.

[자음]
국어의 자음은 'ㄱ, ㄲ, ㄴ, ㄷ, ㄸ, ㄹ, ㅁ, ㅂ, ㅃ, ㅅ, ㅆ, ㅇ, ㅈ, ㅉ, ㅊ, ㅋ, ㅌ, ㅍ, ㅎ'으로 19개임.

[음운의 분석]
음운은 실제 발음으로 나타나므로, 표기된 음운이 실제로 발음되는 소리인지를 확인해야 함.
예 아이 → [아이]로 발음됨.
→ 각 음절의 첫소리에 표기된 'ㅇ'은 소리가 나지 않음.
→ '아이'는 모음 'ㅏ'와 모음 'ㅣ' 두 음운으로 분석됨.

문제로 연습하기

정답 2쪽

[01~04] 다음 설명이 맞으면 O표, 틀리면 X표 하시오.

01 음운은 단어의 뜻을 구별해 주는 가장 큰 단위이다. (　　　)

02 국어의 음운에는 자음, 모음, 소리의 높낮이가 있다. (　　　)

03 국어에서는 모음이나 자음 하나의 차이로 말의 뜻이 달라진다. (　　　)

04 국어에서는 모음을 발음하는 길이에 따라 말의 뜻이 달라질 수 있다. (　　　)

[05~08] [보기]와 같이 단어의 음운을 분석하시오.

보기

달 → ㄷ, ㅏ, ㄹ

05 요 →

06 먹 →

07 기침 →

08 사다리 →

개념 3

단모음, 이중 모음

● **단모음**: 소리를 내는 도중에 혀의 위치나 입술 모양이 바뀌지 않는 모음.
홑 단(單)
혀의 높이나 혀의 앞뒤 등의 위치를 말함.

→ ㅏ, ㅐ, ㅓ, ㅔ, ㅗ, ㅚ, ㅜ, ㅟ, ㅡ, ㅣ(10개)

['ㅏ'의 발음]

두 이(二) 거듭 중(重)
● **이중 모음**: 소리를 내는 도중에 혀의 위치나 입술 모양이 달라지는 모음.

→ ㅑ, ㅒ, ㅕ, ㅖ, ㅘ, ㅙ, ㅛ, ㅝ, ㅞ, ㅠ, ㅢ(11개)

['ㅑ'의 발음]

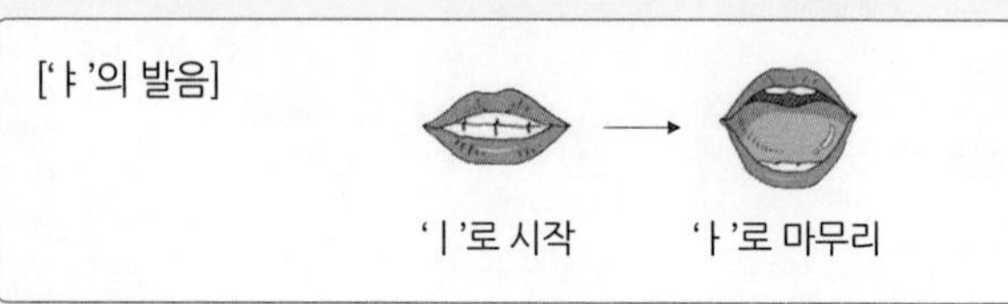

[단모음 'ㅚ', 'ㅟ']
국어에서 'ㅚ', 'ㅟ'는 소리를 내는 도중에 혀의 위치나 입술의 모양이 바뀌지 않는 단모음이지만 실제로는 'ㅚ[we]', 'ㅟ[wi]'처럼 혀나 입술을 움직여서 이중 모음으로 발음하는 사람들이 많음. 그래서 'ㅚ'와 'ㅟ'를 이중 모음처럼 소리 내는 것도 허용하고 있음. 하지만 'ㅚ', 'ㅟ'는 이중 모음이 아니라 단모음임.

문제로 연습하기

정답 2쪽

[01~04] 다음 (　　) 안에 알맞은 말을 고르시오.

01 단모음은 발음하는 도중에 입술 모양이나 혀의 위치가 (달라진다 / 달라지지 않는다).

02 이중 모음은 발음을 시작할 때와 끝낼 때의 입술 모양이 (같다 / 다르다).

03 모음 'ㅣ'를 발음하는 과정에서 입술 모양이나 혀의 위치는 (달라진다 / 달라지지 않는다).

04 모음 'ㅛ'를 발음하는 과정은 모음 'ㅣ'와 ('ㅗ' / 'ㅜ')를 이어서 소리 내는 것과 비슷하다.

[05~12] 다음 모음의 종류를 [보기]에서 찾아 그 기호를 쓰시오.

보기
㉠ 단모음　　㉡ 이중 모음

05 ㅗ ······················· (　　　)　　**06** ㅖ ······················· (　　　)

07 ㅝ ······················· (　　　)　　**08** ㅐ ······················· (　　　)

09 ㅔ ······················· (　　　)　　**10** ㅠ ······················· (　　　)

11 ㅚ ······················· (　　　)　　**12** ㅢ ······················· (　　　)

개념 4 단모음의 분류 (1)_고모음, 중모음, 저모음

● 단모음은 혀의 높낮이에 따라 고모음, 중모음, 저모음으로 나뉨.

고모음 높을 고(高)	발음할 때 혀의 높이가 높은 모음. – 발음할 때 입을 조금 벌리며 입천장과 혀 사이가 가까움.	ㅣ, ㅟ, ㅡ, ㅜ
중모음 가운데 중(中)	발음할 때 혀의 높이가 중간인 모음. – 발음할 때 입을 벌리는 정도나 입천장과 혀 사이의 거리가 중간 정도임.	ㅔ, ㅚ, ㅓ, ㅗ
저모음 낮을 저(低)	발음할 때 혀의 높이가 낮은 모음. – 발음할 때 입을 크게 벌리며 입천장과 혀 사이가 멂.	ㅐ, ㅏ

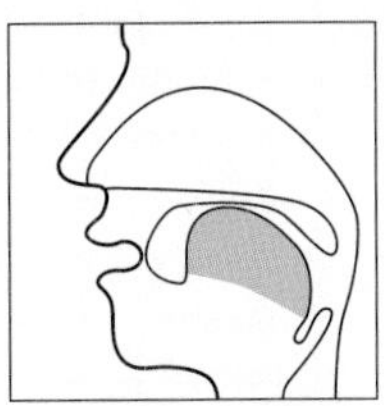
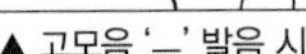
▲ 고모음 'ㅡ' 발음 시

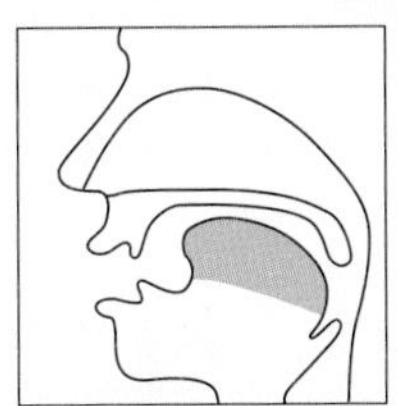
▲ 중모음 'ㅓ' 발음 시

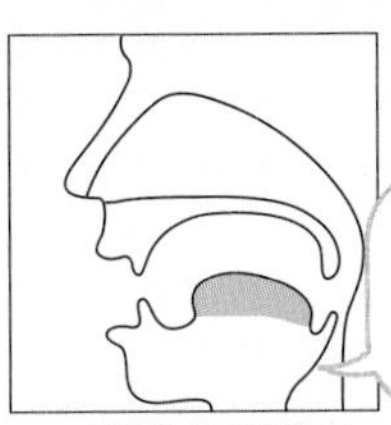
▲ 저모음 'ㅏ' 발음 시

고모음에서 저모음으로 갈수록 혀의 높이가 낮아지고 입이 크게 벌어져.

[고·중·저모음의 구별]
고모음, 중모음, 저모음은 혀끝의 높이에 따라 붙여진 이름이지만, 실제로 발음해 보면서 입이 열리고 닫히는 정도로 구별하는 것이 더 쉬움.
- 고모음: 입을 거의 다물고 발음해서 '폐(닫을 閉)모음'이라고도 함.
- 중모음: 입을 반쯤 열고 발음함.
- 저모음: 입을 크게 열고 발음해서 '개(열 開) 모음'이라고도 함.

문제로 연습하기

정답 2쪽

[01~03] 다음 ( ) 안에 알맞은 말을 고르시오.

01 단모음은 발음할 때 혀의 (높낮이 / 앞뒤 위치)에 따라 고모음, 중모음, 저모음으로 나뉜다.

02 고모음을 발음할 때보다 저모음을 발음할 때에 입이 (크게 / 작게) 벌어진다.

03 'ㅣ → ㅔ → ㅐ'를 순서대로 발음하는 과정에서 혀의 높이는 점점 (높아진다 / 낮아진다).

[04~06] 다음에 알맞은 모음의 종류를 쓰시오.

04 발음할 때 혀가 입천장과 가장 멀리 떨어진 상태에서 소리 나는 모음. …………………… (   )

05 발음할 때 혀가 입천장과 입의 바닥 중간쯤에 있을 때 소리 나는 모음. …………………… (   )

06 발음할 때 혀의 위치가 가장 높고 입이 가장 작게 벌어진 상태에서 소리 나는 모음. …. (   )

[07~09] 다음 모음의 종류를 찾아 알맞게 연결하시오.

07 ㅐ, ㅏ • • ㉠ 고모음

08 ㅔ, ㅚ, ㅓ, ㅗ • • ㉡ 중모음

09 ㅣ, ㅟ, ㅡ, ㅜ • • ㉢ 저모음

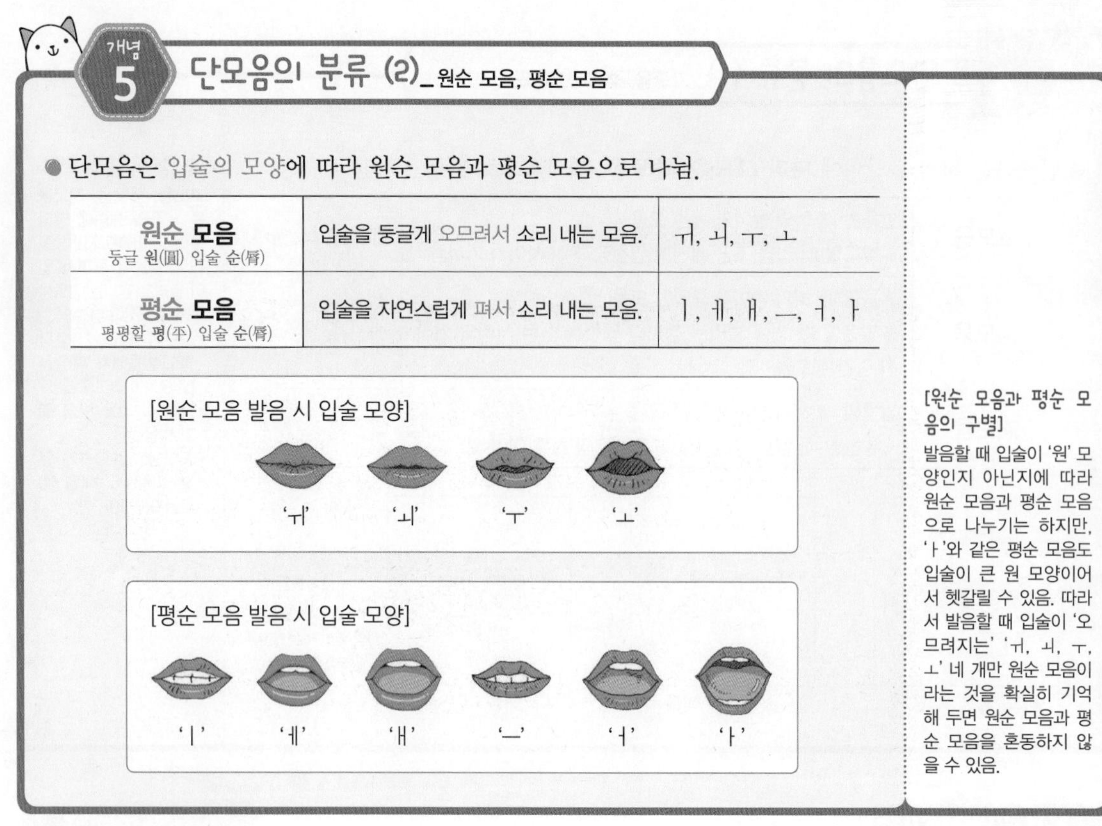

원순 모음 둥글 원(圓) 입술 순(脣)	입술을 둥글게 오므려서 소리 내는 모음.	ㅟ, ㅚ, ㅜ, ㅗ
평순 모음 평평할 평(平) 입술 순(脣)	입술을 자연스럽게 펴서 소리 내는 모음.	ㅣ, ㅔ, ㅐ, ㅡ, ㅓ, ㅏ

[원순 모음과 평순 모음의 구별]
발음할 때 입술이 '원' 모양인지 아닌지에 따라 원순 모음과 평순 모음으로 나누기는 하지만, 'ㅏ'와 같은 평순 모음도 입술이 큰 원 모양이어서 헷갈릴 수 있음. 따라서 발음할 때 입술이 '오므려지는' 'ㅟ, ㅚ, ㅜ, ㅗ' 네 개만 원순 모음이라는 것을 확실히 기억해 두면 원순 모음과 평순 모음을 혼동하지 않을 수 있음.

문제로 연습하기

정답 2쪽

[01~03] 다음 빈칸에 알맞은 단어를 쓰시오.

01 단모음은 발음할 때의 ☐☐ 모양에 따라 원순 모음과 평순 모음으로 나뉜다.

02 ☐☐ 모음은 입술을 동그랗게 모아서 발음한다.

03 입술을 평평하게 펴서 발음하는 모음을 ☐☐ 모음이라고 한다.

[04~13] 다음 모음의 종류를 [보기]에서 찾아 그 기호를 쓰시오.

보기
㉠ 원순 모음 ㉡ 평순 모음

04 ㅏ ························ (　　　　)
05 ㅟ ························ (　　　　)
06 ㅔ ························ (　　　　)
07 ㅡ ························ (　　　　)
08 ㅜ ························ (　　　　)
09 ㅐ ························ (　　　　)
10 ㅚ ························ (　　　　)
11 ㅓ ························ (　　　　)
12 ㅣ ························ (　　　　)
13 ㅗ ························ (　　　　)

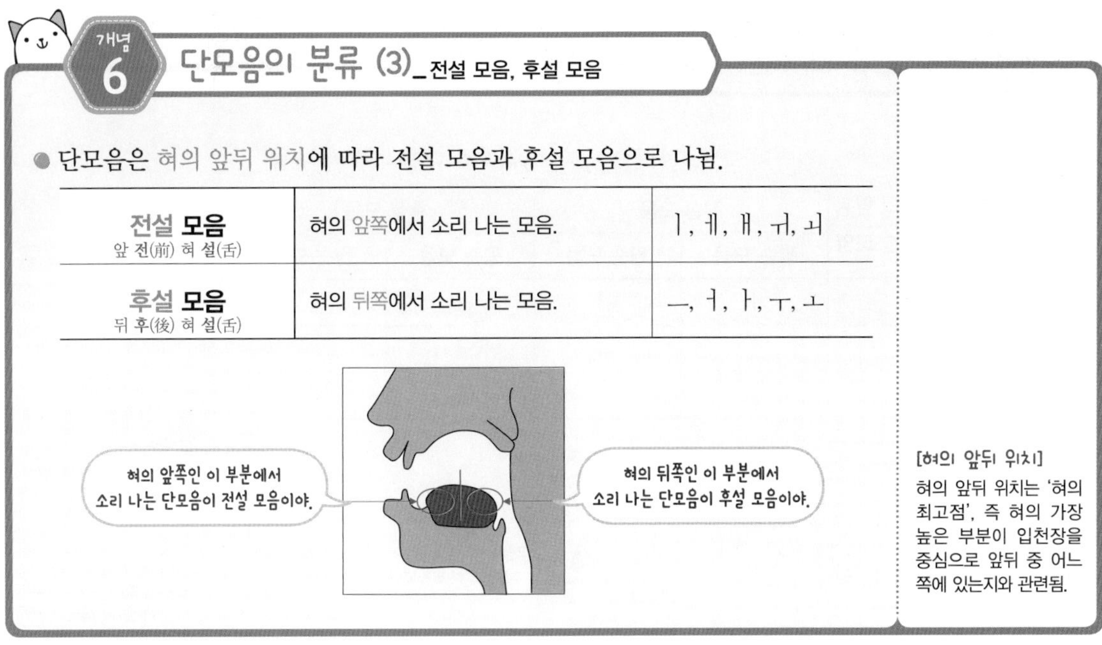

개념 6 단모음의 분류 (3)_전설 모음, 후설 모음

● 단모음은 혀의 앞뒤 위치에 따라 전설 모음과 후설 모음으로 나뉨.

전설 모음 앞 전(前) 혀 설(舌)	혀의 앞쪽에서 소리 나는 모음.	ㅣ, ㅔ, ㅐ, ㅟ, ㅚ
후설 모음 뒤 후(後) 혀 설(舌)	혀의 뒤쪽에서 소리 나는 모음.	ㅡ, ㅓ, ㅏ, ㅜ, ㅗ

혀의 앞쪽인 이 부분에서 소리 나는 단모음이 전설 모음이야.
혀의 뒤쪽인 이 부분에서 소리 나는 단모음이 후설 모음이야.

[혀의 앞뒤 위치]
혀의 앞뒤 위치는 '혀의 최고점', 즉 혀의 가장 높은 부분이 입천장을 중심으로 앞뒤 중 어느 쪽에 있는지와 관련됨.

I 음운

문제로 연습하기

정답 2쪽

[01~03] 다음 설명이 맞으면 O표, 틀리면 X표 하시오.

01 단모음은 혀의 위치가 높은지 낮은지에 따라 전설 모음과 후설 모음으로 나뉜다. (　　　)

02 전설 모음은 혀의 앞부분에서 발음되고, 후설 모음은 혀의 뒷부분에서 발음된다. (　　　)

03 'ㅚ → ㅓ'를 순서대로 발음해 보면 혀의 위치가 뒤로 이동하는 것을 알 수 있다. (　　　)

[04~06] 다음 (　　) 안에 알맞은 말을 고르시오.

04 모음 'ㅗ'와 'ㅚ'는 혀의 앞뒤 위치를 기준으로 할 때 (같은 / 다른) 종류이다.

05 모음 'ㅣ'는 모음 'ㅡ'와 비교할 때 혀의 (앞쪽 / 뒤쪽)에서 소리 난다.

06 모음 'ㅏ'는 모음 'ㅔ'와 비교할 때 혀의 (앞쪽 / 뒤쪽)에서 소리 난다.

[07~08] [보기]의 모음들을 전설 모음과 후설 모음으로 구분하시오.

보기

ㅏ　ㅓ　ㅐ　ㅔ　ㅗ　ㅜ　ㅚ　ㅟ　ㅡ　ㅣ

07 전설 모음

08 후설 모음

개념 7 단모음 체계표

● 단모음은 혀의 높낮이, 입술의 모양, 혀의 앞뒤 위치에 따라 다음과 같이 나뉨.

혀의 앞뒤 / 입술 모양 / 혀의 높낮이	전설 모음		후설 모음	
	평순 모음	원순 모음	평순 모음	원순 모음
고모음	ㅣ	ㅟ	ㅡ	ㅜ
중모음	ㅔ	ㅚ	ㅓ	ㅗ
저모음	ㅐ		ㅏ	

'전설 모음 → 후설 모음'의 순서로 발음해 보면서 혀의 앞뒤 위치 변화도 느껴 봐.

'고모음 → 중모음 → 저모음'의 순서로 발음해 보면서 혀의 높낮이 변화를 느껴 봐.

[국어사전의 모음 배열 순서]
'ㅏ, ㅐ ㅑ, ㅒ, ㅓ, ㅔ, ㅕ, ㅖ, ㅗ, ㅘ, ㅙ, ㅚ, ㅛ, ㅜ, ㅝ, ㅞ, ㅟ, ㅠ, ㅡ, ㅢ, ㅣ'
국어사전의 모음 배열은 대체로 '평순 모음 → 원순 모음'의 순서를 보이며, 사이사이에 이중 모음이 추가됨.

문제로 연습하기

정답 2쪽

[01~05] 다음 모음의 종류로 알맞은 말을 모두 고르시오.

01 ㅔ – (전설 모음 / 후설 모음), (평순 모음 / 원순 모음), (고모음 / 중모음 / 저모음)

02 ㅡ – (전설 모음 / 후설 모음), (평순 모음 / 원순 모음), (고모음 / 중모음 / 저모음)

03 ㅜ – (전설 모음 / 후설 모음), (평순 모음 / 원순 모음), (고모음 / 중모음 / 저모음)

04 ㅐ – (전설 모음 / 후설 모음), (평순 모음 / 원순 모음), (고모음 / 중모음 / 저모음)

05 ㅏ – (전설 모음 / 후설 모음), (평순 모음 / 원순 모음), (고모음 / 중모음 / 저모음)

[06~10] 다음 빈칸에 모음의 종류에 해당하는 모음을 모두 쓰시오.

(+: 연결된 모음의 종류에 공통으로 속함을 나타냄.)

06 중모음 = ( )

07 원순 모음 + 전설 모음 = ( )

08 중모음 + 후설 모음 = ( )

09 평순 모음 + 전설 모음 + 고모음 = ( )

10 저모음 + 후설 모음 + 평순 모음 = ( )

개념 8 소리의 길이

- 같은 자음과 모음으로 이루어진 말도 모음을 발음하는 길이에 따라 그 뜻이 달라짐.
→ 소리의 길이도 자음과 모음처럼 말의 뜻을 구별해 주는 음운의 역할을 함.

짧은 소리	의미	긴 소리	의미
눈[눈]		눈[눈:]	
말[말]		말[말:]	
벌[벌]		벌[벌:]	
밤[밤]		밤[밤:]	
병[병]		병[병:]	
굴[굴]		굴[굴:]	

[소리의 길이 변화]
단어의 첫음절에서는 길게 소리 나지만, 둘째 음절 이하에서는 짧게 소리 나는 경우도 많음.
예 하늘에서 내리는 눈[눈:] → 첫눈[천눈]
예 사람이 하는 말[말:] → 거짓말[거:진말]

문제로 연습하기

정답 2쪽

[01~03] 다음 설명이 맞으면 O표, 틀리면 X표 하시오.

01 소리의 길이는 말의 뜻을 구별해 주는 역할을 한다. (　　　)

02 같은 자음과 모음으로 이루어진 단어는 모두 같은 의미를 가진다. (　　　)

03 '병'이라는 단어는 모음을 발음하는 길이에 따라 그 의미가 달라진다. (　　　)

[04~08] 다음 밑줄 친 ㉠과 ㉡ 중 길게 소리 나는 것을 고르시오.

04 ㉠말을 타다가 넘어졌다. / ㉡말보다 행동으로 보여 주는 태도가 필요하다.

05 ㉠벌에 쏘여 손이 퉁퉁 부었다. / 그 친구는 ㉡벌로 화장실 청소를 하게 되었다.

06 바닷가의 ㉠굴에서 놀던 기억이 난다. / 언니는 ㉡굴을 먹으면 배탈이 나곤 했다.

07 가족끼리 연탄불에 ㉠밤을 구워 먹었다. / 올 여름에는 ㉡밤에 비가 자주 내렸다.

08 찬란하게 빛나는 햇살에 ㉠눈이 부셨다. / ㉡눈이 내리자 온 세상이 갑자기 하얘졌다.

중단원 한눈에 보기

→ 10분 Review 테스트 134쪽

음운

- 음운의 개념: 말의 뜻을 구별해 주는 소리의 가장 작은 단위.
- 음운의 종류

모음	공기의 흐름이 발음 기관의 장애를 받지 않고 나오는 소리. 예 '강'과 '궁'은 모음 'ㅏ'와 'ㅜ'에 의해 말의 뜻이 구별됨.
자음	공기의 흐름이 발음 기관의 장애를 받고 나오는 소리. 예 '강'과 '상'은 자음 'ㄱ'과 'ㅅ'에 의해 말의 뜻이 구별됨.
소리의 길이	모음을 발음하는 길이의 길고 짧음. 예 먹는 '밤[밤:]'과 어두운 '밤[밤]'은 소리의 길고 짧음에 의해 말의 뜻이 구별됨.

모음의 분류

(1) 단모음: 소리를 내는 도중에 혀의 위치나 입술 모양이 바뀌지 않는 모음.

→ ㅏ, ㅐ, ㅓ, ㅔ, ㅗ, ㅚ, ㅜ, ㅟ, ㅡ, ㅣ (10개)

- 혀의 높낮이에 따른 분류

고모음	발음할 때 혀의 높이가 높은 모음.	ㅣ, ㅟ, ㅡ, ㅜ
중모음	발음할 때 혀의 높이가 중간인 모음.	ㅔ, ㅚ, ㅓ, ㅗ
저모음	발음할 때 혀의 높이가 낮은 모음.	ㅐ, ㅏ

- 입술 모양에 따른 분류

원순 모음	입술을 둥글게 오므려서 소리 내는 모음.	ㅟ, ㅚ, ㅜ, ㅗ
평순 모음	입술을 자연스럽게 펴서 소리 내는 모음.	ㅣ, ㅔ, ㅐ, ㅡ, ㅓ, ㅏ

- 혀의 앞뒤 위치에 따른 분류

전설 모음	혀의 앞쪽에서 소리 나는 모음.	ㅣ, ㅔ, ㅐ, ㅟ, ㅚ
후설 모음	혀의 뒤쪽에서 소리 나는 모음.	ㅡ, ㅓ, ㅏ, ㅜ, ㅗ,

- 단모음 체계표

혀의 높낮이 \ 입술 모양 \ 혀의 앞뒤	전설 모음		후설 모음	
	평순 모음	원순 모음	평순 모음	원순 모음
고모음	ㅣ	ㅟ	ㅡ	ㅜ
중모음	ㅔ	ㅚ	ㅓ	ㅗ
저모음	ㅐ		ㅏ	

(2) 이중 모음: 소리를 내는 도중에 혀의 위치나 입술 모양이 달라지는 모음.

→ ㅑ, ㅒ, ㅕ, ㅖ, ㅘ, ㅙ, ㅛ, ㅝ, ㅞ, ㅠ, ㅢ (11개)

실력 완성하기

정답 및 해설 2쪽

[개념 1, 2]

01 음운에 대한 설명으로 적절한 것은?

① 한 번에 발음할 수 있는 최소의 소리 단위이다.
② 국어의 음운에는 자음, 모음, 소리의 길이가 있다.
③ 사람의 발음에 따라 차이가 나는 구체적인 말소리이다.
④ 말의 뜻 구별에 영향을 주지 않는 소리의 가장 작은 단위이다.
⑤ 사람들이 머릿속에서 서로 다른 소리로 인식하는 추상적인 말소리이다.

[개념 1]

02 다음 중 음절의 수가 가장 많은 것은?

① 힘　② 머리　③ 고구마　④ 시나브로　⑤ 외할아버지

[개념 2]

03 다음 단어에 사용된 음운의 수가 적절한 것은?

① 가 - 1개　② 호 - 2개　③ 장 - 2개　④ 활 - 4개　⑤ 벽 - 5개

참고해 봐!

'음운'은 소리의 단위이므로 소릿값을 기준으로 한다. 따라서 음운의 수를 따질 때는 표기가 아니라 어떻게 발음되고 있는지를 알아야 한다.

[개념 2~7]

04 모음에 대한 설명으로 적절하지 않은 것은?

① 단모음은 발음할 때 입술의 모양이 바뀌지 않는다.
② 모음은 발음할 때 공기의 흐름에 장애를 받지 않는다.
③ 이중 모음은 발음할 때 입술 모양이나 혀의 위치가 변한다.
④ 단모음은 혀의 앞뒤 위치, 입술 모양, 혀의 높낮이에 따라 나눌 수 있다.
⑤ 발음할 때 고모음은 입이 크게 벌어지고, 저모음은 입이 작게 벌어진다.

[개념 3]

05 다음 중 이중 모음이 사용된 것은?

① 볼　② 지위　③ 텃새　④ 외조부　⑤ 별무리

[개념 4]

06 다음 중 혀가 높은 곳에 있을 때 소리 나는 것은?

① ㅣ　② ㅓ　③ ㅗ　④ ㅚ　⑤ ㅏ

실력 완성하기

[개념 4] 고난도

07 [보기]의 모음과 같이 혀의 높낮이 변화가 일어나는 것은?

> 보기
>
> ㅡ → ㅓ → ㅏ

① ㅟ → ㅚ → ㅣ
② ㅜ → ㅗ → ㅟ
③ ㅐ → ㅔ → ㅜ
④ ㅣ → ㅔ → ㅐ
⑤ ㅐ → ㅗ → ㅣ

이렇게 풀어 봐!

고모음은 입을 조금 벌리고, 저모음은 입을 크게 벌리며, 중모음은 고모음과 중모음의 중간 정도로 입을 벌리고 발음한다는 점을 기억해 두고 모음을 하나씩 발음해 봐.

[개념 6]

08 [보기]와 같이 모음을 분류한 기준으로 적절한 것은?

> 보기
>
> (ㄱ) ㅣ, ㅔ, ㅐ, ㅟ, ㅚ　　　(ㄴ) ㅡ, ㅓ, ㅏ, ㅜ, ㅗ

① 혀의 높낮이
② 혀의 앞뒤 위치
③ 목청의 울림 유무
④ 입술 모양의 둥글고 평평함
⑤ 입술이나 혀의 움직임 유무

[개념 7]

09 [보기]의 설명에 공통적으로 해당하는 모음으로 적절한 것은?

> 보기
>
> • 혀의 높낮이가 중간쯤이다.
> • 혀의 최고점이 뒤쪽에 있다.
> • 입술을 동그랗게 오므린 상태에서 소리 낸다.

① ㅏ　② ㅡ　③ ㅗ　④ ㅚ　⑤ ㅓ

혀의 높낮이가 중간인 것은 '중모음', 혀의 최고점의 위치가 뒤쪽에 있는 것은 '후설 모음', 입술을 동그랗게 오므려서 소리 내는 것은 '원순 모음'이다.

[개념 4~7]

10 다음 모음에 대한 설명으로 적절하지 않은 것은?

① ㅟ: 혀의 앞쪽에서 소리 난다.
② ㅡ: 입술을 평평하게 펴서 소리 낸다.
③ ㅜ: 입술을 둥글게 오므려서 소리 낸다.
④ ㅓ: 혀가 입천장과 가까울 때 소리 난다.
⑤ ㅔ: 혀의 높낮이가 중간일 때 소리 난다.

[개념 4~7] 고난도

11 다음 중 저모음, 전설 모음, 원순 모음을 모두 포함하고 있는 것은?

① 주먹　② 모레　③ 가위　④ 외국　⑤ 피리

[개념 7]
12 [보기]의 특성을 모두 가지고 있는 모음은?

보기
- 발음할 때 혀의 위치가 일정하다.
- 혀의 뒷부분에서 소리 난다.
- 입이 크게 벌어진 상태에서 소리 난다.
- 발음할 때 입술이 둥글게 오므려지지 않는다.

① ㅑ ② ㅏ ③ ㅜ ④ ㅐ ⑤ ㅗ

[개념 1~7]
13 [보기]의 단어에 대한 설명으로 적절하지 않은 것은?

보기
아이

① 2개의 음절로 이루어진 단어이다.
② 2개의 모음만으로 발음되는 단어이다.
③ 발음할 때 입이 크게 벌어졌다가 작아진다.
④ 발음할 때 혀의 높이가 낮아졌다가 높아진다.
⑤ 발음할 때 입술이 둥글게 오므려졌다가 평평해진다.

[개념 3~7] 고난도
14 [보기]의 단어에 사용된 모음에 대한 설명으로 적절하지 않은 것은?

보기
딸기 우유

① 단모음 중 고모음은 2개 쓰였다.
② 단모음 중 중모음은 쓰이지 않았다.
③ 단모음 중 전설 모음은 1개 쓰였다.
④ 단모음 중 원순 모음은 쓰이지 않았다.
⑤ 단모음 3개와 이중 모음 1개로 이루어졌다.

이렇게 풀어 봐!
'딸기 우유'에 사용된 모음은 'ㅏ, ㅣ, ㅜ, ㅠ' 4개야. 이 중 단모음이 몇 개인지 확인한 후, 단모음을 혀의 높낮이, 혀의 앞뒤 위치, 입술의 모양에 따라 그 종류를 나누어 봐.

[개념 8]
15 다음 밑줄 친 단어 중 모음을 길게 소리 내야 하는 것은?

① 밤이 점점 깊어 간다.
② 눈에 먼지가 들어갔다.
③ 아이가 말을 많이 한다.
④ 그는 벌을 받아 마땅하다.
⑤ 발이 시려 견디기 어렵다.

개념 9

자음의 분류 (1)_소리 나는 위치

● 자음은 소리 나는 위치, 즉 공기의 흐름에 장애가 생기는 곳의 위치에 따라 입술소리, 잇몸소리, 센입천장소리, 여린입천장소리, 목청소리로 나뉨.

입술소리(순음) 입술 순(脣) 소리 음(音)	두 입술 사이에서 나는 소리.	ㅂ, ㅃ, ㅍ, ㅁ
잇몸소리(치조음) 이 치(齒) 구유 조(槽)	윗잇몸과 혀끝이 닿아서 나는 소리.	ㄷ, ㄸ, ㅌ, ㅅ, ㅆ, ㄴ, ㄹ
센입천장소리(경구개*음) 굳을 경(硬) 입 구(口) 덮을 개(蓋)	센입천장과 혓바닥 사이에서 나는 소리.	ㅈ, ㅉ, ㅊ
여린입천장소리(연구개*음) 연할 연(軟) 입 구(口) 덮을 개(蓋)	여린입천장과 혀의 뒷부분 사이에서 나는 소리.	ㄱ, ㄲ, ㅋ, ㅇ
목청소리(후음) 목구멍 후(喉)	목청(성대) 사이에서 나는 소리.	ㅎ

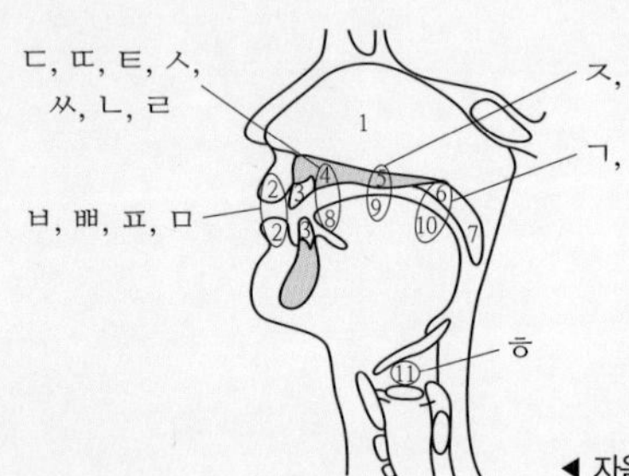

◀ 자음의 소리 나는 위치

*경구개
센입천장을 가리킴.

*연구개
여린입천장을 가리킴.

[국어의 자음]
발음할 때 공기의 흐름이 발음 기관(목, 입, 혀 등)의 장애를 받고 나오는 소리로, 자음만으로는 발음할 수 없으며, 모음과 결합한 상태에서만 발음할 수 있음.
→ ㄱ, ㄲ, ㄴ, ㄷ, ㄸ, ㄹ, ㅁ, ㅂ, ㅃ, ㅅ, ㅆ, ㅇ, ㅈ, ㅉ, ㅊ, ㅋ, ㅌ, ㅍ, ㅎ (19개)

문제로 연습하기

정답 5쪽

[01~03] 다음 설명이 맞으면 O표, 틀리면 X표 하시오.

01 자음은 소리 나는 위치에 따라 '입술소리, 잇몸소리, 콧소리, 목청소리'로만 나뉜다. (　　)

02 센입천장소리는 센입천장과 혓바닥 사이에서 나는 소리이다. (　　)

03 여린입천장소리는 여린입천장과 혀끝이 닿아서 나는 소리이다. (　　)

[04~08] 다음 자음의 종류를 찾아 알맞게 연결하시오.

04 ㅎ	•	• ㉠ 입술소리
05 ㅈ, ㅉ, ㅊ	•	• ㉡ 잇몸소리
06 ㄷ, ㄸ, ㅌ, ㅅ, ㅆ, ㄴ, ㄹ	•	• ㉢ 센입천장소리
07 ㄱ, ㄲ, ㅋ, ㅇ	•	• ㉣ 여린입천장소리
08 ㅂ, ㅃ, ㅍ, ㅁ	•	• ㉤ 목청소리

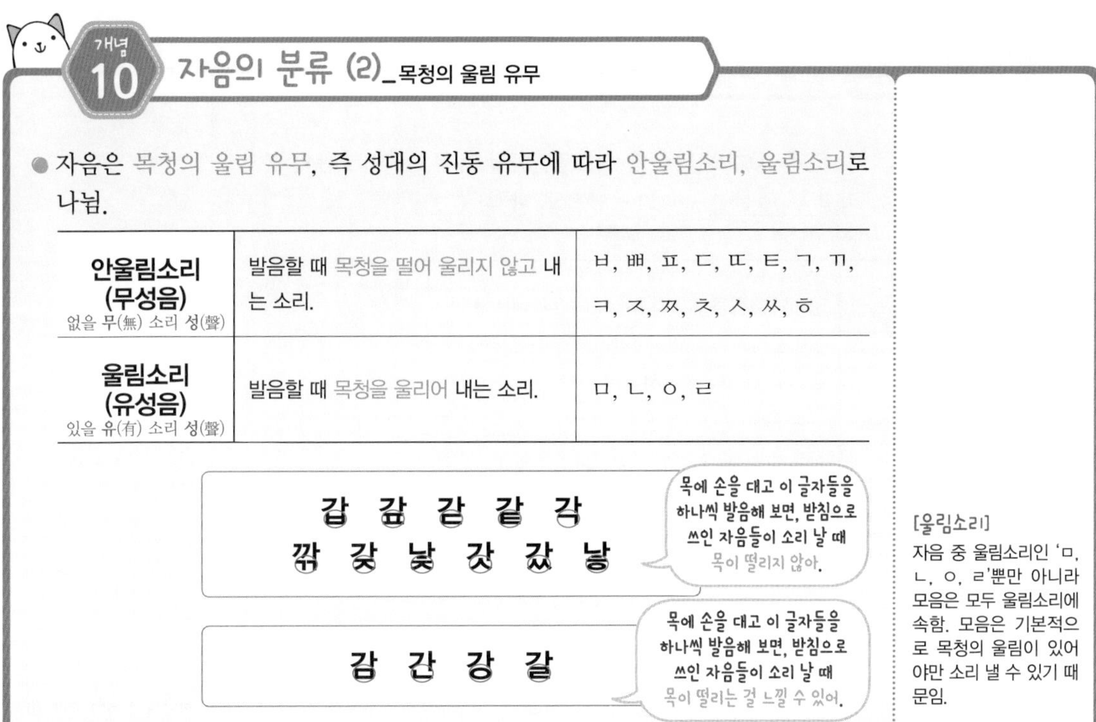

개념 10 자음의 분류 (2)_목청의 울림 유무

● 자음은 목청의 울림 유무, 즉 성대의 진동 유무에 따라 안울림소리, 울림소리로 나뉨.

안울림소리 (무성음) 없을 무(無) 소리 성(聲)	발음할 때 목청을 떨어 울리지 않고 내는 소리.	ㅂ, ㅃ, ㅍ, ㄷ, ㄸ, ㅌ, ㄱ, ㄲ, ㅋ, ㅈ, ㅉ, ㅊ, ㅅ, ㅆ, ㅎ
울림소리 (유성음) 있을 유(有) 소리 성(聲)	발음할 때 목청을 울리어 내는 소리.	ㅁ, ㄴ, ㅇ, ㄹ

갑 갚 갇 같 각
깎 갖 낯 갓 갔 낳

목에 손을 대고 이 글자들을 하나씩 발음해 보면, 받침으로 쓰인 자음들이 소리 날 때 목이 떨리지 않아.

감 간 강 갈

목에 손을 대고 이 글자들을 하나씩 발음해 보면, 받침으로 쓰인 자음들이 소리 날 때 목이 떨리는 걸 느낄 수 있어.

[울림소리]
자음 중 울림소리인 'ㅁ, ㄴ, ㅇ, ㄹ'뿐만 아니라 모음은 모두 울림소리에 속함. 모음은 기본적으로 목청의 울림이 있어야만 소리 낼 수 있기 때문임.

문제로 연습하기

정답 5쪽

[01~03] 다음 (   ) 안에 알맞은 말을 고르시오.

01 안울림소리와 울림소리는 자음을 (성대 / 콧속)의 진동 유무에 따라 분류한 것이다.

02 (안울림소리 / 울림소리)는 목청이 떨리면서 소리 나는 자음을 일컫는 말이다.

03 'ㄷ, ㄸ, ㅌ'은 목청이 (떨리면서 / 떨리지 않고) 소리 나는 자음들이다.

[04~08] 다음 중 울림소리를 고르고, 울림소리가 없는 경우에는 X표 하시오.

04 ㅂ ㅊ ㄴ

05 ㅁ ㅅ ㅎ ㅍ

06 ㄲ ㅆ ㅃ ㅉ

07 ㄷ ㅋ ㅈ ㄹ

08 ㄸ ㅇ ㅌ ㄱ

개념 11 자음의 분류 (3)_소리 내는 방법

● 자음은 소리 내는 방법, 즉 공기의 막힘과 터뜨림, 마찰 유무, 공기 흐름의 통로 등에 따라 파열음, 파찰음, 마찰음, 비음, 유음으로 나뉨.
안울림소리에 속함. 울림소리에 속함.

파열음 깨뜨릴 파(破) 찢을 열(裂)	공기의 흐름을 막았다가 터뜨리면서 내는 소리.	ㅂ, ㅃ, ㅍ, ㄷ, ㄸ, ㅌ, ㄱ, ㄲ, ㅋ
파찰음 깨뜨릴 파(破) 문지를 찰(擦)	공기를 막았다가 서서히 터뜨리면서 마찰시켜 내는 소리.	ㅈ, ㅉ, ㅊ
마찰음 문지를 마(摩) 문지를 찰(擦)	입안이나 목청 사이의 통로를 좁히고 그 좁은 틈 사이로 공기를 내보내어 마찰시켜 내는 소리.	ㅅ, ㅆ, ㅎ

브 쁘 프 — 입술로 공기의 흐름을 막았다가 터뜨리면서 내는 파열음이야.

드 뜨 트 — 혀끝으로 공기의 흐름을 막았다가 터뜨리면서 내는 파열음이야.

그 끄 크 — 혀의 뿌리 쪽 부분으로 공기의 흐름을 막았다가 터뜨리면서 내는 파열음이야.

즈 쯔 츠 — 혀끝으로 공기의 흐름을 막았다가 터뜨린 후 공기의 마찰이 일어나는 파찰음이야.

스 쓰 — 혀끝과 윗잇몸 사이의 좁은 틈에서 공기의 마찰이 일어나는 마찰음이야.

흐 — 목청의 좁은 틈에서 공기의 마찰이 일어나는 마찰음이야.

비음(콧소리) 코 비(鼻)	입안의 통로를 막고 코로 공기를 내보내면서 내는 소리.	ㅁ, ㄴ, ㅇ
유음(흐름소리) 흐를 유(流)	혀끝을 잇몸에 가볍게 대었다가 떼거나 혀끝을 윗잇몸에 댄 채 공기를 그 양 옆으로 흘려 내보내면서 내는 소리.	ㄹ

비음을 발음할 때는 공기가 입안을 통과하지 않고 콧속을 통과해. 그래서 코의 울림이 느껴져.

▲ 비음 발음 시 공기의 흐름

유음을 발음할 때는 공기가 혀 주변을 부드럽게 흘러가는 것처럼 느껴져.

▲ 유음 발음 시 공기의 흐름

[파찰음의 특성]
'즈, 쯔, 츠'를 발음해 보면 처음에 혀끝이 센입천장에 닿았다가 떨어지면서 공기의 흐름을 막았다가 터뜨리는 순간이 있는데, 그런 다음 공기가 스치듯 지나가면서 마찰이 일어남. 이처럼 파열과 마찰이 연달아 일어나는 자음이 파찰음임. 즉 파찰음은 파열음과 마찰음의 특성을 모두 가지고 있어 파열의 '파'와 마찰의 '찰'이 합쳐진 이름임.

[비음의 발음]
비음 'ㅁ, ㄴ, ㅇ'은 콧속이 공기의 통로 역할을 하기 때문에 공기가 코를 통과하지 못하면 제대로 소리 낼 수 없음. '므, 느, 으'를 코를 막고 발음할 때와 코를 막지 않고 발음할 때를 비교해 보면 확실히 알 수 있음.

문제로 연습하기

정답 5쪽

[01~05] 다음 빈칸에 알맞은 단어를 쓰시오.

01 ☐☐☐은 공기의 흐름을 막았다가 터뜨리면서 소리 내는 자음이다.

02 ☐☐☐은 공기를 막았다가 서서히 터뜨리면서 마찰시켜 소리 내는 자음이다.

03 자음 중 입안의 통로를 막고 코로 공기를 내보내면서 내는 소리를 ☐☐이라 한다.

04 ☐☐은 혀끝을 잇몸에 가볍게 대었다가 떼거나 혀끝을 윗잇몸에 댄 채 공기를 그 양 옆으로 흘려 내보내면서 소리 낸다.

05 입안이나 목청 사이의 통로를 좁히고 그 좁은 틈 사이로 공기를 내보내어 마찰시켜 소리 내는 자음을 ☐☐☐이라 한다.

[06~17] 다음 자음의 종류를 [보기]에서 찾아 쓰시오.

보기

파열음　　파찰음　　마찰음　　비음　　유음

06	ㄷ →		07	ㅁ →	
08	ㅎ →		09	ㅈ →	
10	ㄹ →		11	ㅍ →	
12	ㅉ →		13	ㅅ →	
14	ㅂ →		15	ㄴ →	
16	ㅇ →		17	ㅌ →	

[18~20] 다음 밑줄 친 부분을 바르게 고치시오.

18 '파열음, 마찰음, 파찰음'은 자음을 소리 나는 위치에 따라 나눈 것이다. → (　　　　)

19 파열음인 'ㅊ'은 공기를 막았다가 서서히 터뜨린 후 마찰이 일어나는 소리이다. → (　　　　)

20 'ㄱ, ㅋ, ㄲ'은 공기의 흐름을 막으면서 소리 내는 자음이다. → (　　　　)

개념 12 자음의 분류 (4)_소리의 세기

● 자음 중 안울림소리는 소리의 세기에 따라 예사소리, 된소리, 거센소리로 나뉨.

예사소리	보통의 세기로 나오는 소리.	경쾌하고 가벼운 느낌.	ㄱ, ㄷ, ㅂ, ㅅ, ㅈ
된소리	긴장된 상태에서 나오는 소리.	단단하고 급한 느낌.	ㄲ, ㄸ, ㅃ, ㅆ, ㅉ
거센소리	숨이 거세게 나오는 소리.	격하고 거센 느낌.	ㅋ, ㅌ, ㅍ, ㅊ

감감하다 깜깜하다 캄캄하다

'ㄱ, ㄲ, ㅋ'의 차이에 따라 어두움의 정도가 다르게 느껴져.

빙빙 돌다 삥삥 돌다 핑핑 돌다

'ㅂ, ㅃ, ㅍ'의 차이에 따라 도는 느낌이 다르게 느껴져.

[소리의 세기와 표현의 관계]
된소리나 거센소리를 사용하면 예사소리를 사용할 때보다 강하고 거친 느낌을 줄 수 있음. 따라서 표현하고 싶은 말의 느낌을 잘 살리기 위해서는 자음의 소리 세기를 생각해서 그에 알맞은 단어를 선택해야 함.

문제로 연습하기

정답 6쪽

[01~03] 다음 설명이 맞으면 O표, 틀리면 X표 하시오.

01 'ㅂ, ㅈ'은 단단하고 급한 느낌을 주는 된소리이다. (   )

02 거센소리는 'ㄲ, ㄸ'과 같이 격한 느낌을 주는 자음을 가리킨다. (   )

03 예사소리는 급하거나 거센 느낌이 없이 보통의 세기로 소리 내는 자음이다. (   )

[04~06] 소리의 세기에 따른 자음의 종류가 같은 것끼리 연결하시오.

04 ㅌ • • ㉠ ㅋ • • ⓐ ㅅ

05 ㄱ • • ㉡ ㅆ • • ⓑ ㅉ

06 ㅃ • • ㉢ ㄷ • • ⓒ ㅍ

[07~08] 다음 단어들을 [보기]의 순서를 고려하여 배열하시오.

보기
예사소리 – 된소리 – 거센소리

07 쫑쫑, 종종, 총총 →

08 핑글핑글, 삥글삥글, 빙글빙글 →

개념 13 자음 체계표

● 자음은 소리 나는 위치, 목청의 울림 유무, 소리 내는 방법, 소리의 세기에 따라 다음과 같이 나뉨.

목청 울림	소리 내는 방법	소리의 세기	입술소리	잇몸소리	센입천장 소리	여린입천장 소리	목청소리
안울림 소리	파열음	예사소리	ㅂ	ㄷ		ㄱ	
		된소리	ㅃ	ㄸ		ㄲ	
		거센소리	ㅍ	ㅌ		ㅋ	
	파찰음	예사소리			ㅈ		
		된소리			ㅉ		
		거센소리			ㅊ		
	마찰음	예사소리		ㅅ			ㅎ
		된소리		ㅆ			
울림 소리	비음		ㅁ	ㄴ		ㅇ	
	유음			ㄹ			

[주의]
교과서에 따라 '안울림소리, 울림소리'와 '예사소리, 된소리, 거센소리'를 '파열음, 마찰음, 파찰음, 비음, 유음'과 함께 '소리 내는 방법에 따른 분류'에 포함시키기도 합니다. 따라서 각 학교의 교과서 내용을 확인하시기 바랍니다.

[자음의 체계]
자음 체계표를 보면 자음들이 '예사소리, 된소리, 거센소리'의 짝을 이루어 동일한 종류로 묶이는 경우가 많으므로 예사소리를 중심으로 자음의 종류를 공부해 두면 자음의 전체적인 체계를 파악하는 데 도움이 됨.

문제로 연습하기

정답 6쪽

[01~04] 다음 자음의 분류 기준을 [보기]에서 찾아 그 기호를 쓰시오.

보기
㉠ 소리의 세기 ㉡ 소리 나는 위치 ㉢ 소리 내는 방법 ㉣ 목청의 울림 유무

01 안울림소리 – 울림소리 ············ (　　)

02 파열음 – 파찰음 – 마찰음 ·········· (　　)

03 예사소리 – 된소리 – 거센소리 ··· (　　)

04 입술소리 – 잇몸소리 – 목청소리 · (　　)

[05~08] 다음 빈칸에 자음의 종류에 공통적으로 해당하는 자음을 모두 쓰시오.

05 파찰음 + 거센소리 =

06 파열음 + 입술소리 =

07 마찰음 + 잇몸소리 =

08 안울림소리 + 여린입천장소리 =

중단원 한눈에 보기

개념 9~13

→ 10분 Review 테스트 138쪽

자음의 분류

- 소리 나는 위치에 따른 분류

구분	설명	자음
입술소리(순음)	두 입술 사이에서 나는 소리.	ㅂ, ㅃ, ㅍ, ㅁ
잇몸소리(치조음)	윗잇몸과 혀끝이 닿아서 나는 소리.	ㄷ, ㄸ, ㅌ, ㅅ, ㅆ, ㄴ, ㄹ
센입천장소리(경구개음)	센입천장과 혓바닥 사이에서 나는 소리.	ㅈ, ㅉ, ㅊ
여린입천장소리(연구개음)	여린입천장과 혀의 뒷부분 사이에서 나는 소리.	ㄱ, ㄲ, ㅋ, ㅇ
목청소리(후음)	목청(성대) 사이에서 나는 소리.	ㅎ

- 목청의 울림 유무에 따른 분류

구분	설명	자음
안울림소리(무성음)	발음할 때 목청을 떨어 울리지 않고 내는 소리.	ㅂ, ㅃ, ㅍ, ㄷ, ㄸ, ㅌ, ㄱ, ㄲ, ㅋ, ㅈ, ㅉ, ㅊ, ㅅ, ㅆ, ㅎ
울림소리(유성음)	발음할 때 목청을 울리어 내는 소리.	ㅁ, ㄴ, ㅇ, ㄹ

- 소리 내는 방법에 따른 분류

	구분	설명	자음
안울림소리	파열음	공기의 흐름을 막았다가 터뜨리면서 내는 소리.	ㅂ, ㅃ, ㅍ, ㄷ, ㄸ, ㅌ, ㄱ, ㄲ, ㅋ
안울림소리	파찰음	공기를 막았다가 서서히 터뜨리면서 마찰시켜 내는 소리.	ㅈ, ㅉ, ㅊ
안울림소리	마찰음	입안이나 목청 사이의 통로를 좁히고 그 좁은 틈 사이로 공기를 내보내어 마찰시켜 내는 소리.	ㅅ, ㅆ, ㅎ
울림소리	비음(콧소리)	입안의 통로를 막고 코로 공기를 내보내면서 내는 소리.	ㅁ, ㄴ, ㅇ
울림소리	유음(흐름소리)	혀끝을 잇몸에 가볍게 대었다가 떼거나 혀끝을 윗잇몸에 댄 채 공기를 그 양 옆으로 흘려 내보내면서 내는 소리.	ㄹ

- 소리의 세기에 따른 분류

구분	설명	느낌	파열음	마찰음	파찰음
예사소리	보통의 세기로 나오는 소리.	경쾌하고 가벼운 느낌.	ㄱ, ㄷ, ㅂ	ㅅ	ㅈ
된소리	긴장된 상태에서 나오는 소리.	단단하고 급한 느낌.	ㄲ, ㄸ, ㅃ	ㅆ	ㅉ
거센소리	숨이 거세게 나오는 소리.	격하고 거센 느낌.	ㅋ, ㅌ, ㅍ		ㅊ

개념 9~13 실력 완성하기

정답 및 해설 6쪽

[개념 9~13]

01 자음에 대한 설명으로 적절하지 않은 것은?

① 국어의 자음은 모두 19개이다.
② 자음은 모음 없이 홀로 발음할 수 없다.
③ 자음은 소리의 세기에 따라 나뉠 수 있다.
④ 자음은 성대를 울리지 않고 발음하는 소리이다.
⑤ 자음은 발음할 때 목이나 입안에서 공기 흐름의 장애를 받는다.

[개념 9~13]

02 자음의 종류와 자음 분류의 기준이 바르게 연결된 것은?

① 비음, 유음: 소리 나는 위치
② 안울림소리, 울림소리: 소리의 세기
③ 파열음, 마찰음, 파찰음: 소리 내는 방법
④ 예사소리, 된소리, 거센소리: 소리의 높낮이
⑤ 입술소리, 잇몸소리, 센입천장소리, 목청소리: 목청의 울림 유무

[개념 9]

03 [보기]의 ㉠에서 발음되는 자음들로만 묶인 것은?

보기

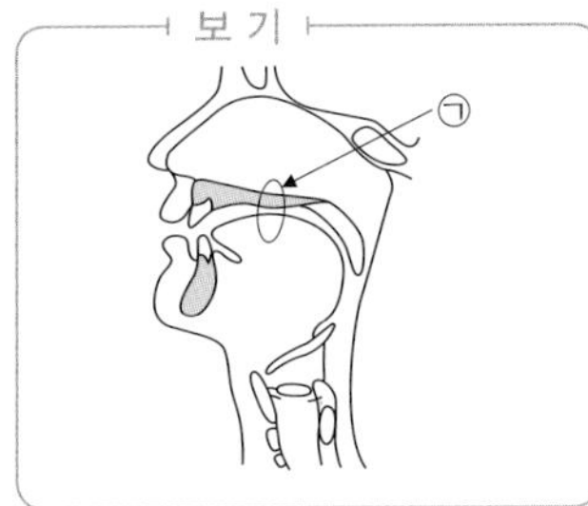

① ㄴ, ㄹ
② ㅈ, ㅊ
③ ㄱ, ㅇ, ㅎ
④ ㄷ, ㅂ, ㅅ
⑤ ㅂ, ㅃ, ㅍ, ㅁ

[개념 9]

04 [보기]의 변화에 대한 설명으로 적절한 것은?

보기

ㅂ → ㄷ → ㄱ

① 목청의 울림이 점차 커진다.
② 공기의 막힘이 점차 없어진다.
③ 소리의 세기가 점차 약해진다.
④ 소리 나는 위치가 점차 입의 안쪽으로 이동한다.
⑤ 공기의 흐름이 점차 입속에서 콧속으로 이동한다.

'ㅂ, ㄷ, ㄱ' 각각을 '아'의 받침으로 삼아 '압, 앋, 악'으로 발음해 보면 어떤 변화가 일어나는지 확인할 수 있어.

[개념 9]

05 다음 중 소리 나는 위치가 같은 것끼리 묶이지 않은 것은?

① ㄴ, ㄹ ② ㄷ, ㅌ ③ ㄱ, ㄲ, ㅇ
④ ㅁ, ㅂ, ㅍ ⑤ ㅅ, ㅆ, ㅎ

실력 완성하기

[개념 9]

06 다음 밑줄 친 말 중 입술소리가 가장 많이 사용된 것은?

① 복 많이 받으세요.
② 노란 꽃이 피었다.
③ 엄마 품이 따뜻했다.
④ 긴 줄에 발이 걸렸다.
⑤ 동생은 빵을 좋아했다.

[개념 10]

07 [보기]와 같은 자음의 분류 기준으로 적절한 것은?

> 보기
> (ㄱ) ㅂ, ㅃ, ㅍ, ㄷ, ㄸ, ㅌ, ㄱ, ㄲ, ㅋ, ㅈ, ㅉ, ㅊ, ㅅ, ㅆ, ㅎ
> (ㄴ) ㅁ, ㄴ, ㅇ, ㄹ

① 소리의 세기
② 소리 내는 방법
③ 소리 나는 위치
④ 혀의 앞뒤 위치
⑤ 목청의 울림 유무

이렇게 풀어 봐!

[보기]를 보면 (ㄱ)에 비해 (ㄴ)에 속하는 자음의 개수가 훨씬 적어. 따라서 (ㄴ)에 속한 'ㅁ, ㄴ, ㅇ, ㄹ' 4개 자음의 공통점을 파악하면 답을 쉽게 찾을 수 있어.

[개념 11]

08 [보기]를 기준으로 할 때, 종류가 다른 하나는?

> 보기
> 소리 내는 방법 – 파열음, 파찰음, 마찰음, 비음, 유음

① ㄱ ② ㄹ ③ ㅂ ④ ㄸ ⑤ ㅍ

[개념 11]

09 다음 중 마찰음에 해당하는 것끼리 묶은 것은?

① ㄱ, ㄹ, ㅁ
② ㄱ, ㄷ, ㅂ
③ ㄴ, ㄹ, ㅎ
④ ㅂ, ㅅ, ㅈ
⑤ ㅅ, ㅆ, ㅎ

[개념 11]

10 [보기]의 ㉠에 들어갈 자음으로 알맞은 것은?

> 보기
> 파찰음은 허파에서 나오는 공기를 막았다가 서서히 터뜨리면서 마찰을 일으켜 내는 소리이다. 즉 파열과 마찰의 두 가지 성질을 함께 가지는 소리로, 국어의 자음에서는 (㉠) 등이 이에 해당한다.

① ㅅ ② ㅇ ③ ㄲ ④ ㅉ ⑤ ㅍ

[개념 11] 고난도

11 [보기]의 ㉠, ㉡에 들어갈 말을 순서대로 나열한 것은?

보 기

'밥물'은 '밥'의 받침인 'ㅂ'이 'ㅁ'으로 바뀌어 [밤물]로 발음된다. '닫는'은 '닫'의 받침인 'ㄷ'이 'ㄴ'으로 바뀌어 [단는]으로 발음된다. '먹물'은 '먹'의 받침인 'ㄱ'이 'ㅇ'으로 바뀌어 [멍물]로 발음된다. 즉 받침에 있던 (㉠)인 'ㅂ, ㄷ, ㄱ'이 (㉡)인 'ㅁ, ㄴ, ㅇ'으로 각각 바뀌어 발음되는 것이다.

① 파찰음 - 유음
② 파찰음 - 비음
③ 파열음 - 비음
④ 파열음 - 유음
⑤ 마찰음 - 비음

이렇게 풀어 봐!

음운의 변동이 일어날 때는 대체로 비슷한 조음 위치나 조음 방식으로 변하는 경우가 많다는 점에 유의하여 각각의 받침에 있던 음운이 어떻게 바뀌었는지 살펴봐.

[개념 9~11] 고난도

12 [보기]의 특성을 공통으로 가진 자음이 들어 있는 것은?

보 기

- 목청을 울리지 않고 소리 난다.
- 윗잇몸과 혀끝이 닿아서 소리 난다.
- 공기가 막혔다가 터져 나오면서 소리 난다.

① 강 ② 달 ③ 날 ④ 밖 ⑤ 잠

참고해 봐!

목청을 울리지 않고 소리 나는 것은 '안울림소리', 윗잇몸과 혀끝이 닿아서 소리 나는 것은 '잇몸소리', 공기가 막혔다가 터져 나오면서 소리 나는 것은 '파열음'이다.

[개념 9~11]

13 다음 설명 중 적절하지 않은 것은?

① 'ㅎ'은 목청에서 소리 나는 자음이다.
② 'ㅇ'은 목청의 울림 없이 소리 나는 자음이다.
③ 'ㅅ'은 공기의 마찰이 생기면서 소리 나는 자음이다.
④ 'ㄴ'은 코를 통해 공기가 나오면서 소리 나는 자음이다.
⑤ 'ㅋ'은 여린입천장과 혀의 뒷부분 사이에서 소리 나는 자음이다.

[개념 9~11]

14 [보기]의 단어에서 찾을 수 없는 것은?

보 기

구름

① 콧소리 ② 입술소리 ③ 잇몸소리
④ 안울림소리 ⑤ 센입천장소리

[개념 9~11] 고난도

15 [보기]의 단어에 대한 설명으로 적절한 것은?

보기

향

① 마찰음인 자음이 1개 쓰였다.
② 울림소리인 자음이 2개 쓰였다.
③ 흐름소리인 자음이 1개 쓰였다.
④ 목청 사이에서 소리 나는 자음이 2개 쓰였다.
⑤ 센입천장과 혓바닥 사이에서 소리 나는 자음이 1개 쓰였다.

[개념 9~11] 고난도

16 [보기]의 조건을 모두 만족하는 단어는?

보기

• 첫소리(첫 번째 자음) - 잇몸소리이면서 안울림소리이고 파열음임.
• 끝소리(받침) - 잇몸소리이면서 울림소리이고 유음임.

① 날 ② 돌 ③ 철 ④ 땅 ⑤ 집

이렇게 풀어 봐!

[보기]의 두 조건은 '잇몸소리'를 포함한다는 점에서 공통되고, 각각 '안울림소리'와 '울림소리'를 포함한다는 점에서 서로 반대돼. 따라서 잇몸소리에 속하는 7개의 자음을 안울림소리와 울림소리로 나누어 ①~⑤의 첫소리, 끝소리와 비교해 봐.

[개념 9, 11~13]

17 다음 자음의 공통점으로 적절하지 않은 것은?

① ㄱ - ㅈ: 예사소리이다.
② ㅈ - ㅊ: 파찰음에 해당한다.
③ ㄷ - ㄴ: 공기가 코를 통과하면서 소리 난다.
④ ㄴ - ㄹ: 윗잇몸과 혀끝이 닿아서 소리 난다.
⑤ ㅂ - ㄱ: 공기를 막았다가 터뜨리면서 소리 낸다.

[개념 12]

18 [보기]에 대한 설명으로 적절하지 않은 것은?

보기

㉠덜거덕 → ㉡떨거덕 → ㉢털거덕

① ㉠은 ㉢에 비해 약하고 가벼운 느낌을 준다.
② ㉡은 ㉠에 비해 부드럽고 매끄러운 느낌을 준다.
③ ㉢은 ㉠에 비해 격하고 거센 느낌을 준다.
④ [보기]와 같은 변화는 안울림소리를 통해서만 느낄 수 있다.
⑤ '예사소리 → 된소리 → 거센소리'의 순서로 단어가 배열되어 있다.

Break Time

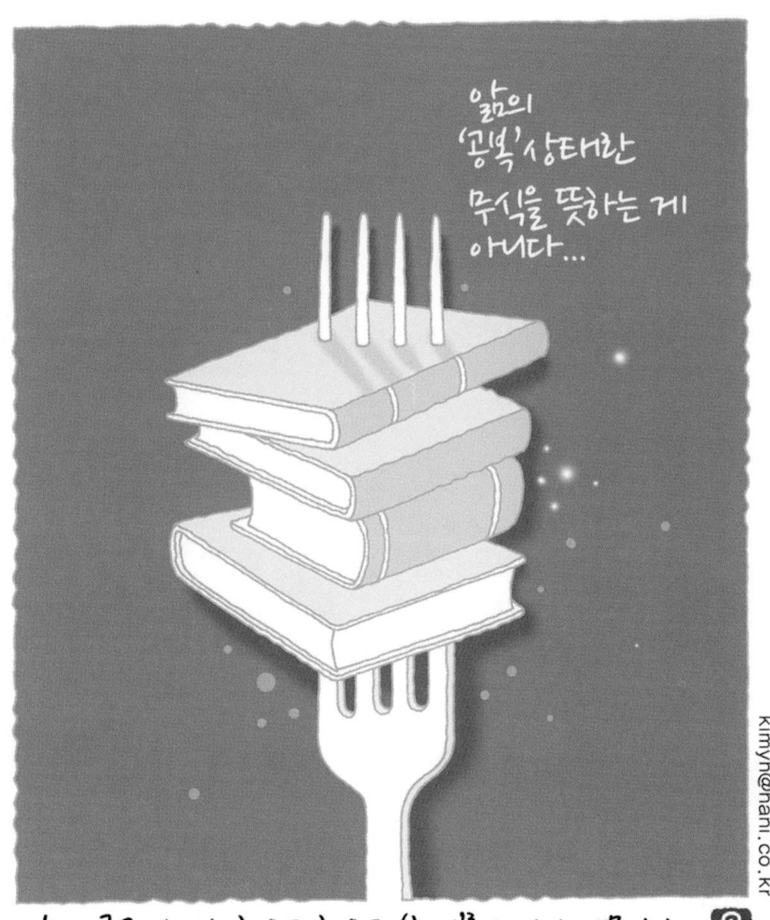
앎의
'공복'상태란
무식을 뜻하는 게
아니다…
kimyh@hani.co.kr
앎에 굶주린 자는 채워도 채워도 '허기'를 느끼기 때문이다…

Ⅱ. 품사와 어휘

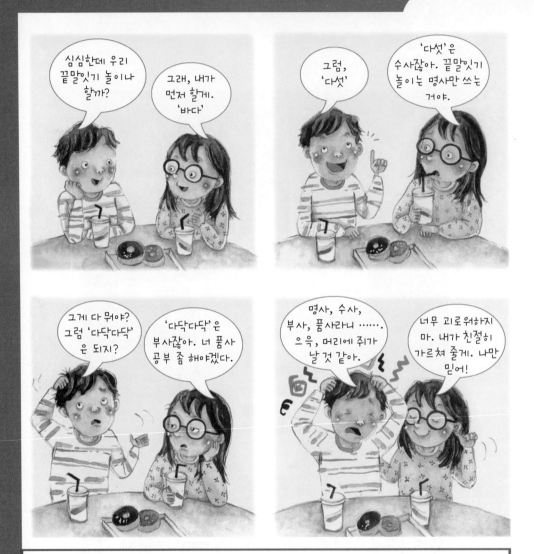

'바다'와 같이 대상의 이름을 나타내는 단어를 '명사'라고 하고, '다섯'과 같이 수량을 나타내는 단어를 '수사'라고 하며, 다른 말을 꾸며 주는 단어 중 주로 용언을 꾸며 주는 단어를 '부사'라고 해요. '명사, 수사, 부사'는 모두 '품사'를 나타내는 말인데, 단어들은 같은 품사끼리 공통된 성질을 갖고 있어요. 결국 '품사'는 공통된 성질을 가진 단어들을 모아 놓은 갈래라고 할 수 있죠. 그럼 이제부터 품사의 종류와 특성에 대해 자세히 공부해 볼까요?

이 단원의 문법 개념 MAP

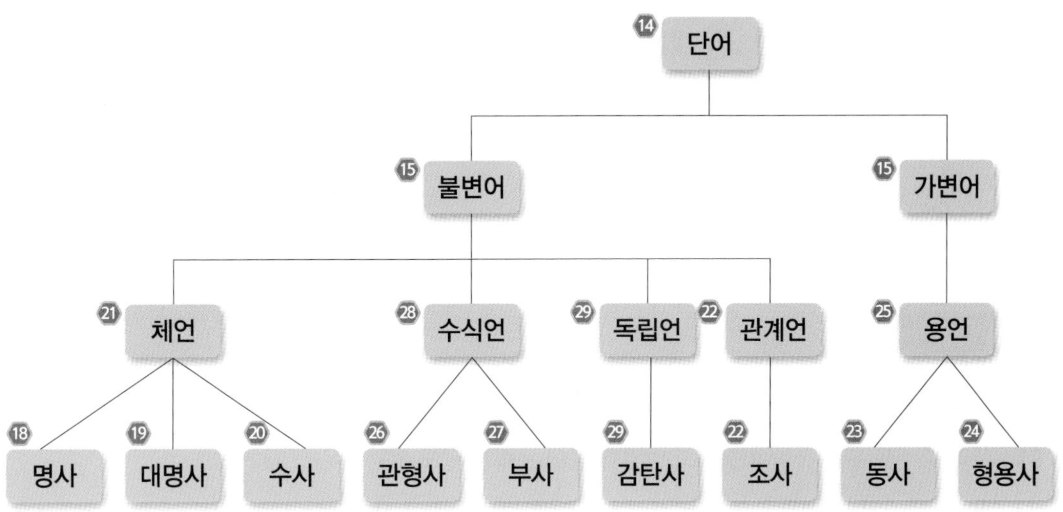

14 ~ 34 소단원 개념 번호입니다.

개념 14 단어와 품사

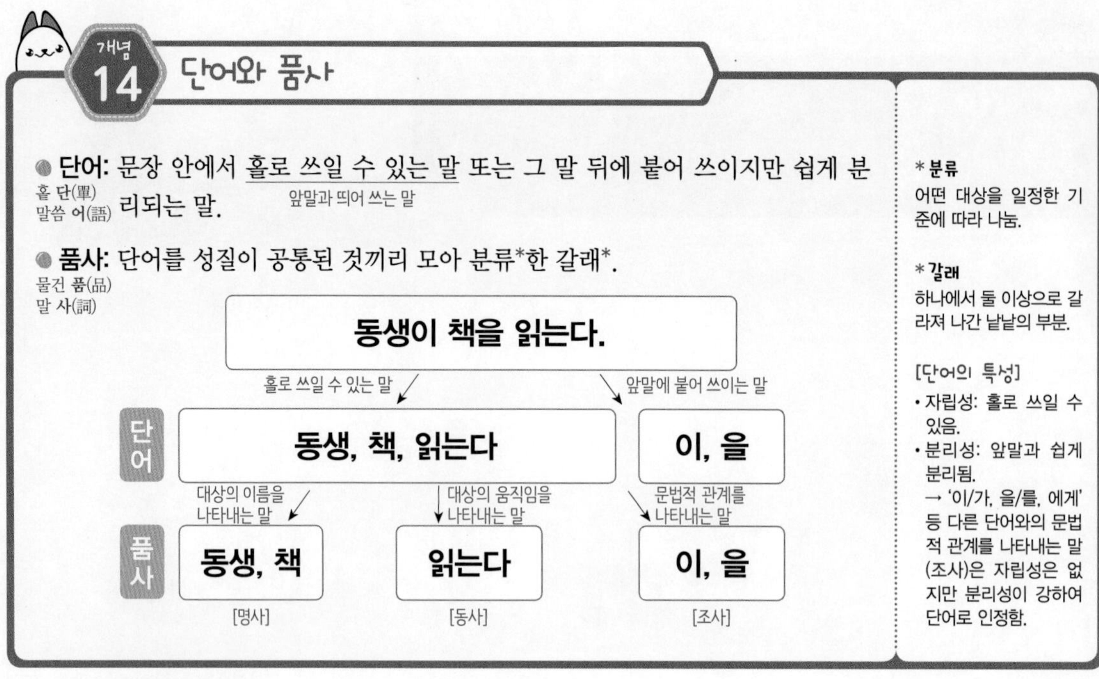

● **단어**: 문장 안에서 홀로 쓰일 수 있는 말 또는 그 말 뒤에 붙어 쓰이지만 쉽게 분리되는 말.

홑 단(單) 말씀 어(語) / 앞말과 띄어 쓰는 말

● **품사**: 단어를 성질이 공통된 것끼리 모아 분류*한 갈래*.

물건 품(品) 말 사(詞)

*** 분류**
어떤 대상을 일정한 기준에 따라 나눔.

*** 갈래**
하나에서 둘 이상으로 갈라져 나간 낱낱의 부분.

[단어의 특성]
- 자립성: 홀로 쓰일 수 있음.
- 분리성: 앞말과 쉽게 분리됨.
  → '이/가, 을/를, 에게' 등 다른 단어와의 문법적 관계를 나타내는 말(조사)은 자립성은 없지만 분리성이 강하여 단어로 인정함.

문제로 연습하기

정답 10쪽

[01~02] 다음 설명이 맞으면 O표, 틀리면 X표 하시오.

01 단어 중에는 홀로 쓰이지 못하고 앞말에 붙어 쓰이는 말도 있다. (　　　)

02 서로 다른 단어일지라도 공통된 성질을 가지면 같은 품사로 분류된다. (　　　)

[03~04] [보기]를 읽고 물음에 답하시오.

보 기

선주는 중학교에 다닌다.

03 [보기]에 쓰인 말을 다음과 같이 분류하시오.

① 홀로 쓰일 수 있는 말 — [　　　]

② 앞말에 붙어 쓰이는 말 — [　　　]

04 [보기]에 쓰인 단어를 다음과 같이 갈래별로 분류하시오.

① 대상의 이름을 나타내는 단어 — [　　　]

② 문법적 관계를 나타내는 단어 — [　　　]

③ 대상의 움직임을 나타내는 단어 — [　　　]

개념 15 품사의 분류 (1)_형태

- 단어는 문장에서 쓰일 때 형태가 변하는지 여부에 따라 불변어(형태가 변하지 않는 단어)와 가변어(형태가 변하는 단어)로 나뉨.

우리 점심 먹자.

⬇

우리가, 우리의, 점심은, 점심이다

먹는다, 먹었다, 먹어라, 먹을까

⬇

단어	형태	형태에 따른 품사의 분류
우리, 점심	형태가 변하지 않음.	불변어
먹자	형태가 변함.	가변어

[품사 분류를 하는 이유와 효과]
- 단어의 특성이나 기능을 쉽게 이해하고 그 쓰임을 잘 파악할 수 있음.
- 우리말의 문법 체계를 이해하고 탐구하는 데 기초가 되며, 올바른 언어생활에 도움이 됨.

Ⅱ 품사와 어휘

문제로 연습하기

정답 10쪽

[01~02] [보기]의 단어들을 '형태'에 따라 분류하시오.

보 기

달리다　아프다　옛　어머나　셋　여기　웃다

01 형태가 변하는 단어 (　　　)

02 형태가 변하지 않는 단어 (　　　)

[03~04] [보기]를 읽고 물음에 답하시오.

보 기

아, 하늘이 무척 맑구나!

03 [보기]에 쓰인 단어들을 각각 순서대로 쓰시오.

(　　　)

04 [보기]에 쓰인 단어들을 '형태'에 따라 분류하시오.

① 형태가 변하는 단어 (　　　)

② 형태가 변하지 않는 단어 (　　　)

개념 16 품사의 분류 (2)_기능

- 단어는 문장에서 쓰일 때 어떤 기능을 하는지에 따라 체언, 용언, 수식언, 관계언, 독립언으로 나뉨.

와, 옷이 정말 멋있네!

⬇

단어	기능	기능에 따른 품사의 분류
와	문장에서 독립적으로 쓰임.	독립언
옷	문장에서 주로 주체*가 됨.	체언
이	다른 말과의 문법적 관계를 나타냄.	관계언
정말	문장에서 다른 말을 꾸며 줌.	수식언
멋있네	문장에서 주체의 동작, 상태, 성질 등을 서술함.	용언

* **주체**
'그가 책을 읽는다.'의 '그', '하늘이 맑다.'의 '하늘'과 같이 문장에서 '누가/무엇이'에 해당하는 말. 어떤 문장에서 서술하는 말이 나타내는 동작, 상태, 성질 등과 직접적으로 관련된 대상을 가리킴.

문제로 연습하기

정답 10쪽

[01~04] 다음 빈칸에 들어가기에 알맞은 말을 쓰시오.

01 문장에서 주로 주체가 되는 단어를 ☐☐이라고 한다.

02 ☐☐☐은 다른 말과의 문법적 관계를 나타내는 단어이다.

03 문장에서 다른 말을 꾸며 주는 단어를 ☐☐☐이라고 한다.

04 용언은 문장에서 주체의 동작, 상태, 성질 등을 ☐☐하는 기능을 한다.

[05~09] [보기]에 쓰인 단어들을 '기능'에 따라 분류하시오.

보 기

어머나, 온갖 꽃이 활짝 피었구나!

05 독립적으로 쓰이는 단어 — ☐

06 주로 주체가 되는 단어 — ☐

07 다른 말을 꾸며 주는 단어 — ☐

08 주체의 동작, 상태 등을 서술하는 단어 — ☐

09 다른 말과의 문법적 관계를 나타내는 단어 — ☐

개념 17 품사의 분류 (3)_의미

● 단어는 문장에서 쓰일 때 어떤 공통적인 의미*를 가지느냐에 따라 명사, 대명사, 수사, 동사, 형용사, 관형사, 부사, 조사, 감탄사로 나뉨(9품사).

어머나, 모든 음식이 참 맛있네! 여기에 친구와 둘이 와야지.

⬇

단어	의미	의미에 따른 품사의 분류
어머나	말하는 사람의 놀람, 느낌, 부름, 대답 등을 나타냄.	감탄사
모든	체언을 꾸며 줌.	관형사
음식, 친구	대상의 이름을 나타냄.	명사
이, 에, 와, 이	주로 체언 뒤에 붙어 다른 말과의 문법적 관계를 나타냄.	조사
참	주로 용언을 꾸며 줌.	부사
맛있네	사람이나 사물의 상태나 성질을 나타냄.	형용사
여기	사람이나 사물, 장소의 이름을 대신하여 가리킴.	대명사
둘	수량이나 순서를 나타냄.	수사
와야지	사람이나 사물의 움직임을 나타냄.	동사

* **의미**
각각의 단어가 가진 구체적인 의미가 아니라, '그 단어가 속한 품사의 공통적인 의미'를 가리킴.
예를 들어 품사에서 말하는 '음식'이라는 단어의 의미는 '음식'이 속한 '명사'라는 품사의 공통적인 의미, 즉 '대상의 이름'을 말함.

문제로 연습하기

정답 10쪽

[01~03] 다음 빈칸에 알맞은 말을 쓰시오.

01 단어는 ☐☐에 따라 명사, 대명사, ☐☐, 동사, 형용사, 관형사, 부사, ☐☐, 감탄사로 나뉜다.

02 동사는 사람이나 사물의 ☐☐☐을 나타내고, ☐☐☐는 사람이나 사물의 상태나 성질을 나타낸다.

03 ☐☐을 꾸며 주는 단어는 관형사이고, 주로 용언을 꾸며 주는 단어는 ☐☐이다.

[04~06] [보기]에 쓰인 단어들을 '의미'에 따라 분류하시오.

보기
아이고, 민우가 그 문제를 풀었네.

04 체언을 꾸며 주는 단어 ☐

05 대상의 이름을 나타내는 단어 ☐

06 사람이나 사물의 움직임을 나타내는 단어 ☐

개념 18 명사

이름 명(名) 말 사(詞)

명사의 개념

구체적인 대상*이나 추상적인 대상*의 이름을 나타내는 단어

구체적인 대상의 이름을 나타내는 단어	책상, 이순신, 할머니, 눈물 등
추상적인 대상의 이름을 나타내는 단어	행복, 희망, 기쁨, 참을성 등

명사의 특성

- 문장에서 쓰일 때 형태가 변하지 않음.

영희가 의자에 앉았다.

'영희', '의자'와 같은 명사는 문장에서 항상 '영희', '의자'의 형태로만 쓰이는 불변어야.

- 조사와 결합하여 문장 안에서 다양한 기능을 함.

아기가 정말 예쁘다.

'아기'라는 명사는 '가'라는 조사와 결합하여 '예쁘다'라는 상태의 주체가 되었어.

나는 아기를 좋아한다.

'아기'라는 명사는 '를'이라는 조사와 결합하여 '좋아한다'는 동작의 대상이 되었어.

그 애가 옆집 아기이다.

'아기'라는 명사는 '이다'라는 조사와 결합하여 '그 애'가 무엇인지를 나타내고 있어.

아기의 볼이 빨갛다.

'아기'라는 명사는 '의'라는 조사와 결합하여 뒤에 오는 말인 '볼'을 꾸며 주고 있어.

- 앞말(관형어)의 꾸밈을 받을 수 있음.

그가 구불구불한 길을 걸어간다.

'길'이라는 명사는 '구불구불한'이라는 말의 꾸밈을 받고 있어.

나는 헌 책을 소중히 간직한다.

'책'이라는 명사는 '헌'이라는 말의 꾸밈을 받고 있어.

* **구체적인 대상**
일정한 형태나 성질을 갖추고 있어 직접 보거나 만질 수 있는 것.

* **추상적인 대상**
일정한 형태나 성질을 갖추고 있지 않아 직접 보거나 만질 수 없는 것.

[명사의 종류]
① 고유성 유무에 따라
- 고유 명사: 특정한 사람이나 사물 등의 이름을 나타내는 명사.
  예 한강, 서울, 영희
- 보통 명사: 같은 종류의 대상에 두루 쓰이는 이름을 나타내는 명사.
  예 의자, 나비, 사랑

② 자립성 유무에 따라
- 자립 명사: 홀로 쓰일 수 있는 명사.
  예 사랑, 도전, 해바라기
- 의존 명사: 앞말(관형어)의 꾸밈을 받아야만 쓰일 수 있는 명사.
  예 것, 따름, 데

Link '관형어'에 대해서는 81쪽을 참고하세요.

문제로 연습하기

정답 10쪽

[01~04] 다음 설명이 맞으면 O표, 틀리면 X표 하시오.

01 명사는 문장에서 쓰일 때 고정된 형태로만 쓰인다. (　　　)

02 모든 명사는 구체적인 대상의 이름만을 나타낸다. (　　　)

03 명사는 '예쁜', '헌', '동생의'와 같은 말의 꾸밈을 받을 수 있다. (　　　)

04 '하늘', '사랑'과 같은 명사는 조사와 결합하지 않고 단독으로만 쓰인다. (　　　)

[05~08] **다음 문장에서 명사를 모두 찾아 쓰시오.**

05 철수가 밥을 먹는다.

06 그는 도전을 항상 즐긴다.

07 친구가 외국으로 여행을 갔다.

08 푸른 하늘에 흰 구름이 떠 있다.

[09~10] **[보기]의 명사들을 '종류'에 따라 분류하시오.**

보기
독수리 믿음 우정 이순신 자동차 행복 자신감 제주도

09 구체적인 대상의 이름을 나타내는 명사

10 추상적인 대상의 이름을 나타내는 명사

[11~13] **각 문장 속 밑줄 친 명사의 공통적인 특성을 [보기]에서 찾아 기호를 쓰시오.**

보기
㉠ 앞말의 꾸밈을 받는다.
㉡ 조사와 결합하여 동작이나 상태의 주체가 된다.
㉢ 조사와 결합하여 동작의 대상이 된다.

11 나는 운동을 한다. / 내 동생이 텔레비전을 본다. ( )

12 하늘이 매우 맑다. / 영수가 아직 일어나지 않았다. ( )

13 저 아름다운 꽃 좀 봐! / 내 책 한 권이 없어졌다. ( )

[14~15] **[보기]의 문장을 읽고 빈칸에 알맞은 말을 쓰시오.**

보기
동생이 예쁜 화단에 물을 주었다.

14 '　　'은/는 조사 '이'와 결합하여 '주었다'라는 동작의 주체가 되었다.

15 앞말의 꾸밈을 받는 명사는 '　　'이다.

개념 19

대명사

대신할 대(代) 이름 명(名) 말 사(詞)

대명사의 개념

사람, 사물, 장소의 이름을 대신하여 가리키는 단어.

산신령: 왜 연못 앞에서 울고 있느냐?
나무꾼: 여기에 도끼를 빠뜨렸습니다.
⋮
산신령: 이것이 너의 도끼냐?
나무꾼: 그것은 저의 도끼가 아닙니다.

'여기'는 '연못'을 대신하여 가리키고 있어.

'이것'과 '그것'은 '도끼'를, '너'와 '저'는 '나무꾼'을 대신하여 가리키고 있어.

사람의 이름을 대신하여 가리키는 단어	나, 너, 그, 우리, 누구
사물의 이름을 대신하여 가리키는 단어	이것, 저것, 그것, 무엇
장소의 이름을 대신하여 가리키는 단어	여기/이곳, 저기/저곳, 거기/그곳, 어디

대명사의 특성

- 문장에서 쓰일 때 형태가 변하지 않음.

나는 그것이 갖고 싶다.

'나', '그것'과 같은 대명사는 문장에서 항상 똑같은 형태로 쓰여.

- 조사와 결합하여 문장에서 다양한 기능을 함.

그는 우리를 사랑한다.

'그'라는 대명사는 '는'이라는 조사와 결합하여 '사랑한다'라는 동작의 주체가 되었어. 또 '우리'라는 대명사는 '를'이라는 조사와 결합하여 '사랑한다'라는 동작의 대상이 되었어.

아이가 저기에서 놀고 있다.

'저기'라는 대명사는 '에서'라는 조사와 결합하여 아이가 놀고 있는 장소를 나타내고 있어.

- 앞말(관형어)의 꾸밈을 받을 때, 명사에 비해 제약*이 있음.

새 친구를 만났다.
새 그녀를 만났다. (X)

명사인 '친구'는 '새'라는 말의 꾸밈을 받을 수 있어. 하지만 대명사인 '그녀'는 '새'라는 말의 꾸밈을 받으면 어색해져.

[대명사 사용의 효과]
대명사는 대화 상황에서나 글에서 앞에 나왔던 사람, 사물, 장소를 대신하여 가리킴. 그러므로 같은 단어를 반복하여 쓰는 번거로움을 줄여 주어 경제적인 언어생활을 하게 함.

[사람의 이름을 대신하여 가리키는 대명사(인칭 대명사)의 종류]
- 1인칭 대명사: 말하는 사람이 자신 또는 자신의 동아리를 이르는 대명사.
  예 나, 우리, 저, 저희
- 2인칭 대명사: 듣는 사람을 가리키는 대명사.
  예 너, 너희, 당신
- 3인칭 대명사: 말하는 사람과 듣는 사람을 제외한 다른 사람을 가리키는 대명사.
  예 그, 그녀, 그분

* **제약**
조건을 붙여 내용을 제한함. 또는 그 조건.

문제로 연습하기

정답 10쪽

[01~06] 다음 설명이 맞으면 O표, 틀리면 X표 하시오.

01 사람이나 사물의 이름을 나타내는 단어를 대명사라고 한다. (　　　)

02 대명사에는 장소의 이름을 대신하여 가리키는 단어도 있다. (　　　)

03 대명사는 대화 상황에서나 글에서 명사를 대신하여 쓰이는 단어이다. (　　　)

04 '너', '저것', '그곳'과 같은 대명사는 문장에서 쓰일 때 형태가 변한다. (　　　)

05 '나', '그것', '저기'와 같은 대명사는 문장에서 쓰일 때 앞말의 꾸밈을 전혀 받을 수 없다. (　　　)

06 대명사는 조사와 결합하여 문장에서 동작이나 상태의 주체, 동작의 대상 등으로 쓰이기도 한다. (　　　)

[07~08] 다음 중 대명사를 모두 찾아 쓰시오.

07 꽃　이것　휴지　저희　학교

08 우리　노래　사랑　여기　전화

[09~10] [보기]의 대화를 읽고 물음에 답하시오.

보기

현경: 이번 여름 방학에 강릉에 놀러 갈까?
희진: 강릉? 거기에 너의 외가가 있다고 했지?
현경: 응. 놀러 오면 외할머니께서 오징어순대를 만들어 주신대.
희진: 그분이 오징어순대를 잘 만드시나 보구나.
현경: 그것뿐만 아니라, 음식은 뭐든지 잘하셔서 맛있는 음식을 많이 만들어 주실 거야.
희진: 와, 멋지다. 어서 여름 방학이 되어서 강릉으로 떠났으면…….

09 [보기]의 밑줄 친 단어들이 가리키는 대상을 찾아 쓰시오.

① 거기 …………… (　　　　　　)　② 너 ……………… (　　　　　　)

③ 그분 …………… (　　　　　　)　④ 그것 …………… (　　　　　　)

10 [보기]의 밑줄 친 단어들을 다음과 같이 분류하시오.

① 사람의 이름을 대신하여 가리키는 대명사

② 사물의 이름을 대신하여 가리키는 대명사

③ 장소의 이름을 대신하여 가리키는 대명사

개념 20 수사

섬 수(數) 말 사(詞)

수사의 개념

수량이나 순서를 나타내는 단어.

수량을 나타내는 단어	하나, 둘, 셋, 일, 이, 삼
순서를 나타내는 단어	첫째, 둘째, 셋째, 제일, 제이, 제삼

수사의 특성

- 문장에서 쓰일 때 형태가 변하지 않음.
- 조사와 결합하여 문장 안에서 다양한 기능을 함.
- 앞말(관형어)의 꾸밈을 받을 때, 명사에 비해 제약이 있음.

새 신발 새 하나(X)

명사인 '신발'은 '새'라는 말의 꾸밈을 받을 수 있어. 하지만 수사인 '하나'는 '새'라는 말의 꾸밈을 받으면 어색해져.

[수사의 복수 표현]

- 명사와 달리 수사는 복수를 나타내는 '-들'과 같은 말과 결합할 수 없음.
  - 예 사람들이 많이 왔다. 사과가 하나들이 있다.(×)
- 수사를 반복해서 사용하면 복수를 표현할 수 있음.
  - 예 하나하나의 가정이 모여 사회를 이룬다.

문제로 연습하기

정답 10쪽

[01~04] 다음 빈칸에 들어가기에 알맞은 말을 쓰시오.

01 사물의 수량이나 [ ][ ]을/를 나타내는 단어를 수사라고 한다.

02 수사는 [ ][ ]와/과 결합하여 문장 안에서 다양하게 쓰일 수 있다.

03 수사는 앞말의 [ ][ ]을/를 받을 수 있지만, 명사에 비해 제약이 있다.

04 '하나, 첫째'와 같은 수사는 문장에서 사용될 때 [ ][ ]이/가 변하지 않는다.

[05~06] [보기]를 읽고 물음에 답하시오.

보 기

- 이번 달리기 시합에서 나는 셋째로, 내 동생은 다섯째로 들어왔다.
- 다람쥐네 식구 넷까지 포함하여 나무 위의 동물들은 모두 여섯이 되었다.

05 [보기]의 문장 쓰인 수사를 모두 찾아 쓰시오.

06 [보기]의 문장에 쓰인 수사를 다음과 같이 분류하시오.

① 수량을 나타내는 수사 — [ ]

② 순서를 나타내는 수사 — [ ]

개념 21 체언

몸 체(體) 말씀 언(言)

체언의 개념

명사, 대명사, 수사를 통틀어 이르는 말.

체언의 특성

- 문장에서 쓰일 때 형태가 변하지 않음.
- 조사와 결합하거나 홀로 쓰여 문장 안에서 다양한 기능을 할 수 있음.

> **교실이 지저분했다. 그래서 학생 셋이 그곳을 청소했다.**
> **너 아침 먹고 왔어? 간단하게 사과 하나 먹었어.**

명사, 대명사, 수사는 조사와 결합하거나 홀로 쓰이며 동작이나 상태의 주체가 되거나 동작의 대상 등이 될 수 있어.

- 앞말(관형어)의 꾸밈을 받을 수 있음.

대명사와 수사는 명사에 비해 앞말의 꾸밈을 받을 때 제약이 있기는 하지만, 보통은 앞말의 꾸밈을 받을 수 있어.

> **사과 하나는 내가 먹고 다른 하나는 동생에게 주었다.**
> **그 친구는 의지가 강해서 어느 누구의 도움도 받지 않았다.**

[체언의 기능]
체언은 문장 안에서 주로 주어, 목적어, 보어의 기능을 할 수 있음.
- 주어: 문장에서 서술하는 말이 나타내는 동작, 상태, 성질 등의 주체가 되는 말로, '누가/무엇이'에 해당함.
  예 교실이 깨끗하다.
- 목적어: 문장에서 서술하는 말이 나타내는 동작의 대상이 되는 말로, '누구를/무엇을'에 해당함.
  예 나는 밥을 먹었다.
- 보어: '되다/아니다'라는 서술하는 말 앞에서 의미를 보충하는 말
  예 하나에 둘을 더하면 셋이 된다.

문제로 연습하기

정답 10쪽

[01~03] 다음 설명이 맞으면 O표, 틀리면 X표 하시오.

01 체언은 문장에서 쓰일 때 항상 조사와 결합한다. (　　　)

02 체언은 문장에서 동작이나 상태의 주체, 동작의 대상 등으로 쓰일 수 있다. (　　　)

03 체언은 문장에서 쓰일 때 형태가 변화하지 않으므로 불변어이다. (　　　)

[04~05] [보기]를 읽고 물음에 답하시오.

보기

온갖, 늙다, 여기, 무척, 그것, 둘, 설악산, 어머니, 자유, 우리, 외롭다

04 [보기]에서 체언을 모두 찾아 쓰시오.

05 [보기]에서 찾은 체언을 다음과 같이 분류하시오.

① 명사 　　　　② 대명사

③ 수사

개념 22 조사(관계언)

도울 조(助) 말 사(辭), 관계할 관(關) 맬 계(係) 말씀 언(言)

조사(관계언*)의 개념

주로 체언 뒤에 붙어서 다른 말과의 문법적 관계를 나타내거나 특별한 뜻을 더 해 주는 단어.

개가 고양이를 쫓았다.
개를 고양이가 쫓았다.

조사가 바뀌면 '개'와 '고양이'라는 말 사이의 문법적 관계도 달라져.

진수도 노래를 부른다.
진수만 노래를 부른다.

'도'는 '또한'이라는 뜻을, '만'은 '오직'이라는 뜻을 더해 주고 있어.

다른 말과의 문법적 관계를 나타내는 단어 (앞말에 일정한 자격을 부여하는 단어)	이/가, 께서, 을/를, 에, 에서, 에게, 의
앞말에 특별한 뜻을 더해 주는 단어	은/는('대조'의 뜻), 만('단독'의 뜻), 도('더함'의 뜻), 부터('시작'의 뜻), 까지('끝'의 뜻), 조차('첨가'의 뜻)
두 단어를 같은 자격으로 이어 주는 단어	와/과, 하고, (이)랑

조사(관계언)의 특성

- 문장에서 쓰일 때 형태가 변하지 않음.(단, 조사 '이다'는 형태가 변함.)

내 동생이 나에게 선물을 주었다.

그는 나의 영웅이다.

조사 중 서술격 조사인 '이다'만 '이고, 이니, 이어서' 등과 같이 형태가 변하는 가변어야.

- 홀로 쓰일 수 없고, 주로 체언 뒤에 붙어서 쓰임.

너의 친구는 누구이니?

'의', '는', '이니'처럼 조사는 항상 앞말에 붙어서 쓰여.

* **관계언**
문장에 쓰인 단어들 간의 관계를 나타내는 '조사'를 가리키는 말.

[조사의 종류]
앞의 체언에 문법적으로 일정한 자격을 부여하는 조사를 '격 조사'라고 함. 격 조사는 어떤 자격을 나타내는지에 따라 다음과 같이 나뉨.
- 주격 조사: 체언이 동작이나 상태의 주체임을 나타내는 조사.
  예 이/가, 께서
- 목적격 조사: 체언이 동작의 대상임을 나타내는 조사.
  예 을/를
- 서술격 조사: 체언이 주체를 서술함을 나타내는 조사.
  예 이다
- 관형격 조사: 앞의 체언이 뒤의 체언을 꾸며 줌을 나타내는 조사.
  예 의
- 부사격 조사: 체언이 뒤에 오는 서술하는 말의 의미를 제한함을 나타내는 조사.
  예 에, 에서, 에게, 께, (으)로, (으)로서
- 호격 조사: 체언이 어떤 대상을 부르는 말이 됨을 나타내는 조사.
  예 아/야, (이)여

문제로 연습하기

정답 10쪽

[01~04] 다음 설명이 맞으면 O표, 틀리면 X표 하시오.

01 관계언은 다른 단어에 붙지 않고 홀로 쓰인다. (   )

02 조사는 문장에 쓰인 단어들 간의 문법적 관계를 나타내기도 한다. (   )

03 조사는 앞말에 특별한 뜻을 더하거나 두 단어를 같은 자격으로 이어 주기도 한다. (   )

04 조사 중에는 문장에서 쓰일 때 다양한 형태로 변하는 것도 있다. (   )

[05~07] 다음 문장에서 다른 말에 붙어서만 쓰이는 단어에 O표 하시오.

05 철수와 순희는 모두 중학생이다.

06 학교에서 공원까지 가는 길에 나팔꽃이 활짝 피었다.

07 할아버지께서 나에게 가족의 소중함을 가르쳐 주셨다.

[08~10] 다음 빈칸에 들어가기에 가장 알맞은 조사를 [보기]에서 찾아 쓰시오.

보기

는 뿐 이 의 에 에게 부터 조차 까지 이다

08 하늘☐ 구름☐ 떠다닌다.

09 미혜☐ 매우 친절한 학생☐☐.

10 오늘☐☐ 내일☐☐ 우리 마을☐ 축제 기간이다.

[11~15] [보기]에서 각 문장 속 밑줄 친 조사의 역할을 찾아 그 기호를 쓰시오.

보기

㉠ 다른 말과의 문법적 관계를 나타낸다.
㉡ 앞말에 특별한 뜻을 더해 준다.
㉢ 두 단어를 같은 자격으로 이어 준다.

11 광수<u>의</u> 생각<u>이</u> 옳았다. .... (   )

12 엄마는 동생<u>만</u> 좋아한다. .... (   )

13 진우<u>가</u> 노래<u>를</u> 부른다. .... (   )

14 너<u>도</u> 나를 의심하는구나! .... (   )

15 귤<u>과</u> 사과는 내가 즐겨 먹는 과일이다. .... (   )

개념 23 동사

움직일 동(動) 말 사(詞)

동사의 개념

사람이나 사물의 움직임(동작)을 나타내는 단어.

> 소년이 달린다.
> 소녀가 활짝 웃는다.
> 아이가 그림을 그린다.

동사의 특성

- 문장에서 '(누가/무엇이) 어찌하다'와 같이 주체의 움직임을 서술함.

> 영수가 옷을 입는다.

동사인 '입는다'는 '영수'라는 주체의 움직임을 설명하고 있어.

- 문장에서 쓰임에 따라 형태가 변함(활용*을 함).

> 철수가 밥을 먹는다.
> 철수야, 밥을 먹자.
> 철수야, 밥 먹어라.

'먹는다', '먹자', '먹어라'처럼 동사는 문장 안에서 형태가 변하는 가변어야. 그래서 국어사전에는 '먹다'와 같은 기본형으로 실려 있어.

***활용**
동사와 형용사는 문장에서 쓰일 때 그 형태가 변하는데, 이를 '활용'이라고 함.

[용언의 활용과 관련된 용어]
- 어간: 활용을 할 때 형태가 변하지 않는 부분.
  예 '먹다'의 '먹-'
- 어미: 활용을 할 때 형태가 변하는 부분.
  예 '-는다', '-자', '-어라' 등
- 기본형: 어간에 어미 '-다'를 붙인 형태.
  예 먹다: '먹-'이라는 어간에 어미 '-다'를 붙인 '먹다'가 기본형임.

문제로 연습하기

정답 10쪽

[01~03] 다음 괄호 안에 들어가기에 알맞은 말을 고르시오.

01 동사는 사람이나 사물의 (움직임 / 상태나 성질)을 나타내는 단어이다.

02 동사는 문장에서 쓰일 때 형태가 (변한다 / 변하지 않는다).

03 동사는 문장에서 (동작의 주체 / 주체의 동작)을/를 나타낸다.

[04~10] 다음 문장에서 동사를 모두 찾아 O표 하시오.

04 달팽이가 느릿느릿 기어간다.

05 어떤 남자가 문을 쾅쾅 두드렸다.

06 나는 자전거를 타고 학교에 갔다.

07 우리 오빠는 내일 여행을 떠날 것이다.

08 매일 화분에 물을 주었더니 오히려 꽃이 시들었다.

09 남해에서 아주 큰 상어가 잡혔다.

10 급한 마음에 문을 벌컥 열었다.

개념 24 형용사

모양 형(形) 얼굴 용(容) 말 사(詞)

형용사의 개념

사람이나 사물의 상태나 성질을 나타내는 단어.

> 꽃이 예쁘다.
> 산이 매우 높다.
> 밤하늘이 캄캄하다.

형용사의 특성

- 문장에서 '(누가/무엇이) 어떠하다'와 같이 주체의 상태나 성질을 서술함.

> 영수는 매우 착하다.

형용사인 '착하다'는 '영수'라는 주체의 성질을 서술하고 있어.

> 미진이의 머리카락이 짧다.

형용사인 '짧다'는 미진이 머리카락의 상태를 서술하고 있어.

- 문장에서 쓰임에 따라 형태가 변함(활용을 함).

> 하늘이 무척 맑았다.
> 하늘이 무척 맑구나.
> 하늘이 무척 맑을 것이다.

'맑았다', '맑구나', '맑을 것이다' 처럼 형용사는 문장에서 서술을 하고 활용을 하는 가변어야. 이러한 이유 때문에 동사와 헷갈리기 쉬워.

[형용사의 활용 제약]
형용사는 상태나 성질을 나타내는 단어로, 활용을 할 때에 다음과 같은 제약이 있음.
- 현재를 나타내는 어미 '-ㄴ(는)다'와 결합할 수 없음.
  예 하늘이 맑는다.(×)
- 명령을 나타내는 어미 '-어라/아라'와 결합할 수 없음.
  예 하늘이 맑아라.(×)
- 권유를 나타내는 어미 '-자'와 결합할 수 없음.
  예 하늘이 맑자.(×)

문제로 연습하기

정답 11쪽

[01~03] 다음 설명이 맞으면 O표, 틀리면 X표 하시오.

01 형용사는 사람이나 사물의 움직임을 나타내는 단어이다. (　　　)

02 형용사는 문장에서 쓰일 때 형태가 변하기도 한다. (　　　)

03 형용사는 문장에서 주로 주체의 상태나 성질을 서술한다. (　　　)

[04~09] 다음 문장에서 형용사를 모두 찾아 O표 하시오.

04 철수는 걸음이 매우 빨라.

05 하늘은 높고 말은 살찐다.

06 그곳의 경치는 몹시 아름답다.

07 그녀는 언제나 친절하고 잘 웃는다.

08 오늘은 자전거 타기에 알맞은 날씨이다.

09 도서관에 책이 좀 더 많으면 얼마나 좋을까?

개념 25 용언

쓸 용(用) 말씀 언(言)

용언의 개념

동사, 형용사를 통틀어 이르는 말.

용언의 특성

- 문장에서 주체의 움직임, 상태나 성질을 서술함.

언니는 책을 읽는다.
그녀는 마음씨가 곱다.

'읽는다'는 주체의 움직임을 서술하고 있는 용언(동사)이고, '곱다'는 주체의 상태나 성질을 서술하고 있는 용언(형용사)이야.

- 문장에서 쓰임에 따라 형태가 변함(활용을 함).

읽다, 읽고, 읽는다, 읽어라, 읽자

곱다, 곱고, 고와다, 곱구나

[동사와 형용사의 구별]
동사와 달리 형용사는 활용할 때 제한이 있음. 따라서 다음과 같은 사안을 고려하면 동사와 형용사를 구별할 수 있음.
- 현재를 나타내는 어미 '-ㄴ(는)다'와 결합하는가?
  예 웃는다(○) → 동사
  예쁜다(×) → 형용사
- 명령을 나타내는 어미 '-어라/아라'와 결합하는가?
  예 웃어라(○) → 동사
  예뻐라(×) → 형용사
- 권유를 나타내는 어미 '-자'와 결합하는가?
  예 웃자(○) → 동사
  예쁘자(×) → 형용사

문제로 연습하기

정답 11쪽

[01~03] 다음 설명이 맞으면 O표, 틀리면 X표 하시오.

01 용언은 문장에서 쓰일 때 활용을 한다. (　　　)

02 용언은 동사와 형용사, 수사를 묶어서 일컫는 말이다. (　　　)

03 용언은 문장에서 주로 사물이나 사람의 움직임, 상태나 성질을 설명하는 역할을 한다. (　　　)

[04~08] 다음 문장에서 [보기]와 같이 용언을 모두 찾아 밑줄을 긋고 품사를 쓰시오.

보 기

그는 <u>친절하고</u>(형용사) 언제나 잘 <u>웃는다</u>(동사).

04 하얀 구름이 하늘에서 움직인다.

05 화단에 노란 꽃이 활짝 피었다.

06 산길을 걷는데 다람쥐가 나타났다.

07 그는 얌전하고 말수가 적은 사람이다.

08 어른들은 조용했지만, 아이들은 떠들었다.

개념 26 관형사

갓 관(冠) 모양 형(形) 말 사(詞)

관형사의 개념

체언을 꾸며 주는 단어.

> 새 신발이 예쁘다.
> 헌 신발이 예쁘다.
> 모든 신발이 예쁘다.

관형사인 '새, 헌, 모든'은 '신발'이라는 명사를 꾸며 주고 있어.

관형사의 특성

- 문장에서 쓰일 때 형태가 변하지 않음(활용하지 않음).

> 한 명　　한 송이

- 조사와 결합하여 쓰이지 않음.

> 이 사람은 내가 잘 안다.

관형사인 '이'는 뒤에 조사가 붙지 않고, 체언 앞에 놓여서 체언의 내용을 자세히 꾸며 줘.

[관형사와 수사·대명사의 구분]

- 관형사: 조사와 결합할 수 없음.
  ㉠ 사과 한 개를 먹었어. 그 사람은 똑똑하다.
  → '한'과 '그'는 조사와 결합할 수 없으므로 모두 관형사임.
- 수사, 대명사: 조사와 결합할 수 있음.
  ㉠ 사과 하나를 먹었어. 그는 똑똑하다.
  → '하나'는 조사 '를'과 결합하였으므로 수사이고, '그'는 조사 '는'과 결합하였으므로 대명사임.

문제로 연습하기

정답 11쪽

[01~03] 다음 괄호 안에 들어가기에 알맞은 말을 고르시오.

01 관형사는 (체언 / 용언)을 꾸며 준다.

02 관형사는 조사와 결합하여 쓰일 수 (있다 / 없다).

03 관형사는 문장에서 쓰일 때 형태가 (변한다 / 변하지 않는다).

[04~09] 다음 문장에서 관형사를 모두 찾아 O표 하시오.

04 이것은 헌 옷인데도 마치 새 옷 같다.

05 두 눈에 고여 있던 눈물이 흘러내렸다.

06 여러 명의 친구들이 교실에 모여 있었다.

07 이 화단에는 온갖 종류의 꽃이 피어 있다.

08 첫 시작은 언제나 떨리고 긴장되는 법이다.

09 오랜만에 옛 집에 들러 모든 물건을 정리했다.

[10~11] 다음의 각 문장에서 밑줄 친 단어 중 관형사를 찾아 O표 하시오.

10 일을 마치는 데 <u>삼</u> 개월이 걸렸다. / 일 더하기 이는 <u>삼</u>이다.

11 <u>그</u> 집 앞을 지나간다. / <u>그</u>는 자라서 탐험가가 되었다.

개념 27 부사

도울 부(副) 말 사(詞)

부사의 개념

주로 용언을 꾸며 주는 단어.

> 신발이 아주 예쁘다.
> 신발이 정말 예쁘다.
> 음식을 많이 먹었다.
> 음식을 깨끗이 먹었다.

부사인 '아주, 정말'은 '예쁘다'라는 형용사를 꾸며 주고 있고, 부사인 '많이'와 '깨끗이'는 '먹었다'라는 동사를 꾸며 주고 있어.

부사의 특성

- 문장에서 쓰일 때 형태가 변하지 않음(활용하지 않음).

> 일찍 도착해서 다행이야.
> 휴일인데도 일찍 일어났구나.

- 홀로 쓰이는 경우가 많으나, 조사와 결합하여 쓰이기도 함.

> 아기가 방긋 웃는다.
> 그는 열심히도 노력한다.

부사는 홀로 쓰이기도 하지만 '열심히도'에서 처럼 '도'와 같은 조사와 결합하여 쓰이기도 해.

- 용언 외에도 다른 부사나 체언, 문장 전체 등을 꾸미기도 함.

> 말이 빨리 달렸다.

부사 '빨리'가 동사 '달렸다'를 꾸며 주고 있어.

> 그녀는 매우 친절한 사람이다.

부사 '매우'가 형용사 '친절한'을 꾸며 주고 있어.

> 너무 일찍 길을 나섰다.

부사 '너무'가 다른 부사 '일찍'을 꾸며 주고 있어.

> 우리 집은 우체국 바로 옆이다.

부사 '바로'가 명사 '옆'을 꾸며 주고 있어.

> 과연 그는 훌륭한 작가로군.

부사 '과연'이 문장 전체를 꾸며 주고 있어.

[부사의 다양한 종류]
부사는 크게 문장의 한 성분을 꾸며 주는 '성분 부사'와 문장 전체를 꾸며 주는 '문장 부사'로 나뉨.

[성분 부사의 종류]
- 성상 부사: 상태나 정도를 나타내는 부사.
  예 빨리, 천천히, 높이, 잘, 매우, 아주
- 지시 부사: 장소나 시간을 나타내는 부사.
  예 이리, 저리, 그리, 언제, 아까, 일찍이
- 부정 부사: 뒤에 오는 용언의 의미를 부정하는 부사.
  예 안(아니), 못

[문장 부사의 종류]
- 양태 부사: 말하는 이의 심리나 태도를 나타내는 부사.
  예 과연, 설마, 제발
- 접속 부사: 단어와 단어, 문장과 문장을 이어 주는 부사.
  예 또한, 및, 그리고, 그러나, 그러면

문제로 연습하기

정답 11쪽

[01~04] 다음 설명이 맞으면 O표, 틀리면 X표 하시오.

01 부사는 주로 체언을 꾸며 주는 단어이다. (　　　)

02 부사는 문장에서 쓰일 때 형태가 변하지 않는다. (　　　)

03 부사는 조사와 결합하지 않고 단독으로만 쓰인다. (　　　)

04 부사는 문장에서 주체의 움직임이나 상태를 설명하는 역할을 한다. (　　　)

[05~08] 다음 괄호 안에 들어가기에 알맞은 말을 찾아 연결하시오.

05 강한 햇볕이 (　　　) 내리쬐고 있다.	•	• ㉠ 못
06 백성들은 오랫동안 (　　　) 가난하였다.	•	• ㉡ 쨍쨍
07 그는 고집쟁이여서 아무도 (　　　) 말린다.	•	• ㉢ 무척
08 (　　　) 더위를 식혀 줄 비가 왔으면 좋겠다.	•	• ㉣ 제발

[09~13] [보기]와 같이 각 문장에서 부사와 그 부사가 꾸며 주는 부분을 찾아 표시하시오.

> 보 기
>
> 헌 신발이지만 정말 예쁘다.

09 그것은 참으로 새로운 생각이다.

10 할머니께서는 모든 물건을 소중히 여기신다.

11 다행히 우리는 그 집을 쉽게 찾을 수 있었다.

12 한 사람이 뚜벅뚜벅 걸어와서 생긋 웃었다.

13 작업에는 이 방법보다 저 방법이 훨씬 더 좋다.

[14~18] 다음 문장에 사용된 부사의 총 개수를 쓰시오.

14 그가 어느 날 갑자기 나타났다. ························ (　　　개)

15 이 자동차는 매우 빨리도 달린다. ························ (　　　개)

16 그 사건은 철저히 조사해야 합니다. ························ (　　　개)

17 그는 열심히 공부해서 대학에 꼭 합격할 것이다. ························ (　　　개)

18 설마 그 복잡한 일이 벌써 다 끝났겠습니까? ························ (　　　개)

개념 28 수식언

닦을 수(修) 꾸밀 식(飾) 말씀 언(言)

수식언의 개념

관형사, 부사를 통틀어 이르는 말.

수식언의 특성

- 문장에서 다른 말을 꾸며 줌. 즉, 문장의 의미를 자세하고 구체적으로 표현해 줌.

> 한 사람이 오지 않았다.
> 해바라기가 활짝 피었다.

수식언인 '한'과 '활짝'은 뒤에 오는 말을 꾸며 주고 (수식하고) 있어.

- 문장에서 쓰일 때 형태가 변하지 않음(활용하지 않음).

> 이 옷 이 집 매우 좋다. 매우 싫다.

- 관형사는 조사와 결합할 수 없지만, 부사는 조사와 결합하여 쓰이기도 함.

> 어느 방향으로 갈까?
> 그동안 많이도 컸구나.

관형사 '어느'는 조사와 결합할 수 없지만, 부사 '많이'는 조사 '도'와 결합할 수 있어.

[수식언과 용언의 구분]
때때로 용언도 수식언처럼 다른 말을 꾸며 주는 경우가 있음. 따라서 활용할 수 있는지 없는지에 따라 수식언과 용언을 구분해야 함.
- 수식언: 활용하지 않음.
  예 너 오늘 아주 멋지다.
  모든 꽃이 피었다.
  → '아주'와 '모든'은 활용하지 않으므로 수식언임.
- 용언: 활용할 수 있음.
  예 그가 빠르게 달린다.
  봄에 심은 꽃이 피었다.
  → '빠르게'는 '빠르다', '심은'은 '심다'의 활용형으로 용언임.

문제로 연습하기

정답 11쪽

[01~04] 다음 빈칸에 들어가기에 알맞은 말을 쓰시오.

01 수식언은 부사와 □□□를 묶어서 일컫는 말이다.

02 수식언은 문장에서 다른 말을 □□ 준다.

03 수식언은 용언과 달리 문장에서 쓰일 때 □□을 하지 않는다.

04 수식언 중에서 □□는 조사와 결합하여 쓰이는 경우도 있다.

[05~08] [보기]와 같이 각 문장에서 수식언을 모두 찾아 밑줄을 긋고 그 품사를 쓰시오.

> 보 기
>
> 이(관형사) 자동차는 매우(부사) 빠르다.

05 온 세상에 눈이 펑펑 내린다.

06 너는 어떤 과목을 가장 좋아하니?

07 그는 온갖 수단을 다 썼으나 결국 실패했다.

08 나는 새 옷을 입고 약속 장소로 재빨리 달려갔다.

개념 29 감탄사(독립언)

느낄 감(感) 탄식할 탄(歎) 말 사(詞), 홀로 독(獨) 설 립(立) 말씀 언(言)

감탄사(독립언*)의 개념

말하는 사람의 놀람, 느낌, 부름이나 대답 등을 나타내는 단어.

> 아야, 아파요! 어, 죄송합니다.
> 와, 저기 봐! 앗, 내가 좋아하는 가수야.

감탄사인 '아야, 어, 와, 앗'은 느낌을 나타내고 있어.

> 여보세요? 네, 누구를 찾으세요?

'여보세요'는 부름을, '네'는 대답을 나타내는 감탄사야.

감탄사(독립언)의 특성

- 문장에서 쓰일 때 형태가 변하지 않음(활용하지 않음).

> 앗, 네 말이 맞아.

감탄사인 '앗'은 문장에서 쓰일 때 형태가 변하지 않고, 조사와 결합하지도 않아.

- 문장에서 다른 단어와 관계를 맺지 않고 독립적으로 쓰임.
  → 생략해도 문장이 성립하고, 문장에서의 위치도 비교적 자유로움.

> 알았지, 응? 응, 잘 알겠어.
> 어머나, 선물이잖아. 선물이잖아, 어머나.

감탄사인 '응', '어머나'가 생략되어도 문장의 의미가 통해.

* **독립언**
문장에서 독립적으로 쓰이는 '감탄사'를 가리키는 말.

[감탄사와 혼동하기 쉬운 예]
이름 뒤에 '아/야' 등의 조사가 붙은 말은 감탄사가 아님.
예 기문아!
→ '명사+조사'임.

[감탄사의 다양한 종류]
- 놀람, 반가움 등의 느낌을 나타내는 감탄사.
  예 아, 아차, 아하, 허, 아이고, 어머
- 부름을 나타내는 감탄사.
  예 어이, 이봐, 여보게, 여보, 여보세요
- 대답을 나타내는 감탄사.
  예 그래, 응, 오냐, 예, 글쎄, 네, 아니요

문제로 연습하기

정답 11쪽

[01~05] 다음 설명이 맞으면 O표, 틀리면 X표를 하시오.

01 독립언은 문장에서 쓰일 때 형태가 변하지 않는다. (　　　)

02 감탄사는 다른 단어와 직접적인 관계 없이 독립적으로 쓰인다. (　　　)

03 독립언은 생략되어도 문장의 의미에 별다른 영향을 주지 않는다. (　　　)

04 감탄사는 말하는 이의 상태나 성질, 부름이나 대답 등을 나타낸다. (　　　)

05 감탄사는 단독으로 쓰이기도 하고 조사와 결합하여 쓰이기도 한다. (　　　)

[06~10] 다음 문장에서 감탄사를 찾아 O표 하시오.

06 문 좀 열어 줘, 야!

07 아무렴, 그렇고 말고.

08 어머, 벌써 시간이 이렇게 됐네!

09 글쎄, 어떻게 해야 좋을지 모르겠네.

10 어이쿠, 다리가 워낙 길어서 넘어질 뻔 했군.

중단원 한눈에 보기

개념 14~29

→ 10분 Review 테스트 142쪽

품사의 개념과 분류 기준

- 품사의 개념: 단어들을 성질이 공통된 것끼리 모아 분류한 갈래.
- 품사의 분류 기준

분류 기준	품사								
형태	형태가 변하지 않는 단어(불변어)							형태가 변하는 단어(가변어)	
기능	체언			관계언	수식언		독립언	용언	
의미	명사	대명사	수사	조사	관형사	부사	감탄사	동사	형용사

※ 조사 중 '이다'는 형태가 변하는 단어임.

품사의 종류와 특성

(1) 체언

① 체언의 개념: 주로 문장의 중심(몸체)이 되는 '명사, 대명사, 수사'를 통틀어 이르는 말.

② 체언의 종류

명사	구체적인 대상의 이름을 나타냄.	예 책상, 이순신, 할머니, 눈물
	추상적인 대상의 이름을 나타냄.	예 행복, 희망, 기쁨, 참을성

대명사	사람의 이름을 대신하여 가리킴.	예 나, 너, 그, 우리, 누구
	사물의 이름을 대신하여 가리킴.	예 이것, 저것, 그것, 무엇
	장소의 이름을 대신하여 가리킴.	예 여기/이곳, 저기/저곳, 거기/그곳, 어디

수사	수량을 나타냄.	예 하나, 둘, 셋, 일, 이, 삼
	순서를 나타냄.	예 첫째, 둘째, 셋째, 제일, 제이, 제삼

③ 체언의 종류

- 문장에서 쓰일 때 형태가 변하지 않음(활용하지 않음).
- 문장에서 조사와 결합하거나 홀로 쓰여 다양한 기능을 함.
  → 문장에서 동작이나 상태의 주체('누가/무엇이'에 해당함.), 동작의 대상('누구를/무엇을'에 해당함.) 등이 됨.
- 앞말(관형어)의 꾸밈을 받을 수 있음.

(2) 관계언

① 관계언의 개념: 문장에 쓰인 단어들 간의 관계를 나타내는 '조사'를 가리키는 말.

② 관계언의 종류

조사	다른 말과의 문법적 관계를 나타냄.	예 이/가, 을/를, 에, 에서, 에게, 의
	앞말에 특별한 뜻을 더해 줌.	예 은/는, 만, 도, 부터, 까지, 조차
	두 단어를 같은 자격으로 이어 줌.	예 와/과, 하고, (이)랑

③ 관계언의 특성
- 문장에서 쓰일 때 형태가 변하지 않음(활용하지 않음). 단, 서술격 조사 '이다'는 형태가 변함(활용을 함).
- 홀로 쓰일 수 없고, 주로 체언 뒤에 붙어서 쓰임.

(3) 용언

① 용언의 개념: 문장에서 주체에 대해 서술하는 '동사, 형용사'를 통틀어 이르는 말.

② 용언의 종류

동사	사람이나 사물의 움직임을 나타냄.	예 먹다, 노래하다, 읽다, 불다, 늙다, 모르다
형용사	사람이나 사물의 상태나 성질을 나타냄.	예 예쁘다, 붉다, 푸르다, 외롭다, 고요하다, 귀엽다, 춥다, 덥다

③ 용언의 특성
- 문장에서 주체의 움직임, 상태, 성질 등을 서술함.
- 문장에서의 쓰임에 따라 형태가 변함(활용을 함).

(4) 수식언

① 수식언의 개념: 문장에서 다른 말을 꾸며 주는 '관형사, 부사'를 통틀어 이르는 말.

② 수식언의 종류

관형사	체언을 꾸며 줌.	예 새, 헌, 옛, 한, 두, 세, 이, 그, 저, 모든, 온갖
부사	주로 용언을 꾸며 줌.	예 아주, 무척, 빨리, 천천히, 너무, 확실히, 설마, 과연

③ 수식언의 특성
- 문장에서 다른 말을 꾸며 줌.
- 문장에서 쓰일 때 형태가 변하지 않음(활용하지 않음).
- 관형사는 조사와 결합할 수 없지만, 부사는 조사와 결합하여 쓰이기도 함.

(5) 독립언

① 독립언의 개념: 문장에서 독립적으로 쓰이는 '감탄사'를 가리키는 말.

② 독립언의 종류

감탄사	말하는 사람의 놀람, 느낌, 부름이나 대답 등을 나타냄.	예 앗, 어, 야, 여보세요, 어머나, 네, 응

③ 독립언의 특성
- 문장에서 다른 단어와 관계를 맺지 않고 독립적으로 쓰임.
- 문장에서 쓰일 때 형태가 변하지 않음(활용하지 않음).

실력 완성하기

[개념 14]

01 품사에 대한 설명으로 적절하지 않은 것은?

① 형태, 기능, 의미에 따라 분류된다.
② 우리말에는 아홉 가지의 품사가 있다.
③ 자립성과 분리성을 가진 말의 최소 단위이다.
④ 공통된 성질을 가진 단어끼리 모아 놓은 것이다.
⑤ 품사를 분류하는 것은 우리말을 이해하는 데 도움이 된다.

[개념 15]

02 형태를 기준으로 단어를 분류할 때, 갈래가 다른 것은?

① 옛 ② 저것 ③ 높다 ④ 고요히 ⑤ 김유신

[개념 15]

03 [보기]와 같이 단어를 분류한 기준으로 적절한 것은?

보기
(ㄱ) 나무, 사랑, 모든, 매우, 어머나
(ㄴ) 웃다, 놀다, 아름답다, 곱다, 맑다

① 공통된 의미에 따라
② 자립성의 유무에 따라
③ 문장에서의 기능에 따라
④ 형태의 변화 유무에 따라
⑤ 다른 단어와의 결합 여부에 따라

[개념 16]

04 [보기]의 품사 분류 기준을 적용할 때, 품사가 다른 것은?

보기

기능에 따른 분류	체언	용언	수식언	관계언	독립언

① 국화 ② 우리 ③ 첫째 ④ 빨리 ⑤ 한라산

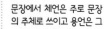

문장에서 체언은 주로 문장의 주체로 쓰이고 용언은 그 주체를 서술하는데 쓰인다. 또 수식언은 다른 말을 꾸며 주는 데에, 관계언은 다른 말과의 관계를 나타내는 데에 쓰이며 독립언은 독립적으로 쓰인다.

[개념 18~21]

05 [보기]의 문장에 사용된 체언의 개수는?

보기
나는 '첫째보다는 최선을'이라는 생각으로 열심히 산다.

① 2개 ② 3개 ③ 4개 ④ 5개 ⑤ 6개

[개념 18]
06 [보기]에 제시된 단어들의 공통점으로 적절한 것은?

보기
용기 제주도 비밀 지혜 학교

① 대상의 이름을 나타낸다.
② 문장에서 홀로 쓰일 수 없다.
③ 대상의 상태나 성질을 나타낸다.
④ 문장에서 쓰일 때 형태가 변한다.
⑤ 사물의 이름을 대신하여 가리킨다.

[개념 18~21]
07 다음 문장의 밑줄 친 단어 중, 체언이 아닌 것은?

① 나는 운동을 좋아한다.
② 저 가방이 마음에 꼭 든다.
③ 하나에 둘을 더하면 셋이다.
④ 그것보다는 이것이 더 좋다.
⑤ 여기 보세요. 화분에 꽃이 피었어요.

[개념 20, 26]
08 다음 중 수사가 사용되지 않은 문장은?

① 하나를 들으면 열을 안다.
② 세 살 버릇 여든까지 간다.
③ 너와 나는 둘 다 키가 크다.
④ 첫째도 건강, 둘째도 건강이다.
⑤ 아직까지 한 사람도 오지 않았다.

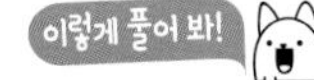

관형사 중에는 수사와 마찬가지로 수량을 나타내는 것이 있어서 헷갈리기 쉬워. 수사는 체언의 한 종류로 조사와 결합할 수 있지만, 관형사는 체언을 꾸며 주며 조사와 결합할 수 없어.

[개념 18~21] 고난도
09 다음 중 명사, 대명사, 수사를 모두 포함하고 있는 문장은?

① 너는 이제껏 어디에 있었니?
② 둘째가 첫째보다 수영을 잘한다.
③ 그는 일요일마다 나에게 찾아왔다.
④ 정우는 그녀에게 사과 하나를 주었다.
⑤ 영수는 아침마다 우유 한 잔을 마신다.

[개념 22]

10 **[보기]의 문장에 사용된 관계언의 총 개수는?**

보 기

나는 학원 수업을 마치고 급하게 집으로 돌아왔다.

① 2개 ② 3개 ③ 4개 ④ 5개 ⑤ 6개

[개념 22]

11 **다음 밑줄 친 조사 중, 종류가 다른 하나는?**

① 산이 매우 높다.
② 나는 너를 좋아한다.
③ 너만 그 일을 할 수 있어.
④ 선생님께서 교실로 오셨다.
⑤ 그가 나에게 갑자기 말을 걸었다.

조사에는 앞말과 다른 말의 문법적 관계를 나타내는 조사도 있고, 앞말에 특별한 뜻을 더해 주는 조사도 있다.

[개념 23~25]

12 **[보기]의 문장에 사용된 용언의 개수는?**

보 기

그녀는 예쁜 머리핀 한 개를 사서 친구에게 선물했다.

① 1개 ② 2개 ③ 3개 ④ 4개 ⑤ 5개

[개념 23~25]

13 **다음 문장의 밑줄 친 단어 중, 품사가 다른 하나는?**

① 맑은 냇물이 흐른다.
② 달콤한 솜사탕이 생각난다.
③ 눈 온 뒤의 경치는 정말 멋지다.
④ 그는 텔레비전을 바보상자라고 부른다.
⑤ 이웃을 돕는 마음이 아름답게 느껴진다.

현재를 나타내는 어미인 'ㄴ(는)다', 명령을 나타내는 어미인 '-어라/아라', 권유를 나타내는 어미인 '-자'와 결합할 수 있는지에 초점을 맞춰 형용사와 동사를 구별해 봐.

[개념 23]

14 **다음 문장 중 동사가 사용되지 않은 하나는?**

① 새 옷을 입으니 기분이 좋다.
② 학생들이 잔디밭에 앉아서 놀았다.
③ 그는 열심히 연습하여 글을 완성했다.
④ 가난했지만 어린 시절의 추억은 그립다.
⑤ 아버지는 아들의 머리맡에 선물을 놓았다.

[개념 24, 26] 고난도

15 다음 문장의 밑줄 친 단어 중, 품사가 다른 하나는?

① 내 친구는 매우 착하다.

② 하얀 눈이 펑펑 내린다.

③ 그날 무슨 일이 일어났을까?

④ 오늘은 햇살이 눈부시게 빛난다.

⑤ 예쁜 꽃들이 화단에 가득 피었다.

이렇게 풀어 봐!

수식언은 고정된 형태로 다른 단어를 꾸며 주지만, 용언은 활용을 하여 다른 단어를 꾸며 주기도 한다는 점에 주목하여 수식언과 용언을 구분해 봐.

[개념 26]

16 다음 중 [보기]의 문장 속 밑줄 친 단어와 품사가 같은 것은?

보기

동생은 새 옷만 입으려고 한다.

① 어떤 ② 먼저 ③ 먹다 ④ 그것 ⑤ 여보게

[개념 27]

17 [보기]의 괄호 안에 공통으로 들어갈 품사로 알맞은 것은?

보기

(ㄱ) 오늘은 하늘이 (   ) 맑다.

(ㄴ) 어제는 도서관에 (   ) 갔다.

① 조사 ② 부사 ③ 명사 ④ 관형사 ⑤ 감탄사

[개념 26~28] 고난도

18 다음 문장 중 수식언이 들어 있지 않은 하나는?

① 그는 내가 사랑하는 친구이다.

② 저 언덕 너머 고향 마을이 있다.

③ 그녀는 헌 옷을 입어도 아름답다.

④ 일찍 일어나는 새가 벌레를 잡는다.

⑤ 과연 내가 그 일을 해낼 수 있을까?

[개념 23]

19 [보기]의 문장에 쓰이지 않은 품사는?

보기

인내는 쓰나, 그 열매는 달다.

① 명사 ② 조사 ③ 동사 ④ 관형사 ⑤ 형용사

실력 완성하기

[개념 26~28]

20 [보기]의 밑줄 친 단어들의 공통점으로 적절하지 않은 것은?

보기

그는 이 놀이터를 매우 좋아했어요.

① 수식언에 해당한다.
② 형태가 변하지 않는다.
③ 생략해도 문장이 성립한다.
④ 조사와 결합하여 쓰이거나 홀로 쓰인다.
⑤ 문장의 의미를 자세하고 구체적으로 전달해 준다.

[개념 29]

21 다음 문장 중 감탄사가 사용되지 않은 하나는?

① 영철아, 전화 왔어.
② 어머나, 기문이로구나!
③ 글쎄, 잘 모르겠는데요.
④ 아니요, 제가 안 그랬어요.
⑤ 여보세요, 거기 누구 없나요?

감탄사 중에는 말하는 이의 부름을 나타내는 단어도 있다. 그러나 부름을 나타내는 말이라고 하여도 '명사+조사'의 형태로 결합된 경우와는 구분해야 한다.

[개념 24, 29]

22 품사와 그에 대한 설명으로 적절하지 않은 것은?

① 부사: 주로 용언을 꾸며 주는 단어.
② 수사: 수량이나 순서를 나타내는 단어.
③ 동사: 사람이나 사물의 움직임을 나타내는 단어.
④ 형용사: 말하는 이의 놀람, 느낌, 대답 등을 나타내는 단어.
⑤ 대명사: 사람, 사물, 장소의 이름을 대신하여 가리키는 단어.

[개념 21, 22, 25, 28, 29]

23 문장 속 기능에 따른 품사와 그에 대한 설명으로 적절한 것은?

① 체언: 문장의 주체에 대해 서술하는 단어.
② 용언: 주로 문장의 주체 역할을 하는 단어.
③ 수식언: 문장에서 다른 말을 꾸며 주는 단어.
④ 독립언: 단어 사이의 문법적 관계를 나타내는 단어.
⑤ 관계언: 주체의 동작, 상태, 성질 등을 나타내는 단어.

[개념 20, 26]

24 **다음 중 밑줄 친 단어와 품사의 연결이 적절하지 않은 것은?**

① 티끌 모아 태산 – 명사

② 등잔 밑이 어둡다. – 형용사

③ 세 살 버릇 여든까지 간다. – 조사

④ 벼는 익을수록 고개를 숙인다. – 동사

⑤ 천 리 길도 첫 걸음으로 시작된다. – 수사

[개념 23~25]

25 **다음 중 품사가 같은 단어끼리 묶이지 않은 것은?**

① 모든, 온갖, 어떤

② 너희, 여기, 우리

③ 아이고, 응, 여보게

④ 귀엽다, 노랗다, 잠들다

⑤ 다행히, 매우, 성큼성큼

[개념 20, 26] 고난도

26 **[보기]의 문장에 대한 설명으로 적절하지 않은 것은?**

보기

아, 여기에 꽃 두 송이가 피었네!

① 명사가 2개 쓰였다.

② 수사가 1개 쓰였다.

③ 대명사가 1개 쓰였다.

④ 형태가 변하는 품사가 1개 쓰였다.

⑤ 문법적인 관계를 나타내는 단어가 2개 쓰였다.

[개념 24] 고난도

27 **다음 중 밑줄 친 단어들의 품사가 같은 문장끼리 묶인 것은?**

① 학생 둘이 걸어간다. – 벌써 세 시가 넘었다.

② 나는 새 옷을 입었다. – 동생은 밥을 너무 빨리 먹는다.

③ 그는 초등학생이 아니다. – 철수야, 이 공 좀 가지고 가라.

④ 모든 사람은 법 앞에 평등하다. – 푸른 하늘에 눈이 부신다.

⑤ 하늘에 저녁노을이 곱게 물들었다. – 비가 그친 후 바다는 고요했다.

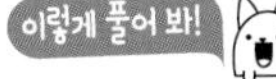

문장 속에서 밑줄 친 단어들의 쓰임을 비교하면 품사가 같은지를 쉽게 파악할 수 있어. 뒤에 조사가 붙을 수 있는지, 활용을 할 수 있는지(형태가 변하는지) 등에 초점을 맞춰 두 단어를 비교해 봐.

[개념 18~29]

28 **[보기]의 문장에 사용된 단어의 품사를 순서대로 쓰시오.**

보기

와, 새 가방을 드디어 샀어!

개념 30

어휘*의 체계*(1)_고유어

● **고유어의 개념:** 다른 나라에서 들여온 것이 아니라 본디부터 있었던 순우리말.
본디 고(固) 있을 유(有) 말씀 어(語)

그네, 씨름, 달맞이, 강강술래, 파랗다, 쓸쓸하다

● **고유어의 특성**

- 일상생활에서 자주 쓰이는 기본적인 어휘가 많음.

하늘, 땅, 물, 어머니, 아버지, 마음, 가다, 먹다

- 우리 민족의 고유한 문화나 정서를 효과적으로 표현할 수 있음.

**구수한 찌개를 밥에다 담뿍담뿍 떠 넣고서
썩썩 착착 비벼 놓으니 절로 군침이 돌았다.**

- 한자어에 비해 감정이나 정서, 감각을 다양하게 표현할 수 있음.

한자어		고유어
황색(黃色)	➡	노랗다, 노르스름하다, 누렇다, 누르스름하다, 누르튀튀하다

* **어휘**
일정한 범위 안에서 쓰이는 단어의 전체

* **체계**
낱낱의 부분이 짜임새 있게 조직되어 통일된 전체.

[어휘의 체계]
우리말 어휘는 어원(단어의 근원), 어종(어휘의 종류)에 따라 '고유어, 한자어, 외래어'로 나뉨.

[어휘의 다양한 종류]
- 은어: 다른 집단에서 알아듣지 못하도록 일정한 집단 내에서만 쓰는 말.
  예 담탱이(담임 선생님)
- 비속어: 속되고 천박한 느낌을 주는 말.
  예 아가리(입)
- 유행어: 짧은 시기에 걸쳐 여러 사람의 입에 오르내리는 말.
  예 안습(슬픔)
- 전문어: 전문 분야에서 쓰는 말.
  예 충수염(맹장염)

문제로 연습하기

정답 15쪽

[01~03] 다음 설명이 맞으면 O표, 틀리면 X표 하시오.

01 고유어는 예로부터 존재하던 순우리말로, 일상생활에서 자주 쓰인다. (　　)

02 고유어를 쓰면 우리 민족 특유의 정서나 문화를 풍부하게 표현할 수 있다. (　　)

03 고유어는 주로 전문 분야나 학술 분야에서 정확한 개념을 전달할 때 사용한다. (　　)

[04~07] 다음 밑줄 친 단어 중, 고유어를 모두 찾아 쓰시오.

04 우리 식구는 외식을 별로 좋아하지 않는다. –

05 누나는 아침 식사로 우유와 케이크를 먹었다. –

06 그 피아노 연주자 뒤에는 훌륭한 스승이 있었다. –

07 요즘 미세먼지에 대해 사람들이 관심을 갖고 있다. –

개념 31 어휘의 체계 (2)_한자어

● **한자어의 개념:** 중국의 한자를 바탕으로 만들어진 말.
한나라 **한**(漢) 글자 **자**(字) 말씀 **어**(語)

책(冊), 친구(親舊), 학교(學校), 우정(友情), 동물(動物)

● **한자어의 특성**

- 우리말 어휘의 절반 이상을 차지함.
- 복잡한 개념이나 추상적인 의미를 나타내는 어휘가 많음.
- 고유어에 비해 더 정확하고 세분화*된 의미를 갖고 있기 때문에 고유어를 보완하기도 함. 고유어는 하나의 단어가 여러 가지 의미를 나타내는 경우가 많은데, 한자어는 그렇지 않음.

고유어		한자어
고치다	➡	• 자전거를 수리(修理)하다. • 내가 쓴 글을 수정(修正)하다. • 구멍 난 옷을 수선(修繕)하다. • 환자의 질병을 치료(治療)하다.

- 중국, 일본에서 만들어진 말 외에 우리나라에서 독자적으로 만들어 낸 말도 있음.

감기(感氣), 편지(便紙), 고생(苦生)

이 한자어들은 우리나라에서만 사용하고 있어.

* **세분화**
대상이 여러 갈래로 자세히 갈라짐. 또는 그렇게 갈라지게 함.

[우리말에 일본식 한자어가 많은 이유]
개화기 때에 일본은 서양 문물을 적극적으로 수용하면서 서양 문물에 한자어로 이름을 붙였고, 그 한자어가 우리나라나 중국에 전해지게 됨. 현재 우리나라에서 사용하는 한자로 된 과학 용어나 학술 용어 등은 이러한 과정에 따른 것들이 많음.

문제로 연습하기

정답 15쪽

[01~03] 다음 빈칸에 들어가기에 알맞은 말을 쓰시오.

01 한자어는 중국의 ☐☐에 기초하여 만들어진 말로, 우리말에서 큰 비중을 차지한다.

02 한자어를 쓰면 복잡한 ☐☐이나 추상적인 의미를 효과적으로 표현할 수 있다.

03 한자어는 ☐☐☐에 비해 더 정확하고 세분화된 의미를 표현하는 경우가 많다.

[04~07] 다음 문장 속 밑줄 친 고유어와 바꿔 쓸 수 있는 한자어를 찾아 알맞게 연결하시오.

04 지금부터 내 <u>말</u>을 잘 들어 봐. •   • ㉠ 대화

05 새로 전학생이 올 것이라는 <u>말</u>이 있었다. •   • ㉡ 설명

06 이 문제에 대해서 너와 꼭 <u>말</u>하고 싶었어. •   • ㉢ 소문

07 그 <u>말</u>로는 내 마음을 표현할 수 없어. •   • ㉣ 단어

개념 32 어휘의 체계 (3)_외래어

● **외래어의 개념:** 다른 나라에서 들어와 우리말처럼 쓰이는 말.
바깥 외(外) 올 래(來) 말씀 어(語)

콜라(cola), 모델(model), 첼로(cello), 오페라(opera)

● **외래어의 특성**

- 서양의 새로운 문화, 사물, 현상 등과 함께 들어옴.
- 고유어로 바꿔 쓰기가 어려운 경우가 많음.

컴퓨터, 텔레비전, 커피, 초콜릿, 버스, 피아노

- 우리말처럼 느껴져 다른 나라의 말이라는 것을 쉽게 알아챌 수 없는 경우도 있음.

빵, 고무

'빵'은 포르투갈어 'pão', '고무'는 프랑스어 'gomme'에서 온 말이야.

- 적절하게 사용하면 우리말 어휘를 보완하여 우리말을 풍부하게 할 수 있음.
- 지나치게 많이 사용하면 우리말의 체계를 흔들고, 의사소통에 어려움을 줄 수 있음. → 외래어를 순우리말로 다듬어 사용하려는 사회적인 노력이 필요함.

[외국어]
외국어는 외래어에 비해 다른 나라에서 온 말이라는 느낌이 상대적으로 강한 말임. 외래어와 달리 우리말로 바꿔 쓰기가 쉬운 편이고, 국어사전에 등재되어 있지 않음.
예 펜슬(→ 연필), 타이거(→ 호랑이), 헤어(→ 머리털), 밀크(→ 우유)

[한자어를 외래어로 분류하지 않는 이유]
한자어는 우리 민족이 오랜 세월 동안 사용해 왔으므로, 일반적인 외래어와 달리 우리 민족의 생활과 문화, 정서 등에 밀착되어 있는 말임. 따라서 한자어를 외래어로 분류하지 않음.

문제로 연습하기

정답 15쪽

[01~03] 다음 설명이 맞으면 O표, 틀리면 X표 하시오.

01 외래어는 다른 나라에서 들어왔지만 우리말처럼 쓰이는 말이다. (　　　)

02 외래어는 그것을 대체할 수 있는 고유어가 있는 경우가 많은 편이다. (　　　)

03 외래어는 우리말 어휘를 풍부하게 해 주므로 많이 사용하는 것이 바람직하다. (　　　)

[04~06] 다음 외래어를 순우리말로 다듬은 것을 [보기]에서 찾아 쓰시오.

보 기
누리꾼　　도움말　　길도우미

04 힌트 – (　　　　　)　**05** 네티즌 – (　　　　　)　**06** 내비게이션 – (　　　　　)

[07~09] 다음 어휘가 해당하는 종류를 [보기]에서 찾아 그 기호를 쓰시오.

보 기
㉠ 고유어　　㉡ 한자어　　㉢ 외래어

07 빵, 앙코르 – (　　　)　**08** 친구, 편지 – (　　　)　**09** 마음, 하늘 – (　　　)

개념 33 어휘의 양상*(1)_지역 방언

● **지역 방언의 개념:** 산, 강에 의한 지역 구분 등 지역적 원인에 따라 달라진 말.
땅 지(地) 구역 역(域) 방향 방(方) 말씀 언(言)

잠재, 장잘기, 곰부리, 밤부리, 오다리

이 단어들은 모두 '잠자리'를 가리키는 지역 방언이야.

● **지역 방언의 특성**

- 해당 지역 사람들의 문화와 전통, 역사, 생활 모습이 담겨 있음.

콩질금 ⬅ 콩나물 요리의 재료를 가리키는 전라도 방언

요리의 재료를 구분해서 부르는 것에서 음식 문화가 발달한 전라도 지역의 특성이 반영되어 있어.

- 동일한 지역 방언을 사용하는 사람들 사이에서는 친밀감을 높일 수 있음.

"날씨 겁나게 좋아부요."
"아따, 전라도 사람인갑네. 반갑소잉."

- 해당 지역 사람들의 정서나 감정을 풍부하게 전달할 수 있음.

새그랍다 – 시다

경상도 방언인 '새그랍다'는 '시다'를 의미하지만, 일반적인 '시다'와는 약간 다른 느낌이라고 해.

*양상
사물이나 현상의 모양이나 상태.

[어휘의 양상]
우리말 어휘는 달라진 원인에 따라 '지역 방언'과 '사회 방언'으로 나뉨.

[표준어와 지역 방언의 관계]
① 표준어는 전 국민이 공통적으로 쓰는 언어이고 지역 방언은 각 지방의 언어로, 상호 보완적인 관계임.
② 표준어와 지역 방언은 말하는 상황과 장소, 내용, 듣는 사람 등에 따라 적절히 구별하여 사용해야 함.
- 표준어: 신문, 방송 등 공식적인 상황에 사용됨.
- 지역 방언: 개인적인 대화 등 비공식적인 상황에 사용됨.

문제로 연습하기

정답 16쪽

[01~04] 다음 설명이 맞으면 O표, 틀리면 X표 하시오.

01 지역적 원인에 따라 서로 다른 형태로 나타나는 말을 지역 방언이라고 한다. (　　　)

02 지역 방언은 그것을 함께 사용하는 사람들 사이에서 친근감을 형성한다. (　　　)

03 지역 방언은 서로 다른 지역 사람들 사이에서 의사소통을 원활하게 한다. (　　　)

04 지역 방언에는 각 지역의 문화와 전통, 역사 및 지역민들의 독특한 정서가 담겨 있다. (　　　)

[05~07] [보기]를 읽고 괄호 안에 들어가기에 알맞은 말을 고르시오.

보 기
㉠ 뉴스를 전해 드리겠습니다.
㉡ 할매, 옷 단디 입고 나가이소.

05 ㉠은 (표준어 / 지역 방언)을/를 사용하고 있고, ㉡은 (표준어 / 지역 방언)을/를 사용하고 있다.

06 ㉠은 (공식적 / 비공식적) 상황에 적합한 어휘를 사용하고 있고 ㉡은 (공식적 / 비공식적) 상황에 적합한 어휘를 사용하고 있다.

07 ㉠은 (지역민 / 전 국민) 사이에서, ㉡은 (지역민 / 전 국민) 사이에서 사용하는 것이 더 효과적이다.

개념 34 어휘의 양상 (2)_사회 방언

- **사회 방언의 개념:** 나이, 성별, 직업, 사회 집단 등의 사회적 원인에 따라 달라진 말.
  모일 사(社) 모일 회(會) 방향 방(方) 말씀 언(言)

문상(문화 상품권), 땅본(숫자 9)

'문상'은 청소년들이, '땅본'은 상인들이 사용하는 사회 방언이야.

- **사회 방언의 특성**
  - 주로 세대, 전문 분야 등에 따라 사용하는 어휘의 차이가 발생함.

피방(PC방), 별고(특별한 사고)
좌창(여드름), BT(혈액 응고 시간)

'피방'은 청소년들이, '별고'는 어르신들이 사용하는 어휘이고, '좌창, BT'는 의학 분야의 전문인들이 사용하는 어휘야.

  - 동일한 사회 방언을 사용하는 사람들 사이에서 친밀감을 형성할 수 있음.

띠껍다(기분 나쁘다), 쌩까다(외면하다)

청소년들은 이런 어휘들을 함께 사용하면서 서로 친근감을 느끼기도 해.

  - 동일한 사회 방언을 사용하는 사람들 사이에서 의사소통의 효율성을 높일 수 있음.

당근은 쥘리엔*으로 하세요.

'당근은 가늘고 길게 썰어 주세요.'라는 의미야. 요리사들 사이에서는 전문적인 어휘를 사용하는 것이 효율적일 수 있지.

  - 같은 세대나 전문 분야에 속하지 않은 사람들과의 의사소통을 방해할 수 있음.

[사회 방언의 다양한 종류]
- 은어: 특정 집단 안에서 내부의 비밀을 유지하기 위해 다른 집단의 사람들이 알아듣지 못하도록 사용하는 말.
  예 산삼을 캐는 사람들인 심마니들 사이의 은어: 심(산삼), 왕초(큰 산삼)
- 전문어: 전문 분야에서 그 분야의 일을 효과적으로 수행하기 위해 사용하는 말.
  예 피겨 스케이팅 용어: 트리플 러츠, 더블 악셀, 스파이럴 시퀀스

***쥘리엔(julienne)**
재료를 길고 가느다란 모양으로 채 써는 것.

문제로 연습하기

정답 16쪽

[01~03] 다음 빈칸에 들어가기에 알맞은 말을 쓰시오.

01 세대, 직업과 같은 사회적 요인에 따라 서로 다른 형태로 나타나는 말을 □□□□이라고 한다.

02 같은 세대에 속한 사람들끼리 사회 방언을 사용하면 서로 간에 □□□을 형성할 수 있다.

03 동일한 사회 방언을 사용하면 그 분야에 속한 사람들 사이에서 의사소통의 □□□을 높일 수 있다.

[04~07] [보기]와 같은 사회 방언에 대한 설명이 맞으면 O표, 틀리면 X표 하시오.

보기

간지 나다(폼 나다), 주(숫자 10), 로컬 엔세이드(파스)

04 지역적 원인에 따라 달라진 말이다. (　　)

05 다른 집단에 속한 사람들은 소외당하는 느낌을 받을 수 있다. (　　)

06 다른 세대나 다른 전문 분야의 구성원들은 특정한 사회 방언의 의미를 이해하기 어렵다. (　　)

07 동일한 사회 방언을 사용하는 사람들 사이의 원활한 의사소통을 방해한다. (　　)

중단원 한눈에 보기

개념 30~34

→ 10분 Review 테스트 148쪽

● 어휘의 체계

우리말 어휘는 어원이나 어종에 따라 고유어, 한자어, 외래어로 나뉨.

(1) 고유어

개념	다른 나라에서 들여온 것이 아니라 본디부터 있었던 순우리말.
특성	• 일상생활에서 자주 쓰이는 기본적인 어휘가 많음. • 우리 민족의 고유한 문화나 정서를 효과적으로 표현함. • 한자어에 비해 감정이나 정서, 감각을 다양하게 표현할 수 있음.

(2) 한자어

개념	중국의 한자를 바탕으로 만들어진 말.
특성	• 우리말 어휘의 절반 이상을 차지함. • 복잡한 개념이나 추상적인 의미를 나타내는 말이 많음. • 고유어에 비해 더 정확하고 세분화된 의미를 갖고 있어 고유어를 보완하기도 함. • 중국, 일본에서 만들어진 말 외에 우리나라에서 독자적으로 만들어 낸 말도 있음.

(3) 외래어

개념	다른 나라에서 들어와 우리말처럼 쓰이는 말.
특성	• 서양의 새로운 문물과 함께 들어옴. • 고유어로 바꿔 쓰기 어려운 경우가 많음. • 우리말처럼 느껴져 다른 나라의 말이라는 것을 쉽게 알아챌 수 없는 경우도 있음. • 적절하게 사용되면 우리말 어휘를 보완하여 우리말을 풍부하게 할 수 있음. • 지나치게 많이 사용하면 우리말의 체계를 흔들고, 의사소통에 어려움을 줄 수 있음.

● 어휘의 양상

우리말 어휘는 달라진 원인에 따라 지역 방언과 사회 방언으로 나뉨.

(1) 지역 방언

개념	산, 강에 의한 지역 구분 등 지역적 원인에 따라 달라진 말.
특성	• 해당 지역 사람들의 문화와 전통, 역사, 생활 모습이 담겨 있음. • 동일한 지역 방언을 사용하는 사람들 사이에서 친밀감을 높일 수 있음. • 해당 지역 사람들의 정서나 감정을 풍부하게 전달할 수 있음.

(2) 사회 방언

개념	나이, 성별, 직업, 사회 집단 등의 사회적 원인에 따라 달라진 말.
특성	• 주로 세대, 전문 분야 등에 따라 사용하는 어휘의 차이가 나타남. • 동일한 사회 방언을 사용하는 사람들 사이에서 친밀감을 형성할 수 있음. • 동일한 사회 방언을 사용하는 사람들 사이에서 의사소통의 효율성을 높일 수 있음. • 같은 세대나 전문 분야에 속하지 않은 사람들 사이에서 의사소통을 방해할 수 있음.

실력 완성하기

[개념 30]

01 고유어에 대한 설명으로 적절하지 않은 것은?

① 우리 민족 특유의 문화나 정서를 효과적으로 표현할 수 있다.
② 추상적인 개념이나 전문 분야의 용어를 표현하기에 적합하다.
③ '말'과 같이 한 단어가 문맥에 따라 여러 의미를 나타내는 경우가 많다.
④ '붉다, 불긋하다, 발갛다, 빨갛다'와 같이 감각을 다양하게 표현할 수 있다.
⑤ 다른 나라에서 들여온 것이 아니라 예로부터 우리 민족이 사용해 왔던 말이다.

[개념 30] 고난도

02 다음 밑줄 친 단어 중, 고유어가 아닌 것은?

① 가을 하늘이 파랗다.
② 우리 오빠는 고등학생이다.
③ 나뭇잎이 바닥으로 떨어진다.
④ 나는 아침마다 사과를 먹는다.
⑤ 비가 그친 후 무지개가 나타났다.

참고해 봐!

국어사전을 활용하면 어휘의 종류를 쉽게 구분할 수 있다. 해당 단어와 함께 한자가 제시되어 있으면 한자어이고, 영어 등 외국어가 제시되어 있으면 외래어이고, 한자나 외국어가 제시되어 있지 않으면 고유어이다.

[개념 31]

03 [보기]에서 한자어만을 찾아 바르게 묶은 것은?

보기
고생 길잡이 노래 감기 신문 얼굴 백일장 마음

① 고생, 노래, 감기, 신문
② 고생, 감기, 신문, 백일장
③ 고생, 감기, 백일장, 마음
④ 길잡이, 노래, 얼굴, 마음
⑤ 길잡이, 신문, 얼굴, 백일장

[개념 32]

04 [보기]의 단어들에 대한 설명으로 적절하지 않은 것은?

보기
커피, 피아노, 컴퓨터

① 다른 나라에서 들어왔지만 우리말처럼 쓰이는 말이다.
② 무분별하게 사용되면 우리말 체계에 악영향을 줄 수 있다.
③ 대체하여 사용할 수 있는 고유어나 한자어를 찾기가 쉬운 편이다.
④ 우리말의 어휘를 보완하고 우리말을 풍부하게 하는 데 도움이 된다.
⑤ 서양과의 문물 교류가 활발해짐에 따라 그 수가 점차 늘어나고 있다.

[개념 32]

05 다음 중 외래어끼리 바르게 묶인 것은?

① 빵, 버스, 바나나, 플루트
② 원피스, 헤어, 밀크, 치아
③ 사이즈, 의사, 오페라, 벤치
④ 앙코르, 타이거, 모델, 편지
⑤ 고무, 샌드위치, 씨름, 달맞이

[개념 33]

06 지역 방언에 대한 설명으로 적절하지 않은 것은?

① 모든 지역 사람들의 원활한 의사소통에 도움을 준다.
② 지역민의 정서나 감정을 풍부하게 전달하는 데 도움을 준다.
③ 산이나 강 등으로 구분된 지역에 따라 다른 형태로 나타난다.
④ 표준어와 달리 개인적이고 비공식적인 상황에서 주로 사용된다.
⑤ 해당 지역에서 예부터 전해 오는 문화와 전통, 풍습 등이 담겨 있다.

[개념 34]

07 [보기]의 밑줄 친 말과 같은 방언의 특성으로 적절한 것은?

보기

학생 1: 오랜만에 영화 봐서 핵 좋았어.
학생 2: 그래. 난 남주 때문에 심쿵했어.
학생 1: 맞아. 남주랑 여주 케미도 엄청났지.

① 각 지역의 문화적 차이를 반영한다.
② 주로 개념을 명확하게 전달하기 위해 사용한다.
③ 우리 민족의 고유한 문화나 정서를 풍부하게 표현할 수 있다.
④ 우리말처럼 느껴져 다른 나라에서 온 말이라는 느낌이 약한 편이다.
⑤ 같은 방언을 사용하는 사람들 간에 의사소통의 효율성을 높일 수 있다.

[보기]에 제시된 '핵(매우)', '남주(남자 주인공)', '심쿵(심장이 쿵쾅쿵쾅거림)', '여주(여자 주인공)', '케미(인물 간의 조화)'는 주로 청소년들이 사용하는 사회 방언이야.

[개념 30~34] 고난도

08 우리말 어휘의 체계와 양상에 대한 설명으로 적절하지 않은 것은?

① 어원에 따라 고유어, 한자어, 외래어로 나눌 수 있다.
② 한자어와 외래어는 가능하면 고유어로 바꿔 쓰는 것이 바람직하다.
③ 지역 방언과 사회 방언은 같은 방언을 사용하는 사람들 사이에서 친근감을 형성할 수 있다.
④ 고유어는 한자어에 비해 정확하고 세분화된 의미를 갖고 있으므로 하나의 고유어를 여러 개의 한자어로 바꿔 쓸 수도 있다.
⑤ 지역 방언과 사회 방언은 다른 지역이나 세대, 직업에 속한 사람들과 대화할 때 사용하면 원활한 의사소통을 방해할 수 있다.

Ⅲ. 문장

위의 이야기를 통해 알 수 있듯이 하나의 문장에서 주어를 빼고 얘기를 한다면 말하고자 하는 바를 정확하게 전달하기가 어려워요. 특히 문장을 이루는 주성분이 빠지게 된다면 아무도 정확한 의미를 알 수 없을 거예요. 이제 문장에는 어떤 성분들이 있는지, 그 특징들에 대해서 하나하나 알아가 봅시다.

이 단원의 문법 개념 MAP

35 ~ 48 소단원 개념 번호입니다.

개념 35 문장

문장

- **문장의 개념:** 생각이나 감정을 완결된 내용으로 표현하는 최소의 언어 형식.
  글월 문(文), 글 장(章)
- **문장의 특징**
  - 주어*와 서술어*를 갖고 있는 것이 원칙이지만 경우에 따라 생략이 가능함.
  - 하나의 문장이 끝나면 온점(.), 물음표(?), 느낌표(!)와 같은 문장 부호를 써야 함.
- **문장의 기본 구조:** '주어+서술어'로 구성되며, 서술어의 종류에 따라 나누어짐.
  - 누가/무엇이+어찌하다: 대상의 움직임을 나타냄.

고양이가 + 달린다.

서술어인 '달린다'는 고양이의 움직임을 나타내고 있어.

  - 누가/무엇이+어떠하다: 대상의 상태나 성질을 나타냄.

물이 + 깨끗하다.

서술어인 '깨끗하다'는 물의 상태를 나타내고 있어.

  - 누가/무엇이+무엇이다: 대상을 지정함.

이 동물은 + 호랑이이다.

서술어인 '호랑이이다'는 대상이 되는 사물이 호랑이임을 밝혀주는 거야.

- **주어부와 서술부**
  - 주어부: 움직임이나 상태의 주체가 되는 부분으로, 문장에서 주어와 그에 딸린 부속 성분으로 이루어짐.
  - 서술부: 주어부의 움직임이나 상태 등을 설명하는 부분으로, 문장에서 서술어, 목적어, 보어와 그에 딸린 부속 성분으로 이루어짐.

굵은 빗방울이 세차게 떨어진다.

[문장]

굵은 빗방울이		세차게 떨어진다	
[주어부]		[서술부]	
굵은	빗방울이	세차게	떨어진다
[관형어]	[주어]	[부사어]	[서술어]
부속 성분	주성분	부속 성분	주성분

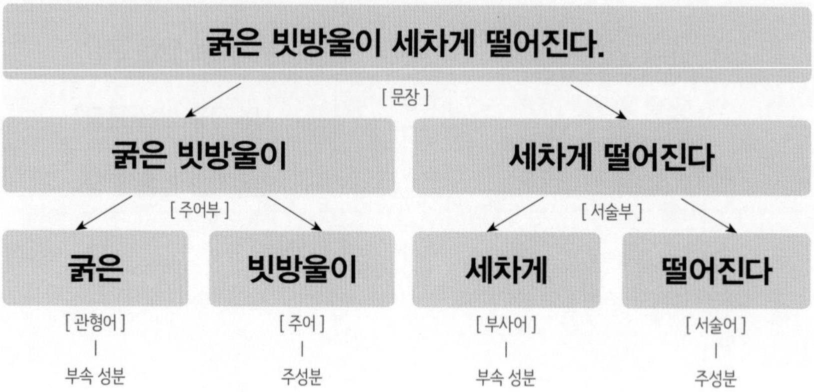

* 주어
문장에서 '누가/무엇이'에 해당하는 부분.
예 수연이가 웃는다.
방이 어둡다.

* 서술어
문장에서 누가 또는 무엇이 '어찌하다', '어떠하다', '무엇이다'에 해당하는 부분.
예 강아지가 짖는다.
하늘이 푸르다.
저 색은 빨간색이다.

[문장을 이루는 요소]
- 어절: 문장을 구성하는 각각의 마디. 문장 성분의 최소 단위로 띄어쓰기와 일치함.
  예 민수는/땀이/나게/빨리/뛰었다.– 5어절
- 구: 둘 이상의 어절이 모여 하나의 성분으로 쓰이는 단위. '주어+서술어'의 관계를 이루지 않음.
  예 민수는 땀이 나게 빨리 뛰었다.
- 절: 둘 이상의 어절이 모여 하나의 성분으로 쓰이는 단위. '주어+서술어'의 관계를 이룸.
  예 민수는 땀이 나게 빨리 뛰었다.

문제로 연습하기

정답 17쪽

[01~06] 다음 설명이 맞으면 O표, 틀리면 X표 하시오.

01 생각이나 감정을 완결된 내용으로 표현하는 최소의 언어 형식은 음운이다. (   )

02 문장을 이루는 주어와 서술어는 절대 생략할 수 없다. (   )

03 한 문장이 끝났을 때는 온점(.), 물음표(?), 느낌표(!)와 같은 문장 부호를 사용한다. (   )

04 문장의 기본 구조는 '무엇이 어찌하다.', '무엇이 어떠하다.', '무엇이 무엇이다.'로 나눌 수 있다. (   )

05 문장에서 주어와 그에 딸린 부속 성분을 서술부라고 한다. (   )

06 문장에서 움직임이나 상태의 주체가 되는 부분을 주어부라고 한다. (   )

[07~09] 문장의 기본 구조와 예문을 알맞게 연결하시오.

07 무엇이 어찌하다. •
- • ㉠ 바람이 분다.
- • ㉡ 하늘이 푸르다.

08 무엇이 어떠하다. •
- • ㉠ 이것은 할미꽃이다.
- • ㉡ 날씨가 따뜻하다.

09 무엇이 무엇이다. •
- • ㉠ 나는 중학생이다.
- • ㉡ 나는 공부한다.

[10~15] 다음 문장을 [보기]와 같이 주어부와 서술부를 나누시오.

보 기

우리 학교가 멀리 보인다. → 우리 학교가 / 멀리 보인다.

10 날씨가 매우 춥다. →

11 파도가 세차게 출렁인다. →

12 예쁜 은우가 우유를 먹는다. →

13 저 빨간 자동차는 매우 빠르다. →

14 보람이는 축구선수가 아니다. →

15 이곳의 날씨는 여행하기에 적합하다. →

개념 36 주어

주어의 개념
주인 주(主), 말씀 어(語)

- 문장에서 설명하고자 하는 대상.
- 문장에서 동작, 성질, 상태의 주체*가 되는 문장 성분.
- 문장에서 '누가/무엇이'에 해당하는 말임.

나는 가방을 든다.
이 문장에서 '든다'는 동작을 하는 사람은 누구지? 바로 '나'야. 그렇기 때문에 주어는 '나는'이야.

강물이 맑다.
이 문장에서 '맑다'는 상태에 있는 대상이 무엇이지? 바로 '강물'이야. 그렇기 때문에 주어는 '강물이'이야.

주어의 특징
- 대부분 서술어 앞에 놓임.
- 문장을 이루는 데 꼭 필요한 성분이지만 생략되는 경우도 있음.

형: 엄마 어디 가셨어?
동생: 시장 가셨어.
원래 동생은 "엄마는 시장에 가셨어."라고 말해야 하지만, 앞에서 형이 엄마에 관해 물어봤기 때문에 동생은 '엄마'라는 주어를 생략하고 대답하고 있어.

주어의 형태
- 체언+이/가: 체언*에 주어를 만드는 조사* '이/가', '께서', '에서'가 붙는 경우

꽃이 예쁘다.
주어 '꽃이'는 명사 '꽃'+조사 '이'로 이루어져 있어.

그가 집에 간다.
주어 '그가'는 대명사 '그'+조사 '가'로 이루어져 있어.

아버지께서 오셨어.
주어 '아버지께서'는 명사 '아버지'+조사 '께서'로 이루어져 있어.

학교에서 설문 조사를 실시하였다.
주어 '학교에서'는 명사 '학교'+조사 '에서'로 이루어져 있어.

- 체언+특별한 의미를 지니는 조사: 체언에 특별한 의미를 더해 주는 조사가 붙는 경우

우리 오빠만 식사에 빠졌다.
체언 '오빠'에 조사 '만'이 붙어 다른 사람은 다 오고 오빠만 단독으로 빠졌다는 의미를 나타내고 있어.

셋도 너무 많다.
체언 '셋'에 조사 '도'가 붙어 셋 역시 많다는 의미를 나타내고 있어.

*** 주체**
서술어와 관련하여 행위를 하거나 상태를 나타내는 사람이나 대상.
예 나는 먼 산을 본다. ('본다'는 서술어의 행위를 하는 사람은 '나'임.)

[주어의 생략]
문장의 앞뒤 맥락을 통해 주어가 무엇인지 알 수 있는 경우에 생략 가능함.

*** 체언**
품사 중에서 주로 문장의 주체가 되는 '명사', '대명사', '수사'를 통틀어 이르는 말.

*** 조사**
주로 체언 뒤에 붙어 그 말과 다른 말과의 문법적인 관계를 나타내거나 특별한 뜻을 더해 주는 단어.

[앞에 오는 말에 특별한 의미를 더하는 조사의 예]
'-은/는, -만/뿐, -도, -조차, -부터, -밖에' 등이 있음.

[조사의 생략]
주어는 체언에 조사가 붙는 형태로 많이 쓰이는데, 경우에 따라 조사가 생략되기도 함.
예 너는 언제 일어났어?(O)
→ 너 언제 일어났어?(O)

문제로 연습하기

정답 17쪽

[01~05] [보기]에서 알맞은 말을 골라 빈칸에 쓰시오.

보 기

필수적인, 누가/무엇이, 보조적인, 동작, 체언, 서술어

01 주어는 문장을 구성하는 (   ) 성분이지만 경우에 따라 생략할 수 있다.

02 주어는 (   ), 성질, 상태의 주체가 되는 문장 성분이다.

03 주어는 주로 (   ) 뒤에 조사를 붙여 만든다.

04 주어는 문장에서 (   )에 해당하는 말이다.

05 주어는 문장에서 대체로 (   ) 앞에 놓인다.

[06~13] 다음 문장에서 주어를 찾아 밑줄을 그으시오.

06 넓은 바다가 매우 푸르다.

07 둘이 살짝 손을 잡았다.

08 소희만 사과를 딸 수 있다.

09 눈이 펄펄 내린다.

10 저 꽃은 제비꽃이다.

11 우리도 박물관으로 갔다.

12 우리나라의 국화는 무궁화이다.

13 내 마음도 네 마음과 같다.

14 [보기]의 밑줄 친 문장에서 생략된 주어를 쓰시오.

보 기

미연: 우리 학교도 축제를 하던가?
수현: 언니에게 물어보니 우리 학교도 축제를 한대.
미연: 오 정말? 축제가 재미있데?
수현: <u>작년은 괜찮았다고 하더라고.</u>

(   )

[15~17] 다음 문장 속에 쓰인 주어의 형태를 알맞게 연결하시오.

15 할아버지께서 책을 주셨다. •

16 너 이번엔 일찍 왔구나. •

17 언니부터 건너가. •

• ㉠ 체언 + 주어를 만드는 조사

• ㉡ 체언 + 특별한 의미를 더해 주는 조사

• ㉢ 체언 + 조사 생략(체언 단독)

개념 37 서술어

● 서술어의 개념

쓸 서(敍), 지을 술(述), 말씀 어(語)

- 한 문장에서 주어의 동작, 상태, 성질 따위를 풀이하는 문장 성분.
- 문장에서 '어찌하다', '어떠하다', '무엇이다'에 해당하는 말임.

새가 날아간다. 하은이가 빨리 달린다.

'날아간다', '달린다'는 주어의 동작을 나타내는 '어찌하다'에 해당하는 서술어야.

봄볕이 따뜻하다. 새 이불이 포근하다.

'따뜻하다', '포근하다'는 주어의 성질이나 상태를 나타내는 '어떠하다'에 해당하는 서술어야.

그는 학생이다. 그것은 꽃이다.

'학생이다', '꽃이다'는 주어가 무엇인지를 나타내는 '무엇이다'에 해당하는 서술어야.

● 서술어의 형태

- 주로 용언(동사*, 형용사*) 그 자체가 서술어가 됨.

그가 골을 넣었다. 솜사탕이 달콤하다.

'넣었다'는 동사 자체가, '달콤하다'는 형용사 자체가 서술어가 되었어.

- 체언에 서술어를 만드는 조사 '이다'가 붙어 서술어가 됨.

그것은 새 컴퓨터이다.

'컴퓨터이다'는 체언 '컴퓨터'에 서술어를 만드는 조사 '이다'가 붙어 서술어가 되었어.

[서술어의 생략]

서술어는 문장에서 꼭 필요한 성분이기 때문에 원칙적으로는 생략할 수 없지만 앞의 내용을 통해 서술어의 내용을 알 수 있는 경우 생략이 가능함.

예 엄마: 현지야, 지금 뭐하고 있니?
현지: 숙제.(주어와 서술어 생략됨.)

*동사
사람이나 사물의 움직임을 나타내는 단어.

*형용사
사람이나 사물의 상태나 성질을 나타내는 단어.

문제로 연습하기

정답 17쪽

[01~02] 다음 (　　)에 알맞은 말을 고르시오.

01 서술어는 한 문장에서 (주어, 감탄사)의 동작, 상태, 성질 따위를 풀이하는 문장 성분이다.

02 서술어 '날아간다', '달린다'는 주어의 (동작, 성질)을 나타낸다.

[03~06] 다음 문장에서 서술어를 찾아 밑줄을 그으시오.

03 이제 집으로 가자.

04 뒷산은 매우 높았다.

05 선생님의 취미는 독서이다.

06 나는 편지를 우체통에 넣었다.

[07~08] 다음 문장에 쓰인 서술어의 형태를 알맞게 연결하시오.

07 저 별은 북극성이다. •　　　　• ㉠ 용언 그 자체가 서술어가 됨.

08 저 옷 주머니가 너무 크다. •　　　　• ㉡ 체언에 서술격 조사 '이다'가 붙어서 됨.

개념 38 목적어 · 보어

목적어의 개념
항목 목(目), 과녁 적(的), 말씀 어(語)

- 문장에서 서술어가 나타내는 동작의 대상이 되는 문장 성분.
  서술어가 '무엇을' 어찌하는지 그 내용을 나타내는 말.
- 문장에서 '누구를, 무엇을'에 해당하는 말임.

목적어의 형태
- 체언에 목적어를 만드는 조사 '을/를'이 붙어 목적어가 됨.

> 나는 빵을 먹었다. 우리는 그를 기다린다.

도울 보(補), 말씀 어(語)

보어의 개념
- 서술어의 불완전한 의미를 보충하는 문장 성분.
- '되다', '아니다'라는 서술어가 올 때, '무엇이/누가' 되고, '무엇이/누가' 아닌지를 나타내는 말임.

보어의 형태
- 체언에 보어를 만드는 조사 '이/가'가 붙어 보어가 됨.
- 서술어 '되다', '아니다'가 필수적으로 요구됨.

> 아이는 어른이 된다. 가방은 준비물이 아니다.

서술어 '되다', '아니다' 앞에 오는 '체언+이/가'는 보어야.

[목적어를 찾는 방법]
목적어를 찾을 때는 기본적으로 '체언+을/를'의 형태를 지닌 문장 성분을 찾으면 되지만 '을/를'이 아닌 조사가 사용되기도 하고 조사가 생략되는 경우도 있음. 그럴 때는 문장에서 '누구를/무엇을'에 해당하는 부분을 찾으면 됨.
㉠ 언니는 연필 샀어.
→ 언니는 무엇을 샀지?
연필(을) – 목적어
㉠ 나는 빵도 먹었다.
→ 나는 무엇을 먹었지?
빵(을) – 목적어

[주어와 보어 구별법]
주어와 보어는 공통적으로 '체언+이/가'의 형태를 지니기 때문에 구별하기 쉽지 않음. 하지만 서술어 '되다,' '아니다' 앞에 오는 '체언+이/가'는 주어가 아니라 보어라고 알고 있으면 구별하기가 쉬움.

문제로 연습하기

정답 17쪽

[01~04] 다음 설명이 맞으면 O표, 틀리면 X표 하시오.

01 문장에서 서술어의 동작 대상이 되는 문장 성분은 목적어이다. (　　　)

02 목적어는 문장에서 '무엇을/누구를'에 해당하는 말이다. (　　　)

03 문장의 뜻이 완전하지 않을 때 목적어를 보충하기 위해 보어가 사용된다. (　　　)

04 보어는 서술어가 '되다', '아니다'일 경우 그 앞에 나오는 '무엇이/누가'에 해당하는 말이다. (　　　)

[05~08] 다음 문장에서 목적어를 찾아 밑줄을 그으시오.

05 연우가 공을 던진다.

06 할머니께서 너를 찾으셔.

07 어머니는 오빠를 칭찬하셨다.

08 선생님은 새를 보고 계신다.

[09~12] 보어가 사용된 문장에는 O표, 그렇지 않은 문장에는 X표 하시오.

09 얼음이 물이 되었다. (　　　)

10 잠을 자기가 어렵다. (　　　)

11 나는 집으로 뛰어갔다. (　　　)

12 진호는 미술반이 아니다. (　　　)

개념 39 주성분

주인 주(主), 이룰 성(成), 나눌 분(分)

상황에 따라 생략되기도 하지만, 생략될 경우 문장의 의미가 분명하지 않기 때문임.

● **주성분의 개념:** 문장의 골격을 이루는 부분이며 문장을 구성하는 데 필수적인 성분으로 주어, 서술어, 목적어, 보어가 있음.

문장 성분	특징	예
주어	• 문장에서 동작 또는 상태나 성질 등의 주체를 나타내는 문장 성분. • '무엇이/누가'에 해당함.	• 나는 가방을 든다. • 인호가 학교에 간다. • 학교에서 설문 조사를 실시하였다. • 셋도 너무 많다.
서술어	• 문장에서 주어의 동작 또는 상태나 성질 등을 풀이하는 기능을 하는 문장 성분. • 무엇이/누가 '어찌하다', '어떠하다', '무엇이다'에 해당함.	• 영진이가 공책을 샀다. • 새 이불이 포근하다. • 그것은 새 가방이다.
목적어	• 문장에서 서술어의 동작 대상이 되는 문장 성분. • '무엇을/누구를'에 해당함.	• 지은이는 진아를 기다렸다. • 나는 과일을 좋아한다. • 동생은 글씨도 쓸 수 있다.
보어	• 서술어의 불완전한 의미를 보충하는 문장 성분. • '되다', '아니다'라는 서술어가 올 때, '무엇이/누가' 되고, '무엇이/누가' 아닌지를 나타냄.	• 그녀는 학생이 아니다. • 벌써 겨울이 되었다. • 올챙이는 개구리가 되었다.

[품사]
- 단어들의 성질에 따라 공통된 부류에 따라 묶어 놓은 것.
- 고정적이어서 변하지 않음.
- 명사, 대명사, 수사, 동사, 형용사, 부사, 관형사, 조사, 감탄사

[문장 성분]
- 문장 안에서 일정한 문법적 기능을 하는 부분.
- 문장에서 어떤 역할을 하느냐에 따라 달라짐.
- 주어, 서술어, 목적어, 보어, 부사어, 관형어, 독립어

예 나는 큰 집을 보았다.
〈문장 성분〉 주어-관형어-목적어-서술어
〈품사〉 명사+조사-형용사-명사+조사-동사

문제로 연습하기

정답 18쪽

[01~02] 다음 빈칸에 들어갈 알맞은 말을 쓰시오.

01 문장을 이루는 데 꼭 필요한 성분을 □□□이라고 한다.

02 문장의 주성분에는 주어, □□□, 목적어, □□가 있다.

[03~06] 다음 밑줄 친 부분의 문장 성분을 쓰시오.

03 산이 푸르다. (　　　)

04 해바라기가 참 커다랗다. (　　　)

05 나는 더 이상 초등학생이 아니다. (　　　)

06 소연이는 시골의 풍경을 좋아한다. (　　　)

[07~10] 다음 문장에서 주성분을 모두 찾아 밑줄을 그으시오.

07 앞뜰의 꽃이 아름답다.

08 언니는 내년에 고등학생이 된다.

09 강아지가 꼬리를 살짝 흔들었다.

10 요즘 아이들은 게임도 좋아한다.

관형어

관형어의 개념

갓 관(冠), 모양 형(形), 말씀 어(語)

- 체언을 꾸며 주는 문장 성분.
- 문장에서 '어떤', '누구의', '무엇의'에 해당하는 말임.

> 나는 예쁜 꽃을 보았다.

'예쁜'은 '꽃'이라는 체언을 꾸며 주는 관형어야.

관형어의 형태

- 관형사가 그대로 관형어가 됨.

> 헌 옷　모든 학교　그 친구　한 사람

- 체언에 관형어를 만드는 조사 '의'가 붙어 관형어가 됨.

> 나의 고향　언니의 옷　우리의 소원

- 용언(동사, 형용사)을 활용하여 관형어가 됨.

용언이 문장에서 쓰임에 따라 형태가 변하는 것 예 예쁘다 → 예쁘니/예뻐서/예쁜

> 예쁜 집　커다란 사과　뛰는 아이

'예쁜', '커다란', '뛰는'은 용언 '예쁘다, 커다랗다, 뛰다'를 활용하여 관형어가 된 거야.

[관형어의 특징]

- 체언 없이 단독으로 쓸 수 없음.
  예 예쁜 꽃을 보았다.(○) → 예쁜 보았다.(×)
- 조사 '의'를 생략해도 관형어가 성립함.
  예 언니의 옷을 입었다.(○) → 언니 옷을 입었다.(○)
- 일반적으로 관형어를 생략해도 문장의 기본 의미를 전달하는 데는 지장이 없음.
  예 나는 큰 공을 찼다. → 나는 공을 찼다.

[관형어와 관형사]

관형어
- 체언+조사 '의',
- 용언의 활용형

관형사
- '새, 한, 헌' 등

문제로 연습하기

정답 18쪽

[01~02] 다음 문장에서 관형어를 찾아 밑줄을 그으시오.

01 벌써 새 디자인이 발표되었다.

02 지민이의 노래가 아름다웠다.

[03~05] 다음 밑줄 친 관형어의 형태를 알맞게 연결하시오.

03 모든 경우를 생각해야 한다. •　　• ㉠ 관형사

04 흐르는 강물을 따라 갔다. •　　• ㉡ 체언+'의'

05 이것은 어머니의 사진이다. •　　• ㉢ 용언의 활용형

[06~09] 다음 밑줄 친 관형어가 꾸미는 말을 찾아 쓰시오.

06 나는 그 친구를 만났다. (　　　)

07 우리는 경기의 규칙을 지켜야 한다. (　　　)

08 작은 아이가 길을 건넌다. (　　　)

09 우리 학교는 소풍을 빨리 간다. (　　　)

개념 41 부사어

부사어의 개념

도울 부(副), 말 사(詞), 말씀 어(語)

- 주로 서술어를 꾸며 주고 관형어, 다른 부사어, 문장 전체도 꾸며 주는 문장 성분.
- 문장에서 '어떻게', '어디에서' 등에 해당하는 말임.

수철이는 공을 매우 멀리 던진다. — '매우'는 다른 부사어인 '멀리'를, '멀리'는 서술어인 '던진다'를 꾸며 줘.

나는 아주 큰 집을 보았다. — '아주'는 관형어인 '큰'을 꾸며 줘.

과연 1반이 훌륭하구나. — '과연'은 뒤의 문장 전체를 꾸며 줘.

부사어의 형태

- 부사가 그대로 부사어가 됨.

정말 맵다. 진짜 빨간 꽃을 보았어.

- 체언에 부사를 만드는 조사 '에, 에서, 에게, 으로(써)' 등이 붙어 부사어가 됨.

아이들은 마당에서 논다. 나는 동호를 회장으로 추천하였다.

- 용언을 활용하여 부사가 됨. 주로 '-게'의 형태로 나타남.

옷을 따뜻하게 입어라. — '따뜻하게'는 용언 '따뜻하다'가 활용한 부사어로 '-게'의 형태야.

[부사어의 특징]

- 문장에서 위치가 비교적 자유로움.
  ⓔ 신기하게도 나는 그 소리를 들었다.
  나는 신기하게도 그 소리를 들었다.
  나는 그 소리를 신기하게도 들었다.
- 생략해도 문장의 기본 의미를 전달하는 데 지장은 없으나, 일부 부사의 경우 생략되면 문장이 성립되지 않기도 함.
  ⓔ 이것은 아주 새 책이다. (○) → 이것은 새 책이다. (○)
  내 친구는 예쁘게 생겼다. (○) → 내 친구는 생겼다. (×)

[부사어와 부사]

부사어
- 체언+조사 '에, 에서, 으로' 등
- 용언의 활용형

부사
- '일찍, 빨리' 등

문제로 연습하기

정답 18쪽

[01~02] 다음 설명이 맞으면 O표, 틀리면 X표 하시오.

01 부사어가 꾸며 주는 문장 성분에는 주어, 목적어, 보어가 있다. (　　　)

02 부사가 그대로 부사어가 되어 문장 성분을 꾸며 주기도 한다. (　　　)

[03~04] 다음 문장에서 부사어를 찾아 밑줄을 그으시오.

03 이 산은 올라가기 너무 힘들다.

04 어머니께서 나에게 선물을 주셨다.

[05~06] 다음 밑줄 친 부사어가 꾸며 주는 말을 찾아 O표 하시오.

05 예린이는 악기 연주를 <u>정말</u> 많이 좋아한다.

06 <u>확실히</u> 선호는 착한 친구야.

개념 42 부속 성분

부속 성분의 개념

붙일 부(附), 무리 속(屬), 이룰 성(成), 나눌 분(分)

- 주로 다른 성분을 꾸미고 뜻을 더하여 주는 문장 성분.
- 대부분의 부속 성분은 생략하여도 문장의 기본 의미가 변하지 않음.
- 무엇을 꾸며 주느냐에 따라 관형어와 부사어로 나뉨.

문장 성분	특징	예
관형어	• 체언을 꾸며 주는 문장 성분. • 문장에서 '어떤', '누구의', '무엇의'에 해당하는 형태.	• 온 힘을 다해 일을 마쳤다. • 어떤 신을 신어야 할지 모르겠다. • 동생의 표정이 정말 귀엽다. • 나는 커다란 꿈이 있다.
부사어	• 서술어나 관형어, 다른 부사어, 문장 전체를 꾸며 주는 문장 성분. • 문장에서 '어떻게', '어디에서' 등에 해당하는 말.	• 떡볶이가 정말 맵다. • 그는 빠르게 뛰어갔다. • 설마 그가 오늘 왔겠어? • 그 편지는 나에게 줘. • 가까운 학교로 가자.

[관형어와 부사어의 구별 방법]
부속 성분을 구별하기 위해서는 우선 그 말이 꾸며 주는 문장 성분이 무엇인지를 알아야 함. 만일 문장만으로 구별이 힘들다면 관형어나 부사어가 꾸며 줄 수 있는 다양한 말을 찾아 그 특성을 확인하면 관형어인지 부사어인지 쉽게 구별할 수 있음.

문제로 연습하기

정답 18쪽

[01~02] 부속 성분과 그에 대한 설명을 알맞게 연결하시오.

01 관형어 •　　　• ㉠ 서술어나 관형어, 또는 다른 부사어나 문장 전체를 꾸며 주는 문장 성분으로, '어떻게', '어디에서'에 해당하는 말.

02 부사어 •　　　• ㉡ 체언을 꾸며 주는 문장 성분으로, '어떤', '누구의', '무엇의'에 해당하는 말.

[03~06] 다음 문장에서 부속 성분을 모두 찾아 밑줄을 긋고 문장 성분을 쓰시오.

03 은아가 공부를 열심히 한다. (　　　　　)

04 나는 환한 햇살을 좋아한다. (　　　　　)

05 옛 친구를 오래간만에 만났다. (　　　　　)

06 윤범이가 헌 신을 깨끗이 빨았다. (　　　　　)

[07~10] 다음 문장에서 밑줄 친 부속 성분이 꾸며 주는 문장 성분을 찾아 O표 하시오.

07 커다란 개가 나를 보고 짖었다.

08 연이 매우 높이 날고 있다.

09 분명히 이번에는 편지가 올 것 같다.

10 그 소식을 들으니 기쁘다.

Ⅲ 문장

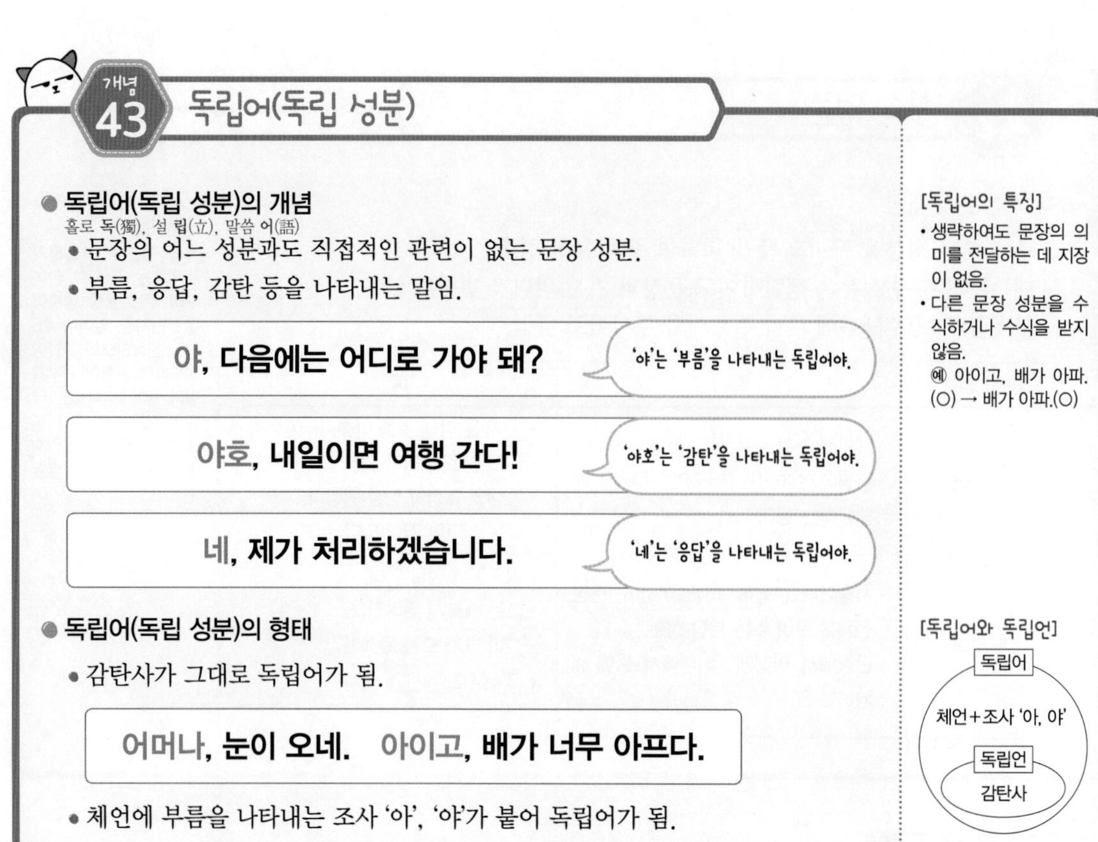

개념 43

독립어(독립 성분)

독립어(독립 성분)의 개념

홀로 독(獨), 설 립(立), 말씀 어(語)

- 문장의 어느 성분과도 직접적인 관련이 없는 문장 성분.
- 부름, 응답, 감탄 등을 나타내는 말임.

야, 다음에는 어디로 가야 돼? — '야'는 '부름'을 나타내는 독립어야.

야호, 내일이면 여행 간다! — '야호'는 '감탄'을 나타내는 독립어야.

네, 제가 처리하겠습니다. — '네'는 '응답'을 나타내는 독립어야.

독립어(독립 성분)의 형태

- 감탄사가 그대로 독립어가 됨.

어머나, 눈이 오네.　아이고, 배가 너무 아프다.

- 체언에 부름을 나타내는 조사 '아', '야'가 붙어 독립어가 됨.

지민아, 빨리 와!　선재야, 네 차례야.

[독립어의 특징]
- 생략하여도 문장의 의미를 전달하는 데 지장이 없음.
- 다른 문장 성분을 수식하거나 수식을 받지 않음.
  예 아이고, 배가 아파.(○) → 배가 아파.(○)

[독립어와 독립언]

문제로 연습하기

정답 18쪽

[01~02] 다음 설명이 맞으면 O표, 틀리면 X표 하시오.

01 독립 성분은 문장의 어느 성분과도 관련이 없는 성분이다. (　　　)

02 감탄사에 조사가 붙어 독립어가 되기도 한다. (　　　)

[03~06] 다음 문장에서 독립어를 찾아 밑줄을 그으시오.

03 으악, 약속에 늦었다.

04 어머나, 벌써 오셨어요?

05 신이시여, 우리에게 은총을 내리소서.

06 아무렴, 내 그럴 줄 알았다니까.

[07~09] 다음 밑줄 친 독립어가 나타내는 의미를 알맞게 연결하시오.

07 응, 그거 먹어. ·　　　　· ㉠ 부름

08 언니야, 같이 가. ·　　　　· ㉡ 감탄

09 이야, 정말 대단한데? ·　　　　· ㉢ 응답

→ 10분 Review 테스트 152쪽

문장 성분

(1) 주성분

문장의 골격을 이루는 성분으로 문장을 구성하는 데 필수적인 성분.

주어	• 문장에서 동작 또는 상태나 성질 등의 주체를 나타내는 문장 성분. • '무엇이/누가'에 해당하는 말. 예 민경이는 골대로 달려갔다. 할머니께서 시장에 가셨다. 더운 날씨에 눈사람이 녹았다.
서술어	• 문장에서 주어의 동작 또는 상태나 성질 등을 풀이하는 기능을 하는 문장 성분. • '어찌하다', '어떠하다', '무엇이다'에 해당하는 말. 예 급박한 순간 그는 소리를 질렀다. 빵이 딱딱하다. 그것은 농기구이다.
목적어	• 문장에서 서술어의 동작 대상이 되는 성분. • '무엇을/누구를'에 해당하는 말. 예 동생이 그림을 그렸다. 나는 어제 친구를 만났다.
보어	• 주어를 보충하는 문장 성분. • 서술어 '되다', '아니다'가 쓰일 경우 그 앞에 놓인 '무엇이/누가'에 해당하는 말. 예 나는 장난꾸러기가 아니다. 냉장고는 가정의 필수품이 되었다.

(2) 부속 성분

주로 다른 성분을 꾸며 주며 뜻을 더하여 주는 성분.

관형어	• 체언을 꾸며 주는 문장 성분. • 문장에서 '어떤', '누구의', '무엇의'에 해당하는 말. 예 아기는 노란 옷을 입었다. 나는 도시의 풍경을 좋아한다. 나의 꿈도 이루어질 것이다.
부사어	• 서술어나 관형어, 다른 부사어, 문장 전체를 꾸며 주는 문장 성분. • 문장에서 '어떻게', '어디에서' 등에 해당하는 말. 예 그 차가 멋지게 생겼다. 아기는 어머니에게 사탕을 주었다. 확실히 오늘 경기는 신나는 한 판이었어.

(3) 독립 성분

독립어	• 문장의 어느 성분과도 직접적인 관련이 없는 문장 성분. • 부름, 응답, 감탄 등을 나타내는 말. 예 야! 드디어 그 날이 되었다. 쯧쯧, 너는 게임을 너무 많이 하는구나. 나영아, 빨리 가자.

실력 완성하기

[개념 35]

01 **문장에 관한 설명으로 적절하지 않은 것은?**

① 문장의 기본 구조는 서술어의 종류에 따라 나누어진다.
② 하나의 문장이 끝나면 끝남을 알리는 문장 부호를 써야 한다.
③ 생각이나 감정을 완결된 내용으로 표현하는 최소 언어 단위이다.
④ 문장에서 주어부는 주어와 그에 딸린 부속 성분으로 이루어진 부분이다.
⑤ 주어와 서술어는 문장을 구성하는 필수 요소이기 때문에 생략할 수 없다.

[개념 35]

02 **다음은 문장을 주어부와 서술부로 나눈 것이다. 적절하지 않은 것은?**

① 우리 집은 / 매우 아름답다.
② 은지가 / 방에서 책을 읽었다.
③ 하얀 꽃이 / 화단에 피고 있다.
④ 지나는 이번에 학급 회장이 / 되었다.
⑤ 많은 아이들이 / 운동장에서 뛰고 있다.

[개념 35]

03 **문장의 기본 구조가 다른 하나는?**

① 아기가 두 발로 걷는다.
② 창준이는 빠르게 달린다.
③ 혜연이는 국어를 공부한다.
④ 성현이는 친구와 영화를 봤다.
⑤ 지수는 이번 주 학급 주번이다.

[개념 36~39]

04 **문장의 주성분에 관한 설명으로 알맞지 않은 것은?**

① 보어는 특정한 서술어 앞에서만 쓰인다.
② 서술어의 경우 주로 체언으로 이루어진다.
③ 목적어는 문장에서 서술어의 동작 대상이 된다.
④ 목적어는 문장에서 '무엇을', '누구를'에 해당한다.
⑤ 주어는 동작 또는 상태나 성질 등의 주체를 나타낸다.

[개념 36~39] 고난도

05 **주성분으로만 이루어진 문장은?**

① 모든 기회가 중요하다.
② 저는 주장이 아닙니다.
③ 나는 붉은 노을을 보았다.
④ 허, 벌써 시간이 이렇게 되었구나.
⑤ 너는 언제나 나에게 큰 힘이 되었다.

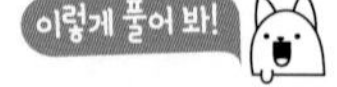

주성분으로만 이루어진 문장은 주어, 목적어, 보어, 서술어들이 사용된 문장이야. 부속 성분과 독립 성분이 쓰이지 않은 문장을 찾아봐.

[개념 36]

06 [보기]에서 밑줄 친 부분에 해당하는 문장 성분으로 알맞은 것은?

보 기

언제나 나는 너의 곁에 있을게.

① 주어 ② 서술어 ③ 목적어 ④ 관형어 ⑤ 보어

[개념 37]

07 서술어에 관한 설명으로 옳은 것은?

① 문장에서 설명하고자 하는 대상이다.
② 주어의 동작, 상태, 성질 따위를 풀이한다.
③ '되다', '아니다'가 주어 이외에 요구하는 문장 성분이다.
④ 다른 문장 성분을 꾸며 주어 의미를 풍부하게 하거나 한정한다.
⑤ 다른 문장 성분과 관계를 맺지 않는 독립적인 성격을 지니고 있다.

[개념 36, 38]

08 다음 밑줄 친 부분 중 문장 성분이 다른 하나는?

① 가방이 매우 커다랗다. ② 옷이 옷걸이에 걸려 있다.
③ 친구와 교과서가 바뀌었다. ④ 시계의 알람이 크게 울렸다.
⑤ 거미는 해로운 벌레가 아니다.

[개념 40] 고난도

09 [보기]의 문장에서 찾을 수 없는 문장 성분은?

보 기

와, 민지가 교실에서 책을 읽네!

① 독립어 ② 주어 ③ 부사어 ④ 관형어 ⑤ 서술어

[개념 38]

10 다음 밑줄 친 단어의 문장 성분에 관한 설명으로 알맞은 것은?

보 기

나는 커다란 짐을 천천히 운반했다.

① 문장에서 체언을 수식한다.
② 문장에서 서술어의 동작의 대상이 된다.
③ 문장에서 용언을 꾸며 주는 역할을 한다.
④ 주어의 상태, 동작, 성질 따위를 풀이한다.
⑤ 문장에서 동작, 상태나 성질의 주체가 된다.

참고해 봐!

문장 성분을 찾을 때는 그 문장 성분이 다음 중 어디에 속하는지 살펴보면 쉽게 찾을 수 있다.

- 누가/무엇이 - 주어
- 무엇을/누구를 - 목적어
- 어떠하다, 어찌하다, 무엇이다 - 서술어
- 무엇이/누가 + 되다/아니다 - 보어
- 어떤 - 관형어
- 어떻게 - 부사어

실력 완성하기

[개념 36~39]

11 다음 밑줄 친 부분 중 주성분이 아닌 것은?

① 빨리 불을 켜라.
② 언니는 회장이 되었다.
③ 나는 구르는 돌을 피했다.
④ 어머니께서 노래를 부르신다.
⑤ 피곤한 지수는 천천히 걸었다.

[개념 40]

12 관형어를 포함한 문장이 아닌 것은?

① 제비가 벌써 마을로 돌아왔다.
② 삼촌의 집은 도시의 한가운데에 있다.
③ 집에 가는 길에 친한 친구를 만났다.
④ 과거의 일은 잊고 새로운 내가 되었다.
⑤ 할머니께서는 옛 노래를 즐겨 부르신다.

[개념 41]

13 [보기]의 밑줄 친 부분 중 부사어가 아닌 것은?

보기

중학생이 되니 더(①) 일찍(②) 일어나야 하고 숙제도 많아졌다. 제발(③) 초등학교로 돌아갔으면 좋겠다는 마음까지 들었다. 시간이 약이라고 했던가. 지금은 잘(④) 적응해서 나름 즐거운(⑤) 시간을 보내고 있다.

부사어는 문장에서 '어떻게'에 해당하는 말로, 주로 동사와 형용사 같은 용언이나 문장 전체, 관형어나 다른 부사어를 꾸미는 문장 성분이다.

[개념 36~43] 고난도

14 다음 문장의 밑줄 친 부분에 대한 설명으로 알맞지 않은 것은?

보기

㉠ 병아리가 닭이 되었다.
㉡ 구름이 정말 예쁘구나.
㉢ 소희가 정말 책을 열심히 읽는다.
㉣ 미연아, 저 강아지 좀 봐.
㉤ 진우는 그 옷을 입었다.

① ㉠: 문장에서 서술어의 의미를 보충해 주는 역할을 한다.
② ㉡: '예쁘구나'를 꾸며 주는 말로 부속 성분이다.
③ ㉢: '읽는다'의 주체를 나타내고 있다.
④ ㉣: '부름'의 의미를 나타내며 독립적으로 쓰인다.
⑤ ㉤: 생략하는 경우 본래 문장보다 의미가 더 자세해진다.

[개념 36~43]

15 **문장 성분을 정리한 내용이 적절하지 않은 것은?**

① 공기가 깨끗하다. – 주어+서술어
② 응, 갈게. – 독립어+서술어
③ 희수가 공책을 샀다. – 주어+관형어+서술어
④ 그는 재미있는 운동을 좋아한다. – 주어+관형어+목적어+서술어
⑤ 은호는 공부를 열심히 한다. – 주어+목적어+부사어+서술어

[개념 41] 고난도

16 **[보기]의 문장에 관한 설명으로 알맞지 않은 것은?**

보기
와, 새 농구공은 정말 잘 튄다.

① '와'는 감탄의 의미를 나타낸다.
② '새'는 '농구공'을 꾸며 준다.
③ '정말'은 '튄다'를 꾸며 준다.
④ '농구공은'은 문장의 주체이다.
⑤ '새'는 관형어이고, '정말'은 부사어이다.

[개념 36~43] 고난도

17 **[보기]의 문장 성분이 모두 포함된 문장은?**

보기
주어, 서술어, 보어, 관형어, 부사어

① 나는 멋진 차를 보았다.
② 지선이는 새 학교에 일찍 갔다.
③ 와, 정말 훌륭한 학생이 되었구나.
④ 동생이 정말 어려운 문제를 풀었다.
⑤ 주영이는 그렇게 불성실한 학생이 아니다.

[개념 36, 38]

18 **다음 문장에 추가될 필요가 있는 문장 성분을 쓰시오.**

보기
(가) 너에게 오라고 하셨어. (나) 드디어 내가 만들었어.

(가): ________________ (나): ________________

의사소통에서 말하는 사람과 듣는 사람이 모두 알고 있는 경우에는 주성분도 생략이 가능해. 하지만 문장 성분을 생략해서 의사소통이 안 되는 경우에는 생략하면 안 돼.

개념 44 홑문장, 겹문장

● **홑문장:** 한 문장 안에서 주어와 서술어가 한 번씩 나오는 문장.

> **물이**(주어) **깨끗하다**(서술어).
>
> **와, 이 연못의 물은**(주어) **정말 깨끗하구나**(서술어).

주어와 서술어 이외에 다른 문장 성분이 아무리 많더라도 주어와 서술어가 각각 한 개인 문장은 모두 홑문장이야.

● **겹문장:** 한 문장 속에서 주어와 서술어의 관계가 두 번 이상 나오는 문장. 두 문장이 결합되는 방식에 따라 이어진문장과 안은문장이 있음.

① 이어진문장 = 주어+서술어 + 주어+서술어

> **비가 온다. + (–고)**(앞뒤의 말을 연결하는 말) **+ 바람이 분다.**
>
> **비가**(주어1) **오고**(서술어1), **바람이**(주어2) **분다**(서술어2).

두 홑문장이 연결된 겹문장을 이어진문장이라고 해.

② 안은문장 = 주어 + 안긴문장(주어 + 서술어) + 서술어

> **방학이 돌아온다.**
>
> **나는**(주어1) **방학이**(주어2) **돌아오기를**(서술어2) **기다린다**(서술어1).

홑문장 속에 다른 홑문장이 들어가서 만들어진 겹문장을 안은문장이라고 해.

[홑문장과 겹문장을 구분하는 방법]
- 서술어가 될 수 있는 용언이나 '체언+이다'의 형태가 있는지 찾는다. 1개만 있으면 홑문장, 2개 이상이면 겹문장임.
- 서술어가 될 수 있는 말의 주어를 찾아본다. 주어가 1개이면 홑문장, 2개이면 겹문장임.
  예 어머니가 주신 밤이 맛있었다.
  → '주신'의 주어는 '어머니'이고, '맛있었다'의 주어는 '밤'이므로, 주어가 2개인 겹문장임.

문제로 연습하기

정답 21쪽

[01~02] 다음 빈칸에 알맞은 말을 쓰시오.

01 주어와 서술어가 한 번만 나타나는 문장을 ☐☐☐, 두 번 이상 나타나는 문장을 ☐☐☐이라고 한다.

02 두 개의 홑문장을 결합하는 방식에 따라 ☐☐☐☐☐과 ☐☐☐☐으로 나눈다.

[03~07] 다음 문장이 홑문장이면 '홑', 겹문장이면 '겹'이라고 쓰시오.

03 태헌이는 무척 영리하다. ( )

04 은우는 숙제를 하고 운동을 했다. ( )

05 이 책은 내가 읽던 책이다. ( )

06 그녀는 얼굴에 미소를 띠었다. ( )

07 그것은 언니가 산 옷이다. ( )

개념 45

이어진문장 (1)_대등하게 이어진 문장

● **대등하게 이어진 문장:** 두 개 이상의 홑문장이 대등한 관계로 이어진 문장.
서로 비교하여 수준이 비슷함.

• 앞뒤 홑문장이 나열되는 경우

수아는 노래를 부른다. + (-고) + 민지는 춤을 춘다.
수아는 노래를 부르고, 민지는 춤을 춘다.

• 앞뒤 홑문장이 대조적으로 이어지는 경우

경철이는 뚱뚱하다. + (-지만) + 창준이는 날씬하다.
경철이는 뚱뚱하지만, 창준이는 날씬하다.

[대등하게 이어진 문장을 찾는 방법]
• 앞 문장과 뒷 문장의 순서를 바꾸어 내용이 어색하지 않으면 대등하게 이어진 문장이다.
예 비가 와서 소풍을 못 갔다.
→ 소풍을 못 가서 비가 왔다. (대등하게 이어진 문장 ×)
예 하늘은 맑고 햇살은 뜨겁다.
→ 햇살은 뜨겁고 하늘은 맑다. (대등하게 이어진 문장 ○)

문제로 연습하기

정답 21쪽

[01~03] 다음 설명이 맞으면 O표, 틀리면 X표 하시오.

01 두 개 이상의 홑문장이 대등한 관계로 이어진 문장을 이어진문장이라고 한다. (　　)

02 두 개 이상의 홑문장을 연결하기 위해서는 '-고', '-지만' 과 같은 말이 필요하다. (　　)

03 두 개의 홑문장은 대조적으로 이어질 때만 이어진문장을 만들 수 있다. (　　)

[04~06] 다음 두 문장을 대등하게 이어진 문장으로 만드시오.

04 해가 뜬다. + 바람이 분다. →

05 나는 키가 크다. + 동생은 키가 작다. →

06 경수는 축구를 잘한다. + 지민이는 농구를 잘한다. →

[07~09] 다음 대등하게 이어진 문장의 종류를 [보기]에서 찾아 그 기호를 쓰시오.

보 기
㉠ 앞뒤 홑문장이 나열된 문장　　㉡ 앞뒤 홑문장이 대조적으로 이어진 문장

07 형은 게임을 좋아하지만, 나는 게임을 좋아하지 않는다. .... (　　)

08 추운 겨울이 가고, 따뜻한 봄이 왔다. .... (　　)

09 나는 책을 가져왔으나, 현주는 가져오지 못했다. .... (　　)

개념 46 이어진문장 (2)_종속적으로 이어진 문장

● **종속적으로 이어진 문장:** 두 개 이상의 홑문장이 원인, 조건, 목적 등의 종속적인 관계로 이어진 문장.

어떤 것이 다른 것에 딸려 붙어 있는 것.

• 앞뒤 홑문장이 원인과 결과로 이어지는 경우

비가 내렸다. + (–어서) + 철수는 우산을 샀다.
비가 내려서 철수는 우산을 샀다.

• 한 홑문장이 다른 홑문장의 조건이 되어 이어지는 경우

열심히 공부한다. + (–면) + 성적이 오를 것이다.
열심히 공부하면 성적이 오를 것이다.

• 한 홑문장이 다른 홑문장의 목적이 되어 이어지는 경우

과일을 따다. + (–려고) + 나무를 심었다.
과일을 따려고 나무를 심었다.

[종속적으로 이어진 문장에서 주어, 서술어의 생략]

• 주어의 생략: 앞뒤 문장의 서술어가 같을 경우 뒤 문장의 주어는 생략이 가능함.
예 나는 국수를 먹으려고 나는 소면을 사왔다. → 나는 국수를 먹으려고 소면을 사왔다.

• 서술어의 생략: 앞뒤 문장의 서술어가 같아도 앞 문장의 서술어는 생략할 수 없음.
예 날이 좋아서 기분이 좋다. → 날이, 기분이 좋다. (×)
그러나 대등하게 이어진 문장에서는 생략이 가능함.
예 나는 연필을 사고, 언니는 과자를 샀다. → 나는 연필을, 언니는 과자를 샀다. (○)

문제로 연습하기

정답 21쪽

[01~02] 다음 빈칸에 알맞은 말을 고르시오.

01 종속적으로 이어진 문장은 앞뒤 문장의 의미가 (독립적 / 의존적)이다.

02 종속적으로 이어진 문장에서 앞뒤의 홑문장이 (조건 / 원인)으로 이어질 경우에는 '–면'을 사용하여 연결한다.

[03~05] 다음 종속적으로 이어진 문장에서 앞뒤 문장의 관계를 알맞게 연결하시오.

03 해가 뜨니 기온이 높아진다. •   • ㉠ 목적

04 내가 열심히 노력하면 좋은 성적을 낼 수 있다. •   • ㉡ 원인과 결과

05 유정이는 책을 빌리려고 도서관에 갔다. •   • ㉢ 조건

[06~08] 다음 중 종속적으로 이어진 문장에는 O표, 그렇지 않은 문장에는 X표 하시오.

06 수진이는 할머니를 뵈러 (수진이는) 시골에 내려갔다. ······ (　　)

07 바람이 세차게 불고 비가 억수같이 내린다. ······ (　　)

08 날씨가 흐리니 기분이 좋지 않다. ······ (　　)

개념 47 안은문장, 안긴문장 (1)_명사절, 관형절, 부사절을 안은 문장

● **안은문장, 안긴문장:** 하나의 홑문장(안긴문장)이 다른 홑문장(안은문장) 속에 포함되어 하나의 문장 성분이 되는 관계. 이때 하나의 문장 성분이 된 홑문장을 '안긴문장'이라고 하고, 안긴문장이 들어가서 만들어진 겹문장을 '안은문장'이라고 함.

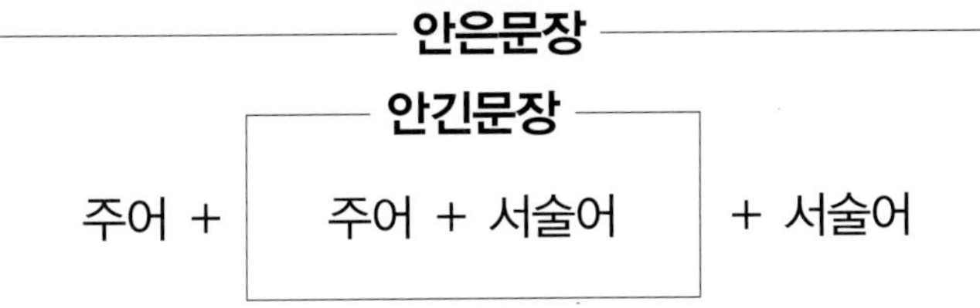

㉠ 아버지가 옳았다.
㉡ 나는 아버지가 옳았음을 확신한다.

홑문장 ㉠이 ㉡에 포함되어 있어. 이때 ㉡의 밑줄 친 부분은 '안긴문장', ㉡ 전체는 '안은문장'이라고 해.

● **안은문장의 종류 (1)**

• **명사절을 안은 문장:** 절 전체가 문장에서 명사처럼 쓰여 주어, 목적어 등 다양한 기능을 함. 명사절 뒤에 붙는 조사에 따라 문장에서의 기능이 달라짐.

이 일은 처리하기가 어렵다.
명사절(주어 역할)

명사절에 조사 '가'가 붙어 주어 기능을 해.

농부는 농사가 잘 되기를 바란다.
명사절(목적어 역할)

명사절에 조사 '를'이 붙어 목적어 기능을 해.

• **관형절을 안은 문장:** 절 전체가 문장에서 체언을 꾸며 주는 관형어의 기능을 함.

그것은 내가 입던 옷이다.
관형절

관형절이 '옷'이라는 체언을 꾸며 주고 있어.

민호가 전학을 간다는 소식을 들었니?
관형절

관형절이 '소식'이라는 체언을 꾸며 주고 있어.

• **부사절을 안은 문장:** 절 전체가 문장에서 서술어를 꾸며 주는 부사어의 기능을 함.

승재는 땀이 나게 뛰었다.
부사절

부사절이 '뛰었다'라는 서술어를 꾸며 주고 있어.

우리는 돈도 없이 여행을 떠났다.
부사절

부사절이 '떠났다'라는 서술어를 꾸며 주고 있어.

[안은문장의 문장 성분을 파악하는 방법]
㉠ 그가 범인임이 밝혀졌다.
[1단계] 전체 문장에서 주어와 서술어를 찾음. → 전체 문장의 주어는 '그가 범인임이'이고 서술어는 '밝혀졌다'임.

[2단계] 문장에서 절을 찾고, 절의 주어와 서술어를 찾음. → '그가 범인임'은 주어 '그'와 서술어 '범인임'으로 이루어진 명사절임.

[3단계] 문장에 쓰인 절이 전체 문장에서 어떤 문장 성분으로 쓰이는지를 파악함. → 명사절 '그가 범인임'이 주격 조사 '이'와 결합하여 전체 문장에서 주어로 쓰임.

문제로 연습하기

정답 21쪽

[01~03] 다음 설명과 관계있는 안은문장을 찾아 알맞게 연결하시오.

01 서술어를 꾸며 주는 절을 안은 문장 •

02 뒤에 붙는 조사에 따라 주어, 목적어 등의 기능을 하는 절을 안은 문장 •

03 뒤에 오는 체언을 꾸며 주는 절을 안은 문장 •

• ㉠ 명사절을 안은 문장

• ㉡ 부사절을 안은 문장

• ㉢ 관형절을 안은 문장

[04~06] 다음 문장에서 [보기]처럼 안긴문장을 찾아 밑줄을 그으시오.

> 보 기
>
> 이것은 내가 요즘 읽는 책이다.

04 나는 파도가 넘실대는 바다를 보고 있었다.

05 그는 소리도 없이 내게 다가왔다.

06 우리는 형준이가 정직함을 이제야 알았다.

[07~10] 다음 밑줄 친 안긴문장의 역할을 [보기]에서 찾아 그 기호를 쓰시오.

> 보 기
>
> ㉠ 주어 역할　㉡ 관형어 역할　㉢ 목적어 역할　㉣ 부사어 역할

07 그가 나를 속였음이 드러났다. ( )

08 나는 테니스 치기를 좋아한다. ( )

09 진수는 말도 없이 갔다. ( )

10 나는 비가 오는 소리를 들었다. ( )

개념 48 안은문장, 안긴문장 (2)_서술절, 인용절을 안은 문장

● **안은문장의 종류** (2)

- **서술절을 안은 문장:** 절 전체가 문장에서 서술어의 기능을 함.

소현이는 키가 크다.
주어 / 주어 서술 / 서술절

서술절이 '소현이는'이라는 주어를 서술하고 있어.

- **인용절을 안은 문장:** 다른 사람의 말이나 생각을 인용한 것을 절의 형식으로 안음. '-라고'를 사용하여 다른 사람의 말을 그대로 인용하는 '직접 인용'과, '-고'를 사용하여 간접적으로 인용하는 '간접 인용'이 있음.

수지는 "동생은 청소를 좋아해."라고 말했다.
직접 인용절

'라고'를 사용하여 다른 사람의 말을 인용한 '직접 인용'이야.

수지는 동생이 청소를 좋아한다고 말했다.
간접 인용절

'고'를 사용하여 다른 사람의 말을 인용한 '간접 인용'이야.

[서술절의 특징]
- 안은문장의 주어와 안긴문장의 주어가 각각 나타남.
- 주어 두 개가 겹쳐 나오며, 전체 문장의 주어가 서술어와 짝을 이루지 않을 때에는 서술절이 포함된 문장일 가능성이 큼.

예 서울은 차가 많다.
이 문장의 주어는 '서울은'으로 서술어인 '많다'와 짝을 이루지 않음. 서술어인 '많다'와 짝을 이루는 주어는 '차가'임. '차가 많다'는 그 자체로 완전한 문장으로 '서울은'이라는 안은문장의 주어를 풀어 설명하는 서술절임.

III 문장

문제로 연습하기

정답 21쪽

[01~03] 다음 빈칸에 알맞은 말을 쓰시오.

01 서술절은 절 전체가 문장에서 □□□ 역할을 한다.

02 '민주는 성품이 무던하다.'는 □□□을 포함하고 있는 안은문장이다.

03 인용절에는 '-라고'가 쓰이는 □□ □□과 '-고'가 쓰이는 □□ □□이 있다.

[04~05] 다음 문장에서 서술절을 찾아 밑줄을 그으시오.

04 민주는 성격이 밝다.

05 풍선은 부피가 크다.

[06~07] [보기]의 종호의 말을 활용하여 인용절을 안은 문장을 만드시오.

보기

종호: 제가 그 짐을 가져오겠습니다.

06 직접 인용: 종호는 ______________ 말하였다.

07 간접 인용: 종호는 ______________ 말하였다.

→ 10분 Review 테스트 156쪽

문장의 종류

(1) 홑문장과 겹문장

홑문장	문장에서 주어와 서술어의 관계가 한 번만 나타나는 문장. 예 제비꽃은 정말 예쁘다. 현수는 운동장에서 농구를 했다.
겹문장	문장에서 주어와 서술어의 관계가 두 번 이상 나타나는 문장. 예 지수는 비가 그치기를 간절히 바랐다. 다정이는 어제 교실에서 국어 숙제를 했고, 윤서는 그림을 그렸다.

(2) 겹문장의 종류

① 이어진문장: 둘 이상의 홑문장이 이어진 겹문장.

대등하게 이어진 문장	두 개 이상의 홑문장이 대등한 관계로 이어진 문장. 예 낮말은 새가 듣고, 밤말은 쥐가 듣는다. 나는 배는 좋아하지만, 사과는 좋아하지 않는다.
종속적으로 이어진 문장	두 개 이상의 홑문장이 원인, 조건, 목적 등의 종속적인 관계로 이어진 문장. 예 국수를 너무 많이 먹어서 배가 불렀다.(원인) 나라가 없으면, 국민도 없다.(조건) 한라산 등반을 하려고, 우리는 일찍 일어났다.(목적)

② 안은문장: 하나의 성분처럼 쓰이는 홑문장(안긴문장)을 안은 겹문장.

안은문장의 종류	명사절을 안은 문장	• 절 전체가 문장에서 주어, 목적어 등 다양한 기능을 함. • 명사절 뒤에 붙는 조사에 따라 문장에서 기능이 달라짐. 예 그 일은 하기가 쉽지 않다.(주어 역할) 우리는 그가 정당했음을 알게 되었다.(목적어 역할)
	관형절을 안은 문장	절 전체가 문장에서 체언을 꾸미는 관형어의 기능을 함. 예 이 책은 내가 산 책이다.
	부사절을 안은 문장	절 전체가 부사어의 기능을 함. 예 그곳은 그림이 아름답게 장식되었다.
	서술절을 안은 문장	절 전체가 문장에서 서술어의 기능을 함. 예 수아는 얼굴이 예쁘다.
	인용절을 안은 문장	• 다른 사람의 말이나 생각을 인용한 것을 절의 형식으로 안음. • 직접 인용과 간접 인용이 있음. 예 진아는 "무슨 일이지?"라고 말했다.(직접 인용) 그 사람은 이미 밥을 먹었다고 말했다.(간접 인용)

실력 완성하기

정답 및 해설 21쪽

[개념 44~48]

01 **문장의 구조에 대한 설명으로 알맞지 않은 것은?**

① 겹문장의 종류에는 이어진문장과 안은문장이 있다.
② 주어와 서술어의 관계가 한 번만 나타나는 문장은 홑문장이다.
③ 주어와 서술어의 관계가 두 번 이상 나타나는 문장은 겹문장이다.
④ 한 문장 속에서 주어와 서술어를 갖고 있는 비독립적인 문장을 '절'이라 한다.
⑤ 홑문장이 다른 홑문장을 하나의 문장 성분처럼 안고 있는 문장을 이어진문장이라고 한다.

[개념 44]

02 **다음 문장에서 주어와 서술어의 관계를 바르게 표시한 것은?**

① 어제 그 집에 갔다.
② 나무에 예쁜 꽃이 피었다.
③ 따뜻한 햇살에 눈이 빨리 녹았다.
④ 숙영이는 언니의 노래에 깜짝 놀랐다.
⑤ 수정이가 큰 목소리로 노래한다.

[개념 44]

03 **겹문장으로 적절하지 않은 것은?**

① 그는 목소리가 정말 크다.
② 나는 반드시 내 꿈을 이루겠다.
③ 방이 추워서 언니가 힘들어한다.
④ 눈이 와서 상은이는 눈사람을 만들었다.
⑤ 시험이 어렵지만 나는 좋은 점수를 받았다.

[개념 45~48] 고난도

04 **겹문장의 구성 방식이 [보기]와 같은 것은?**

보기
나는 귤은 좋아하지만, 바나나는 좋아하지 않는다.

① 그는 입맛이 까다롭다.
② 그가 옳았음이 밝혀졌다.
③ 철수가 돌아와서 나는 기뻤다.
④ 우리는 그 일이 성공하기를 바란다.
⑤ 나는 방학이 오기를 간절히 기다린다.

이렇게 풀어 봐!

겹문장의 구성 방식은 크게 이어진문장과 안은문장으로 나눌 수 있어. 두 문장을 나란히 이었는지, 한 문장이 다른 문장의 문장 성분 역할을 하는지 살펴보자.

실력 완성하기

[개념 45, 46]

05 이어진문장에 대한 설명으로 옳지 않은 것은?

① 앞뒤 문장이 서로 반대되는 내용으로 이어지기도 한다.
② 앞뒤 홑문장이 원인과 결과의 관계를 지닌 경우도 있다.
③ 앞뒤 홑문장의 의미 관계에 따라 연결하는 말이 달라진다.
④ 홑문장이 다른 문장 속에 들어가 하나의 문장 성분 역할을 한다.
⑤ 대등하게 이어진 문장과 종속적으로 이어진 문장으로 나눌 수 있다.

[개념 45]

06 다음 겹문장 중, 대등하게 이어진 문장은?

① 비가 와서 땅이 젖었다.
② 빵을 사려고 시장에 갔다.
③ 열심히 공부하니 성적이 올랐다.
④ 봄이 되면 뒷산에는 꽃이 핀다.
⑤ 태훈이는 운동을 잘하고 그림을 잘 그린다.

이렇게 풀어 봐!
이어진문장 중에서 대등하게 이어진 문장은 앞뒤 문장을 바꾸어도 어색하지 않은 문장이야.

[개념 46] 고난도

07 이어진문장의 연결이 [보기]와 같은 것은?

보 기

밤이 되니 온도가 내려간다.

① 바람이 시원해서 기분이 좋다.
② 지민이는 충분히 쉬었지만 병이 낫지 않았다.
③ 나는 과일을 잘 먹고 동생은 고기를 잘 먹는다.
④ 아이들이 재잘재잘 이야기하고 햇볕은 따스하다.
⑤ 일이 일찍 끝났지만 나는 집에 빨리 가지 않았다.

[개념 47, 48]

08 안은문장에 대한 설명으로 적절하지 않은 것은?

① 하나의 문장이 다른 문장의 성분처럼 쓰인다.
② 안은문장과 안긴문장은 서로 대등하게 연결된다.
③ 관형절은 안은문장 속에 있는 체언을 꾸며 준다.
④ 인용절은 '-고, -라고'를 사용해서 안은문장과 연결된다.
⑤ 서술절은 안은문장에서 서술어로 쓰이는 절을 말한다.

[개념 45]
09 [보기]의 문장에 대한 설명으로 알맞지 <u>않은</u> 것은?

보 기

산은 높고 푸르다.

① 겹문장에 해당한다.
② 뒤 문장의 주어는 '산은'이다.
③ 앞뒤 문장의 관계는 대등하다.
④ 두 개의 문장이 이어진 문장이다.
⑤ 전체 문장의 서술어는 '푸르다'이다.

[개념 47, 48]
10 다음 안긴문장의 절의 종류를 <u>잘못</u> 파악한 것은?

① 이 학생은 재주가 뛰어나다. – 서술절
② 진철이는 매일 숨이 차게 뛰었다. – 부사절
③ 승호는 동생이 치운 목도리를 찾았다. – 관형절
④ 채영이는 자신이 그 일을 했다고 말했다. – 명사절
⑤ 나는 어머니께서 돌아오시기를 기다린다. – 명사절

참고해 봐!

안긴문장의 종류에는 전체 문장의 주어와 목적어가 되는 명사절, 서술어가 되는 서술절, 서술어를 꾸미는 부사절, 체언을 꾸미는 관형절, 다른 사람의 말을 인용하는 인용절이 있다.

[11~12] 다음 글을 읽고 물음에 답하시오.

보 기

㉠ 삼 남매는 매일매일 열심히 일했습니다. ㉡ 아이들은 비가 오는 날에도 열심히 일을 했습니다.
㉢ "와, 우리가 같이 일을 하니 일이 힘들지 않아!"
㉣ 삼 남매는 행복해하며 나무를 소중히 돌봤습니다. ㉤ 나무는 하루가 다르게 쑥쑥 자랐습니다.

[개념 44]
11 ㉠~㉤ 중, 주어와 서술어의 관계가 한 번만 나타나는 문장은?

① ㉠ ② ㉡ ③ ㉢ ④ ㉣ ⑤ ㉤

[개념 47] 고난도
12 ㉠~㉤ 중, [보기]와 문장 형식이 같은 것은?

보 기

나는 그가 입원했다는 소식을 들었다.

① ㉠ ② ㉡ ③ ㉢ ④ ㉣ ⑤ ㉤

[개념 47] 고난도

13 다음 밑줄 친 부분 중 [보기]의 설명과 관련 있는 것은?

보기

문장에서 설명하고자 하는 대상으로, 서술어의 주체가 된다.

① 소희는 학교에 가기가 너무 힘들다.
② 민주는 고등학생이 된 오빠가 있다.
③ 영진이는 다른 형제들보다 성격이 원만하다.
④ 나는 할머니께서 건강해지시기를 늘 기도했다.
⑤ 행복은 소리도 없이 우리 가족에게 왔다.

[개념 48]

14 서술절을 안은 문장이 아닌 것은?

① 토끼는 뒷발이 길다.
② 민식이는 친구가 많다.
③ 이 의자는 등받이가 있다.
④ 할아버지께서는 인정이 많으시다
⑤ 사람들은 거기에 너구리가 산다고 했다.

참고해 봐!

안은문장 중에서 서술절을 안은 문장은 주어 두 개가 연속적으로 나타난다. 또한 서술절을 안은 문장은 절 전체가 문장에서 서술어의 기능을 하기 때문에 전체 문장의 주어가 서술어와 짝을 이루지 않은 것처럼 보이지만, 서술절 전체가 서술어 역할을 하는 것임에 유의해야 한다.

[개념 45~48] 고난도

15 다음 문장을 이어진문장과 안은문장으로 구분하여 그 기호를 쓰시오.

보기

㉠ 전화도 없었고, 전기도 없었다.
㉡ 나는 과제를 하려고 집을 나섰다.
㉢ 네가 깜짝 놀랄 일이 생겼어.
㉣ 주희야, 밖이 잘 보이게 창문을 활짝 열어라.
㉤ 가을이면 단풍이 물들어 산이 붉게 변했다.

(1) 이어진문장: ________________
(2) 안은문장: ________________

[개념 48]

16 다음 승현의 말을 안은문장으로 만들 때, 빈칸에 들어갈 내용을 쓰시오.

승현: 내가 과자를 준비할게.	㉠ 승현이는 ____________라고 말했다. ㉡ 승현이는 ____________고 말했다.

㉠: ________________ ㉡: ________________

Break Time

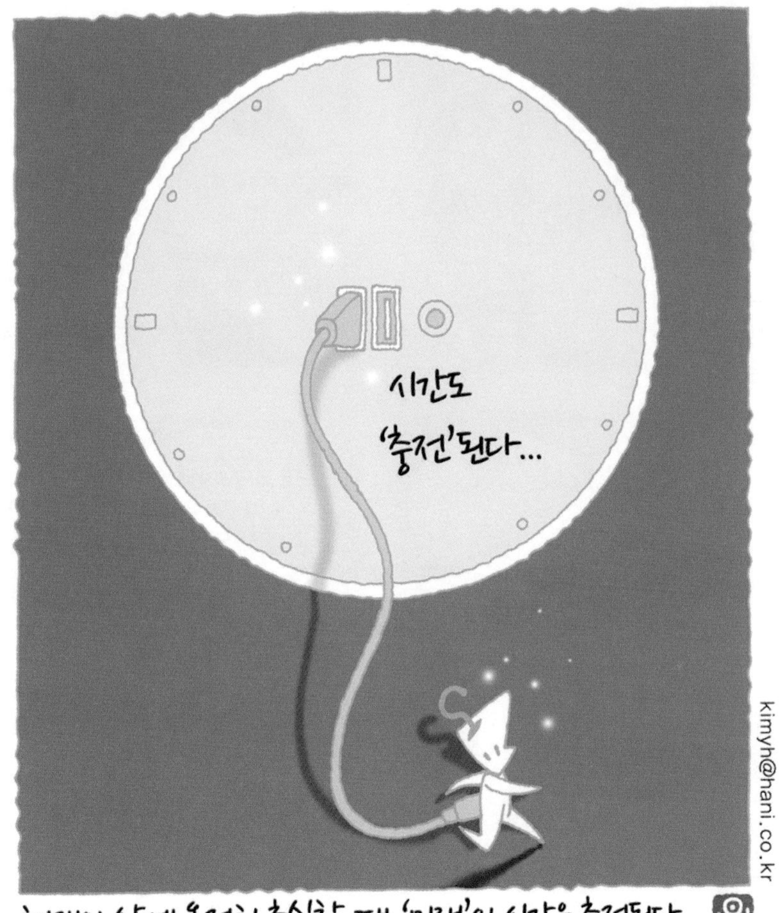
시간도
'충전'된다...
kimyh@hani.co.kr
현재의 삶에 온전히 충실할 때 '미래'의 시간은 충전된다...

Ⅳ. 단어의 발음과 표기

'숲에'가 [수페]로, '무릎이'가 [무르피]로 발음되는 것처럼 앞의 받침이 뒤에 오는 음운에 따라 발음은 달라지게 돼요. 이렇게 약속된 규칙들에 따라 발음을 해야 더 잘 알아 들을 수가 있죠. 그럼 단어를 어떻게 발음해야 하는지 규칙들을 살펴볼까요?

이 단원의 문법 개념 MAP

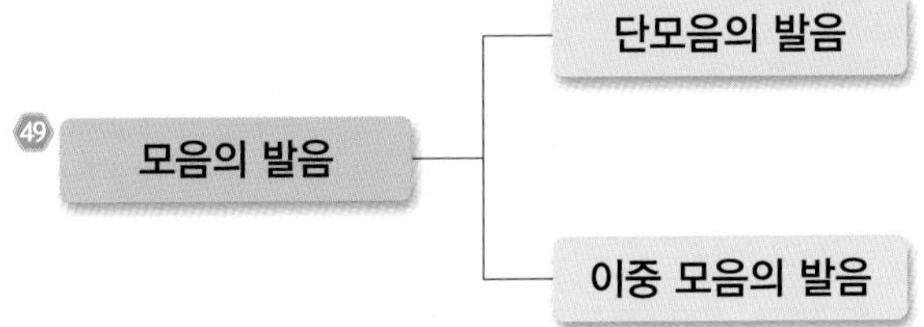

49 ~ 52 소단원 개념 번호입니다.

개념 49 모음의 발음

● 단모음의 발음

아기[아기], 에고[에고]	→	원래 소리대로 단모음으로 발음한다.
외가[외:가 / 웨:가]	→	이중 모음으로 발음할 수 있다.

└ 입 모양이나 혀의 위치가 변하면서 발음한다는 의미.

● 이중 모음의 발음

야유[야유], 원예[워녜]	→	원래의 소리대로 이중 모음으로 발음한다.
가지어 → 가져[가저]	→	용언의 활용형에 나타나는 '져, 쪄, 쳐'는 [저, 쩌, 처]로 발음한다.
예절[예절], 조례[조례]	→	'예, 례'는 원래 소리대로 발음한다.
시계[시계] / [시게] 지혜[지혜] / [지헤]	→	'예', '례' 이외의 'ㅖ'는 [ㅔ]로도 발음한다.
무늬[무니], 희망[히망]	→	자음을 첫소리로 가지고 있는 음절의 'ㅢ'는 [ㅣ]로 발음한다.
주의[주의] / [주이]	→	단어의 첫음절 이외의 '의'는 [ㅣ]로 발음함도 허용한다.
우리의[우리의] / [우리에] 강의의[강:의의] / [강:이의] / [강:의에] / [강:이에]	→	조사 '의'는 [ㅔ]로 발음함도 허용한다.

[표준 발음법 원칙]
표준 발음법은 표준어의 실제 발음을 따르되, 국어의 전통성과 합리성을 고려하여 정함을 원칙으로 함. 여기서 '표준어의 실제 발음을 따른다'는 것은 우리가 사용하는 표준어를 실제로 발음할 때의 모습을 기본으로 하겠다는 의미임. '국어의 전통성과 합리성을 고려한다'는 것은 표준어의 실제 발음에서 지역이나 나이 등에 따른 발음의 차이를 줄이기 위해 일정한 방향으로 원칙을 정하겠다는 의미임.

문제로 연습하기

정답 24쪽

[01~03] 다음 설명이 맞으면 O표, 틀리면 X표 하시오.

01 '외가'의 '외'는 단모음이지만 이중 모음으로 발음할 수 있다. (　　)

02 '다쳐'의 '쳐'는 이중 모음 'ㅕ'가 있으므로 이중 모음으로만 발음해야 한다. (　　)

03 '의사'의 '의'는 [이] 또는 [에]로 발음하는 것도 허용한다. (　　)

[04~09] 다음 단어의 발음으로 올바른 것을 찾아 √표 하시오.

04 얘기 [애기] □ [얘기] □

05 무례 [무레] □ [무례] □

06 살쪄 [살쩌] □ [살쪄] □

07 회의 [회으] □ [회이] □

08 띄다 [띄다] □ [띠다] □

09 은혜 [은헤] □ [은에] □

10 다음 밑줄 친 단어의 발음을 쓰시오.

보기
웃어른께 <u>예의</u>를 지켜야 한다.

개념 50 받침의 발음 (1)_홑받침(7종성)

● 받침 'ㄱ, ㄴ, ㄷ, ㄹ, ㅁ, ㅂ, ㅇ'은 변화 없이 본음대로 각각 [ㄱ, ㄴ, ㄷ, ㄹ, ㅁ, ㅂ, ㅇ]으로 발음한다.

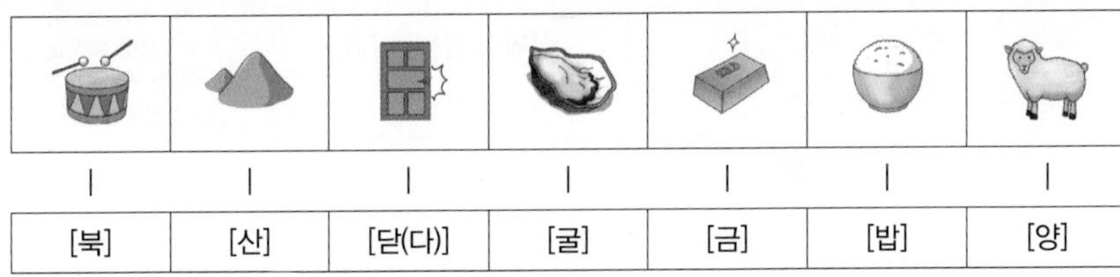

[북]	[산]	[닫(다)]	[굴]	[금]	[밥]	[양]

● 받침 'ㄲ, ㅋ', 'ㅅ, ㅆ, ㅈ, ㅊ, ㅌ, ㅎ', 'ㅍ'은 단어의 끝 또는 자음 앞에서 각각 대표음 [ㄱ, ㄷ, ㅂ]으로 발음한다.

대표음: 받침으로 쓰이는 자음 중 대표적으로 발음되는 소리.

밖	부엌	솥	옷	있(다)	젖(다)	꽃	히읗	앞
[박]	[부억]	[솓]	[옫]	[읻(따)]	[젇(따)]	[꼳]	[히읃]	[압]
[ㄱ]		[ㄷ]						[ㅂ]

[국어 단어의 받침]
국어의 자음 19개 중, 'ㄸ, ㅃ, ㅉ'은 받침으로 사용되지 않기 때문에 음절의 끝에서 받침으로 표기할 수 있는 자음은 모두 16개임.

[받침 발음의 특성]
국어의 받침소리가 7개로 소리 나는 것은 어말 위치에서 또는 자음으로 시작된 조사나 어미 앞에서임. '꽃이'와 같이 '꽃'의 받침 'ㅊ'이 '이'와 같이 모음으로 시작하는 말과 결합하는 경우 받침 'ㅊ'이 뒤에 오는 모음 '이'와 결합하여 [꼬치]와 같이 소리남.

문제로 연습하기

정답 24쪽

[01~04] 다음 ( ) 안에 알맞은 말을 고르시오.

01 국어의 자음 중 받침으로 (표기 / 발음)할 수 있는 것은 모두 7개이다.

02 받침으로 쓰인 'ㅋ'은 ([ㄱ] / [ㅋ])으로 소리 난다.

03 받침으로 쓰인 'ㄷ, ㅌ, ㅅ, ㅆ, ㅈ, ㅊ'은 서로 (같은 / 다른) 소리로 발음한다.

04 받침으로 쓰인 'ㄴ'과 'ㄹ'은 서로 (같은 / 다른) 소리로 발음한다.

[05~10] 다음 받침의 발음에 유의하여 각 단어의 발음을 쓰시오.

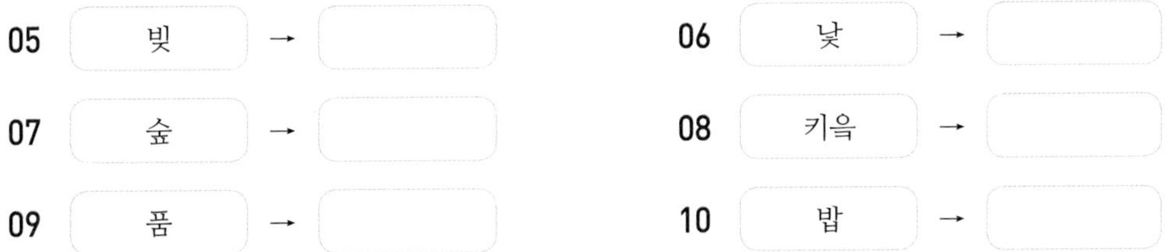

05 빗 →

06 낯 →

07 숲 →

08 키읔 →

09 품 →

10 밥 →

[11~12] 다음 밑줄 친 부분의 받침의 발음이 같은 것끼리 연결하시오.

11 묶다 · · ㉠ 저물녘 · · ⓐ 받다

12 낮다 · · ㉡ 민낯 · · ⓑ 박수

개념 51 받침의 발음 (2)_겹받침

- 겹받침은 단어의 끝 또는 자음 앞에서 두 개의 자음 중 하나로만 발음한다.

• 겹받침의 앞 자음이 발음되는 경우

겹받침	예	실제 발음되는 자음
ㄳ	넋[넉]	[ㄱ]
ㄵ	앉다[안따]	[ㄴ]
ㄼ	여덟[여덜]	[ㄹ]
ㄽ	외곬[외골]	[ㄹ]
ㄾ	핥다[할따]	[ㄹ]
ㅄ	값[갑]	[ㅂ]
ㄶ	않다[안타]	[ㄴ]
ㅀ	잃다[일타]	[ㄹ]

• 겹받침의 뒤 자음이 발음되는 경우

겹받침	예	실제 발음되는 자음
ㄺ	밝다[박따]	[ㄱ]
ㄻ	삶[삼]	[ㅁ]
ㄿ	읊다[읍따]	[ㅂ]

• 겹받침 'ㄼ'의 예외적 발음

밟다[밥:따], 밟고[밥:꼬], 밟지[밥:찌]	'밟-'은 자음으로 시작하는 말 앞에서 받침 'ㄼ'이 [ㅂ]으로 소리 난다.
넓적하다[넙쩌카다], 넓둥글다[넙뚱글다]	'넓-'은 '-적하다', '-죽하다', '-둥글다'와 결합하는 경우 받침 'ㄼ'이 [ㅂ]으로 소리 난다.

• 겹받침 'ㄺ'의 예외적 발음

맑게[말께], 묽고[물꼬]	받침 'ㄺ'이 사용된 동사나 형용사의 경우 활용할 때에 'ㄱ'으로 시작하는 말과 결합하면 [ㄹ]로 소리 난다.

[받침에 쓰이는 겹자음]
국어의 받침으로 쓰이는 겹받침은 'ㄳ, ㄵ, ㄶ, ㄺ, ㄻ, ㄼ, ㄽ, ㄾ, ㄿ, ㅀ, ㅄ' 모두 11개로, 두 개의 자음 중 하나가 선택되어 발음됨.

[받침 'ㄺ'이 있는 동사와 형용사]
받침 'ㄺ'이 쓰인 단어의 경우 체언의 경우와 동사나 형용사의 경우 발음이 달라짐. 일반적으로 받침 'ㄺ'은 'ㄱ'으로 발음되는데, '맑다', '묽다', '얽다', '늙다', '밝다' 등의 동사나 형용사의 경우도 'ㄱ'을 제외한 다른 자음과 결합될 때에는 [ㄱ]으로 발음됨. 다만 'ㄱ'으로 시작하는 말과 결합될 때에만 '얽거나[얼꺼나], 밝게[발께], 늙고[늘꼬]'와 같이 소리 남.

문제로 연습하기

정답 24쪽

[01~06] 올바른 발음을 찾아 √표 하시오.

01 몫 [목] □ [못] □

02 닭과 [닥꽈] □ [달꽈] □

03 젊다 [절다] □ [점따] □

04 넓다 [널따] □ [넙따] □

05 읽고 [일꼬] □ [익꼬] □

06 넓죽하다 [널쭈카다] □ [넙쭈카다] □

개념 52 받침의 발음 (3)_받침 'ㅎ'

받침으로 쓰인 'ㅎ'은 단독으로 발음될 때 또는 뒤에 오는 음운과 결합할 때 여러 가지로 소리가 변한다.

- 받침 'ㅎ'이 어말에 오는 경우 [ㄷ]으로 소리 난다.

음운 환경	예	실제 발음되는 자음
어말	히읗[히읃]	[ㄷ]

- 받침 'ㅎ'이 'ㄱ, ㄷ, ㅈ'으로 시작하는 말과 결합하는 경우 각각 [ㅋ, ㅌ, ㅊ]으로 소리 난다.

음운 환경	예	실제 발음되는 자음
ㅎ+ㄱ	좋고[조코], 넣고[너코]	[ㅋ]
ㅎ+ㄷ	좋다[조타], 넣다[너타]	[ㅌ]
ㅎ+ㅈ	좋지[조치], 넣지[너치]	[ㅊ]

[받침 'ㅎ'의 축약]
받침 'ㅎ'이 뒤에 'ㄱ, ㄷ, ㅂ, ㅈ'과 결합하는 경우 두 음운이 하나로 줄어들어 각각 [ㅋ, ㅌ, ㅍ, ㅊ]으로 소리 나는데, 이는 음운의 축약 현상 중 하나임.

- 받침 'ㅎ'이 'ㅅ'으로 시작하는 말과 결합하는 경우 [ㅆ]으로 소리 난다.

음운 환경	예	실제 발음되는 자음
ㅎ+ㅅ	좋소[조쏘], 닿소[다쏘]	[ㅆ]

- 받침 'ㅎ'이 'ㄴ'으로 시작하는 말과 결합하는 경우 [ㄴㄴ]으로 소리 난다.

음운 환경	예	실제 발음되는 자음
ㅎ+ㄴ	좋네[존네], 놓는[논는]	[ㄴ ㄴ]

- 받침 'ㅎ'이 뒤에 모음으로 시작되는 어미나 접미사와 결합하는 경우 소리 나지 않는다.

음운 환경	예	실제 발음되는 자음
ㅎ+모음	좋아[조아], 닿아[다아]	[ϕ]

[받침 'ㅎ'의 탈락]
받침 'ㅎ'은 모음 앞에서 소리가 나지 않는데, 이를 음운의 탈락이라고 함.

문제로 연습하기

정답 24쪽

[01~03] 다음 밑줄 친 단어의 발음이 맞으면 O표, 틀리면 X표 하시오.

01 눈이 쌓이고[싸히고] 있다. (　　　)

02 사과가 빨갛게[빨가케] 익어간다. (　　　)

03 천장까지 손이 닿는[단는] 친구는 영호뿐이다. (　　　)

[04~05] 다음 중 받침 'ㅎ'의 발음과 관련있는 것끼리 연결하시오.

04 싫소 ·　　　　· ㉠ 'ㅎ + ㅅ'의 경우가 [ㅆ]으로 바뀌어 소리 난다.

05 낳다 ·　　　　· ㉡ 'ㅎ + ㄷ'의 경우 [ㅌ]으로 바뀌어 소리 난다.

→ 10분 Review 테스트 160쪽

모음의 발음

- 'ㅏ, ㅐ, ㅓ, ㅔ, ㅗ, ㅚ, ㅜ, ㅟ, ㅡ, ㅣ'는 단모음으로 발음하되 'ㅚ', 'ㅟ'는 이중 모음으로 발음할 수 있다.
- 'ㅑ, ㅒ, ㅕ ㅖ, ㅘ, ㅙ, ㅛ, ㅝ, ㅞ, ㅠ, ㅢ'는 이중 모음으로 발음한다.

(예외)

가지어 → 가져[가저], 다치어 → 다쳐[다처]	→	용언의 활용형에 나타나는 '져, 쪄, 쳐'는 [저, 쩌, 처]로 발음한다.
시계[시계/시게], 지혜[지혜/지헤]	→	'예, 례' 이외의 'ㅖ'는 [ㅔ]로도 발음한다.
무늬[무니], 띄어쓰기[띠어쓰기]	→	자음을 첫소리로 가지고 있는 음절의 'ㅢ'는 [ㅣ]로 발음한다.
주의[주의/주이], 협의[혀븨/혀비]	→	단어의 첫음절 이외의 '의'는 [ㅣ]로 발음함도 허용한다.
우리의[우리의/우리에], 강의의[강:의의/강:이에]	→	조사 '의'는 [ㅔ]로 발음함도 허용한다.

받침의 발음 (1) – 홑받침(7종성)

- 받침 소리로는 'ㄱ, ㄴ, ㄷ, ㄹ, ㅁ, ㅂ, ㅇ'의 7개 자음만 발음한다.
- 받침 'ㄲ, ㅋ', 'ㅅ, ㅆ, ㅈ, ㅊ, ㅌ', 'ㅍ'은 어말 또는 자음 앞에서 각각 대표음 [ㄱ, ㄷ, ㅂ]으로 발음한다.
- 받침 'ㄴ, ㄹ, ㅁ, ㅇ'은 변화 없이 본음대로 각각 [ㄴ, ㄹ, ㅁ, ㅇ]으로 발음한다.

받침의 발음 (2) – 겹받침

- 겹받침의 앞 자음이 발음되는 경우: ㄳ, ㄵ, ㄼ, ㄽ, ㄾ, ㅄ, ㄶ, ㅀ
- 겹받침의 뒤 자음이 발음되는 경우: ㄺ, ㄻ, ㄿ

(예외) '밟–'은 자음 앞에서 [밥]으로 발음하고, '넓–'은 '–둥글다', '–죽하다'와 결합하는 경우 [넙]으로 발음한다.

예	실제 발음되는 자음
밟고[밥꼬], 밟다[밥따], 넓둥글다[넙뚱글다], 넓죽하다[넙쭈카다]	[ㅂ]

(예외) 용언의 어간에 쓰인 겹받침 'ㄺ'은 'ㄱ' 앞에서 [ㄹ]로 발음한다.

예	실제 발음되는 자음
맑게[말께], 묽고[물꼬], 얽거나[얼꺼나]	[ㄹ]

받침의 발음 (3) – 받침 'ㅎ'

- 받침 'ㅎ'이 어말에 오는 경우 [ㄷ]으로 소리 난다. 예 히읗[히읃]
- 받침 'ㅎ'이 'ㄱ, ㄷ, ㅈ'으로 시작하는 말과 결합하는 경우 각각 [ㅋ, ㅌ, ㅊ]으로 소리 난다. 예 좋고[조코], 좋다[조타], 좋지[조치]
- 받침 'ㅎ'이 'ㅅ'으로 시작하는 말과 결합하는 경우 [ㅆ]으로 소리 난다. 예 옳소[올쏘]
- 받침 'ㅎ'이 'ㄴ'으로 시작하는 말과 결합하는 경우 [ㄴㄴ]으로 소리 난다. 예 놓는[논는]
- 받침 'ㅎ'이 뒤에 모음으로 시작되는 어미나 접미사와 결합되는 경우 소리 나지 않는다. 예 좋아[조아]

실력 완성하기

[개념 49~52]

01 국어의 발음에 대한 설명으로 적절한 것은?

① 국어의 모음은 단모음 10개로만 소리 난다.
② 첫소리에 있는 자음은 8개의 자음으로 소리 난다.
③ 자음은 환경에 따라 표기와 다르게 소리 나기도 한다.
④ 첫소리로 소리 나는 자음은 받침에서도 똑같이 소리 난다.
⑤ 받침으로 쓰이는 자음은 모두 원래 표기와 다르게 소리 난다.

[개념 49]

02 모음의 표기와 발음이 다른 것은?

①이겨 ② 가져 ③ 누워 ④ 도와 ⑤ 싸여

[개념 49]

03 [보기]의 발음 규칙이 적용되지 않는 것은?

보기
'예, 례' 이외의 'ㅖ'는 [ㅔ]로도 발음한다.

① 시계 ② 연계 ③ 혜택 ④ 예의 ⑤ 폐문

[개념 49]

04 'ㅢ'의 발음이 적절하지 않은 것은?

① 의미[이미] ② 성의[성이] ③ 강의[강의]
④ 희미하다[히미하다] ⑤ 하늬[하니]

[개념 49] 고난도

05 [보기]의 단어들에 모두 적용할 수 있는 발음의 원칙으로 적절한 것은?

보기
늴리리[닐리리], 씌어[씨어], 틔어[티어] / 의지[의지], 의회[의회]

① 모든 단어에 쓰인 모음 'ㅢ'는 [ㅣ]로 발음한다.
② 거센소리인 자음과 결합된 'ㅢ'는 [ㅣ]로 발음한다.
③ 단어의 첫음절이 아닌 '의'는 모두 [ㅣ]로 발음한다.
④ 조사인 '의'는 체언과 결합된 상태에서 [ㅣ]로 발음한다.
⑤ 자음을 첫소리로 가지고 있는 음절의 'ㅢ'는 [ㅣ]로 발음한다.

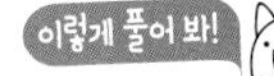

[보기]에 나오는 단어들은 모두 'ㅢ' 발음과 관련있어. 자음을 첫소리로 가지고 있는 '의'인지, 단어의 첫음절 이외의 '의'인지를 주목해 봐.

실력 완성하기

[개념 49] 고난도

06 [보기]의 단어를 바르게 발음한 것은?

보 기

민주주의의 의의

① [민주주으의 으이] ② [민주주으에 이이]
③ [민주주이의 으으] ④ [민주주이의 이이]
⑤ [민주주이에 의이]

참고해 봐!

'의'의 발음
1. 첫소리가 아닌 '의'는 [ㅣ]로도 발음할 수 있음.
2. 첫소리에 자음이 있는 경우 [ㅣ]로 발음함.
3. 조사 '의'는 [ㅔ]로도 발음할 수 있음.

[개념 50]

07 국어의 받침에서 소리 나지 않는 자음은?

① ㄱ ② ㄴ ③ ㅂ ④ ㅅ ⑤ ㅇ

[개념 50]

08 [보기]의 단어들의 받침에서 공통적으로 소리 나는 자음은?

보 기

• 낫 • 낮 • 낯

① [ㅅ] ② [ㄷ] ③ [ㅊ] ④ [ㅂ] ⑤ [ㅈ]

[개념 50]

09 다음 단어에 쓰인 받침의 발음을 바르게 나타낸 것은?

① 밖 – [ㄱ] ② 솥 – [ㅅ]
③ 빚 – [ㅈ] ④ 앞 – [ㅍ]
⑤ 옷 – [ㅆ]

[개념 50]

10 다음 밑줄 친 단어의 발음으로 적절하지 않은 것은?

① 꽃밭 가까이로 향기가 진하다.
[꼳빧]

② 너무 무서워 샛길로 도망을 갔다.
[새:낄]

③ 'ㅋ'의 이름은 '키읔', 'ㅌ'의 이름은 '티읕'이다.
[키윽]

④ 그 아이는 한참 동안 웃고 있다.
[읻따]

⑤ 풀숲 너머로 들짐승이 울부짖는 소리가 들린다.
[풀숩]

[개념 50]

11 [보기]의 단어를 바르게 발음한 것은?

> 보기
>
> 짓궂다

① [짓:꽂따]　② [짖:꾿따]　③ [진:꽂따]
④ [짓:꾿따]　⑤ [진:꾿따]

[개념 51] 고난도

12 [보기]의 단어들을 발음할 때 공통적으로 나타나는 현상에 대한 설명으로 적절한 것은?

> 보기
>
> 넋[넉], 앉다[안따], 여덟[여덜], 핥다[할따], 없다[업:따]

① 겹받침은 모두 안울림소리로 발음된다.
② 겹받침 중 앞의 자음이 대표음으로 소리 난다.
③ 겹받침이 자음과 결합될 때에는 발음이 달라진다.
④ 겹받침은 해당 단어의 품사에 따라 발음이 달라진다.
⑤ 겹받침은 첫음절에 쓰일 때와 그 이외의 경우에 따라 발음이 달라진다.

이렇게 풀어 봐!

겹받침 'ㄳ', 'ㄵ', 'ㄼ, ㄽ, ㄾ', 'ㅄ'은 단어의 끝 또는 자음 앞에서 각각 [ㄱ, ㄴ, ㄹ, ㅂ]으로 발음해.

[개념 51]

13 다음 단어에서 받침 'ㄼ'의 발음이 다른 하나는?

① 넓다　② 넓고　③ 넓소　④ 넓지　⑤ 넓둥글다

[개념 51]

14 다음 설명과 관련있는 예에 해당하는 것은?

> 보기
>
> 용언을 활용하여 쓸 때에 겹받침 'ㄺ'은 'ㄱ' 앞에서 [ㄹ]로 발음한다.

① 맑아　② 묽다　③ 얽지　④ 늙고　⑤ 읽자

[개념 51] 고난도

15 다음 단어의 발음이 적절하지 않은 것은?

① 읊지[을찌]　② 넓게[널께]　③ 삶소[삼:쏘]
④ 가엾다[가:엽따]　⑤ 훑다[훌따]

실력 완성하기

[개념 52]

16 다음 단어의 겹받침의 발음에 대한 설명으로 적절한 것은?

보기

많고

① '많'의 'ㄶ'이 'ㄱ'으로 인하여 음운이 탈락되어 소리 나지 않는다.
② '많'의 'ㄶ' 중 'ㄴ'이 대표음으로 소리 나며 'ㅎ'은 소리 나지 않는다.
③ '많'의 'ㄶ' 중 'ㄴ'은 'ㄱ'의 영향을 받아 소리가 바뀌며 'ㅎ'은 소리 나지 않는다.
④ '많'의 'ㄶ' 중 'ㄴ'은 소리 나지 않으며 'ㅎ'은 'ㄱ'과 결합하여 'ㅋ'으로 소리난다.
⑤ '많'의 'ㄶ' 중 'ㄴ'은 그대로 소리 나지만 'ㅎ'은 뒤의 'ㄱ'과 결합하여 'ㅋ'으로 소리 난다.

[개념 52]

17 다음 단어의 발음이 올바른 것은?

① 놓아[노하] ② 좋던[조:떤] ③ 않소[안쏘]
④ 곯고[골고] ⑤ 낳지[나:찌]

[개념 52]

18 다음 중 받침 'ㅎ'의 발음이 다른 하나는?

① 끓으면 ② 놓아 ③ 닳아 ④ 싫대 ⑤ 싫어

[개념 52]

19 다음 단어의 발음에 대한 설명으로 적절하지 않은 것은?

보기

놓는

① '놓-'이 '-는'의 영향을 받아 소리가 바뀐다.
② '좋네'를 발음할 때와 같은 변화가 일어난다.
③ '놓-'의 받침 'ㅎ'이 'ㄴ'으로 바뀌어 소리 난다.
④ '놓-'의 받침 'ㅎ'이 탈락되어 [노는]으로 소리 난다.
⑤ 받침 'ㅎ'이 뒤에 'ㄴ'이 결합되는 경우의 발음 변화 예이다.

받침 'ㅎ'이 'ㄴ'과 만나면 'ㄴ+ㄴ'으로 바뀌어 소리 난다. 그 예로 '쌓네[싼네]'가 있다. 단, 'ㄶ, ㅀ' 다음에 'ㄴ'이 오는 경우에는 'ㅎ'을 발음하지 않는다. 예를 들면, '많아[마나]', '닳아[다라]' 등이 있다.

[개념 50~52]

20 다음 밑줄 친 단어의 발음으로 적절한 것은?

① 닭 쫓던[쫃떤] 개 지붕 쳐다 본다.
② 잔디를 함부로 밟지[발찌] 마시오.
③ 우리는 다들 고민이 많습니다[만:씀니다].
④ 아직도 오지 않은[안는] 학생은 누굴까?
⑤ 우리 동네 뒷산에 터널을 뚫고[뚤꼬] 있다.

Break Time

잔디도
다듬지 않으면
'잡초'에 불과하고...
kimyh@hani.co.kr
생각도 다듬지 않으면 '잡념'에 불과하다...

V. 기타

'스마트폰'이 널리 보급이 된 지 불과 십여 년밖에 되지 않았다는 사실을 알고 있나요? '스마트폰'이라는 단어가 없던 때에는 스마트폰을 무엇이라고 불렀을까요? 이처럼 과거에는 없던 말이 새로 생겨나기도 하고, 예전에는 널리 쓰이던 말이 요즘에는 쓰이지 않기도 합니다. 그럼 이제부터 언어가 어떠한 특성이 있는지 등을 자세히 공부해 볼까요?

이 단원의 문법 개념 MAP

53 ~ 57 소단원 개념 번호입니다.

언어의 특성

● **자의성:** 언어의 의미(내용)와 말소리, 문자(형식) 사이에는 필연적인 관계가 없음.
우연히 결정됨.

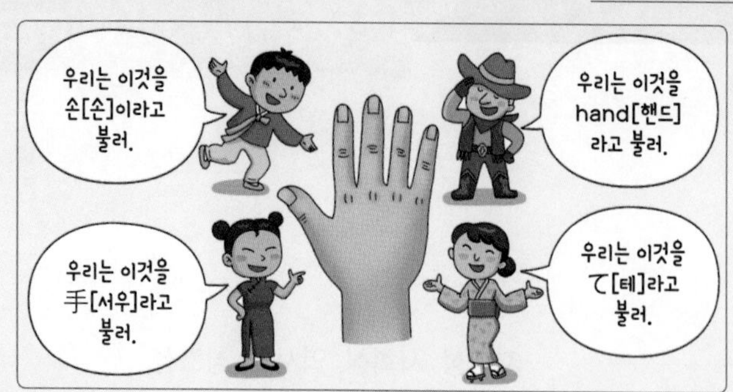

● **사회성:** 언어는 그 언어를 사용하는 사람들 사이의 사회적 약속이기 때문에 개인이 마음대로 바꿀 수 없음.

● **역사성:** 언어는 시간의 흐름에 따라 있던 말이 사라지거나, 새로운 말이 생기기도 하고, 소리나 의미가 변하기도 함.

예전에는 사용되다가 현대에는 사라진 말	• 뫼 → 산 • 온 → 백(百)	• 미르 → 용 • 즈믄 → 천(千)
예전에는 없었으나 현대에 새로 생긴 말	스마트폰, 인공위성, 인터넷	
시간이 지나면서 소리나 의미가 변한 말	〈의미가 변한 말 – 영감〉 ⇒ (조선 시대) (현대) 벼슬아치 → 나이가 많은 남자	〈소리가 변한 말 – 나무〉 나모 → 나무

● **창조성:** 인간은 한정된 단어를 가지고 무한히 많은 문장을 만들 수 있음.

㉑ • 어린아이가 말을 배울 때 문장을 하나하나 익히는 것이 아니라 알고 있는 단어를 활용하여 새로운 문장을 만들어 냄.
• 다른 사람과 이야기할 때 암기한 문장을 사용하는 것이 아니라 상황에 따라 다양한 문장을 만들어 냄.

＊그 외 언어의 특성
• 규칙성: 언어는 일정한 규칙이 있어 그것에 맞게 사용해야 함.
㉑ 나는 꽃을 좋아한다.
→ 주어+목적어+서술어 어순(○)
좋아한다 나는 산을
→ 서술어+주어+목적어 어순(×)
• 기호성: 언어는 '뜻'이라는 내용과 '음성과 문자'라는 형식으로 이루어진 기호 체계임.
㉑ '평지보다 높이 솟아 있는 땅의 부분'을 문자 '산'과 말소리 [산]으로 표현함.

[언어가 변하는 까닭]
• 새로운 대상이나 개념이 생기면서 그것을 나타내는 말이 생김.
㉑ 자동차, 컴퓨터, 세탁기 등
• 과거에 있었던 대상이나 개념이 사라지면서 그것을 나타내던 말이 사라짐.
㉑ 암행어사, 수라(임금에게 올리던 밥) 등
• 같은 대상을 나타내던 말이 서로 경쟁하다가 한쪽이 이기면 다른 한쪽은 사라지거나 덜 쓰이게 됨.
㉑ 버텅(계단), 다림방(정육점) 등

문제로 연습하기

정답 28쪽

[01~04] 다음 내용이 맞으면 O표, 틀리면 X표 하시오.

01 언어의 자의성은 언어의 의미와 말소리 사이에 필연적인 관계가 있음을 의미한다. (　　　)

02 시간이 흐름에 따라 새로운 말이 생기거나, 쓰던 말이 사라지기도 하고, 그 의미가 변하기도 하는 것을 언어의 역사성이라고 한다. (　　　)

03 언어는 사회적인 약속이기 때문에 원만한 의사소통을 하기 위해서는 그 사회의 구성원들이 사용하는 말을 사용해야 한다. (　　　)

04 언어의 창조성이란 인간은 한정된 단어를 활용하여 사용할 수 있는 문장이 정해져 있다는 의미이다. (　　　)

[05~08] 다음 예와 관련된 언어의 특성을 [보기]에서 골라 그 기호를 쓰시오.

보기

㉠ 자의성　㉡ 사회성　㉢ 역사성　㉣ 창조성

05 '책상'을 '꽃'이라고 부르면 사회의 다른 사람들은 알아듣지 못한다. .... (　　　)

06 '어리다'는 예전에는 '어리석다'는 뜻으로 쓰였지만 지금은 '나이가 적다'라는 뜻으로 쓰인다. (　　　)

07 연필이나 볼펜 등을 넣어 가지고 다니는 물건을 우리말에서는 '필통'이라고 쓰고 영어에서는 'pencil case'라고 쓴다. .... (　　　)

08 '안녕'이라는 말을 배운 사람은 '안녕하세요.' '안녕히 계세요.' '안녕하셨어요.' 등 다양한 문장을 만들어낼 수 있다. .... (　　　)

09 **(가)와 (나)의 차이를 통해 알 수 있는 언어의 특성이 무엇인지 쓰시오.** (　　　　　)

10 **다음 대화를 통해 알 수 있는 언어의 특성이 무엇인지 쓰시오.** (　　　　　)

학　생 : '개'를 의미하는 세계 각국의 단어에는 어떤 것이 있나요?
선생님 : 우리는 '개'라고 부르지만, 프랑스에서는 '시엥', 독일에서는 '하운드'라고 부른단다. 반드시 '개'를 '개'로만 불러야 하는 것은 아니야.

실력 완성하기

[개념 53]

01 다음 괄호 안에 들어가기에 알맞은 말을 쓰시오.

> 언어의 내용과 말소리 사이의 결합은 각 언어를 사용하는 사회마다 다르게 나타난다. 이처럼 언어의 내용과 형식의 결합은 필연적이지 않다는 언어의 특성을 (   )이라고 한다.

[개념 53]

02 [보기]에서 설명하고 있는 언어의 특성으로 가장 알맞은 것은?

보기

> '산에 가자.'라는 말을 '선에 가자.' 또는 '순에 가자.'라고 하면 다른 사람들은 알아듣지 못한다. 이는 우리가 사용하는 언어에는 개인의 마음대로 바꾸어 쓸 수 없는 특성이 있기 때문이다.

① 사회성　② 창조성　③ 자의성　④ 역사성　⑤ 기호성

[개념 53]

03 [보기]에 대한 반응으로 적절한 것은?

보기

> '어엿브다'라는 말은 예전에는 '불쌍하다'라는 뜻으로 사용되었으나, 지금은 '예쁘다'라는 의미로 사용된다.

① 말소리는 다르지만 같은 뜻을 의미하는군.
② 언어는 시간의 흐름에 따라 바뀌기도 하는군.
③ 제한된 단어로 무수히 많은 문장을 만들 수 있군.
④ 새로운 사물이나 대상이 생겨나면서 말이 만들어지는군.
⑤ 일단 사회적으로 받아들여진 말은 바꾸기가 쉽지 않겠군.

시간이 흐름에 따라 새 말이 생기기도 하고 있던 말이 사라지기도 한다. 또 경우에 따라서는 원래 있던 말의 뜻이 바뀌거나 소리가 바뀌기도 한다.

[개념 53]

04 [보기]와 대비되는 언어의 특성으로 가장 적절한 것은?

보기

> 앵무새는 말을 배울 때 주인이 알려 준 말만 반복할 수 있을 뿐, 이를 조합하여 새로운 문장을 만들어 내지는 못한다.

① 시대에 따라 사용하는 말이 달라진다.
② 한번 만들어진 문장은 바꿔 쓸 수 없다.
③ 한정된 단어로도 무한한 문장을 만들어 낼 수 있다.
④ 똑같은 의미를 나타내는 말소리가 나라마다 다르다.
⑤ 언어를 사용하는 사람들 간에는 일정한 규칙이 존재한다.

[개념 53]
05 **언어의 특성과 그 예가 바르게 연결되지 않은 것은?**

① 언어의 역사성: '누리꾼', '블로그' 등 새로운 말이 등장하였다.
② 언어의 자의성: 한 과학자가 새로 발견한 곤충에 자신의 이름을 붙였다.
③ 언어의 역사성: 과거에는 나무를 '나모'라고 부르고, 강아지를 '가히'라고 불렀다.
④ 언어의 사회성: 사람들이 오랫동안 '컴퓨터'라고 불렀기 때문에 이를 '슬기틀'이라고 바꾸기는 어렵다.
⑤ 언어의 창조성: '딴지'라는 말은 과거에는 표준어가 아니었으나, 많은 사람들이 사용하여 결국 표준어가 되었다.

[개념 53] 고난도
06 **다음 대화에서 알 수 있는 언어의 특성으로 알맞은 것은?**

> "누가 개를 개라고 했냐고? 네가 그런 거야. 니콜라스. 너와 나와 이 반에 있는 아이들과 이 학교와 이 마을과 이 주와 이 나라의 모든 사람이. 우리 모두 그렇게 하자고 약속한 거야. 여기가 프랑스라면 그 털북숭이 네발짐승을 다른 말로, 그러니까 '시엥'이라고 불렀을 거야. 우리말로는 '개'이지. 독일어로는 '훈트'이고. 이렇게 전 세계에는 다양한 말이 있어.
> – 앤드류 클레먼츠, 「프린들 주세요」

① 역사성, 사회성 ② 창조성, 역사성 ③ 사회성, 자의성
④ 창조성, 자의성 ⑤ 자의성, 역사성

이렇게 풀어 봐!
언어의 내용과 말소리는 필연적이지 않아. 그래서 나라마다 똑같은 하나의 대상을 다양하게 부르는 거야. 하지만 그런 말들은 같은 말을 쓰는 사회라면, 그 사회 내에서 인정을 받아야 의사소통에 지장을 주지 않고 사용할 수 있어.

[개념 53] 고난도
07 **[보기]에 나타난 언어의 특성과 관련된 사례로 적절한 것은?**

> 보기
> '얼굴'이라는 단어는 예전에는 '얼골'이라는 형태였다가 그 말소리가 변한 것이다. 또 의미도 예전에는 몸 전체의 형체를 가리키던 것이 지금은 사람의 안면만을 가리키는 것으로 변화하였다.

① 우리말의 어순은 '주어, 목적어, 서술어'이다.
② 소희는 '신라'를 발음하기 어려워 '서나'라고 부르기로 했다.
③ 정육점을 뜻하는 '다림방'이라는 말은 오늘날에는 사용되지 않는다.
④ 갑자기 개인이 '오징어'를 '낙지'라고 부른다면 사람들과 의사소통이 어려워질 것이다.
⑤ 개 짖는 소리를 한국어는 '멍멍'이라고 하지만 미국에서는 'bowbow'[바우바우]라고 한다.

담화의 개념과 구성 요소

● **담화의 개념**: 머릿속의 생각을 소리를 내어 실제 문장으로 나타낸 것을 발화라고 하며, 둘 이상의 문장(발화)이 모여 하나의 의미를 이룬 덩어리를 '담화'라고 함.

말씀 담(談)
이야기 화(話)

(1) 나는 오늘 아침에 늦게 일어나서 급하게 등교하는 바람에 준비물을 집에 놓고 왔어. (2) 그래서 다시 집으로 갔어. 왜냐하면 준비물이 없으면 미술 시간에 아무것도 할 수 없거든. (3) 겨우 집에 갔는데 오늘은 미술 수업이 없는 요일이라는 것을 깨달았어. (4) 그랬더니 다리 힘이 쭉 빠지더라. (5) 결국 나는 지각을 했어.

(1), (2), (3), (4), (5)의 발화들이 모여 '담화'를 이루고 있어. 담화의 내용은 '오늘 지각을 한 이유'야.

[담화의 구성 요건]
- 통일성: 담화의 내용이 하나의 주제를 향해 밀접하게 연결되는 것.
- 응집성: 지시어나 접속어 등을 적절하게 사용하여 담화를 이루는 각각의 발화들이 긴밀하게 연결하는 것.

● **담화의 구성 요소**

- 말하는 이와 듣는 이.
- 발화(언어): 말하는 이와 듣는 이 사이에 주고받는 것.
- 맥락

– 상황 맥락: 담화가 이루어지는 구체적인 시간, 공간적인 상황, 배경지식*, 말하는 이의 의도와 목적 등이 포함됨.

* **배경지식**
어떤 글이나 말을 이해하는 데 바탕이 되는 경험과 지식.

> 가: 잘 맞을까요?
> 나: 잘 맞을 것 같은데요.
> 가: 안 맞으면 어쩌죠?

두 사람의 대화만으로는 두 사람이 무엇에 관해 이야기하는지를 정확히 알 수 없어. 하지만 '옷가게'라는 공간에서 이루어졌다는 것을 알면 이 담화의 의미를 해석할 수 있지. 이러한 공간적 상황은 우리는 '상황 맥락'의 일종이야.

> 나: 여보세요.
> 아버지: 응, 나 지금 운전 중이야. (전화를 할 수 없다는 의미)
> 나: 네. 나중에 통화해요.

'나'는 왜 나중에 통화하자고 했을까? 아버지가 운전 중이라고 한 말은 단순히 지금 무슨 일을 하고 있는지를 설명하는 것이 아니야. 운전 중이기 때문에 전화를 할 수 없다는 의도가 담긴 말이지. 말하는 이의 의도도 '상황 맥락'이라고 볼 수 있어.

– 사회 · 문화적 맥락: 담화의 내용에 영향을 미치는 지역, 세대(나이), 성별, 문화 등의 상황이 포함됨.

지역: 각 지역의 방언에 따른 상황
성별: 남녀 간의 언어 특성에 따른 상황

> 엄마: 이번 달 용돈이야.
> 아들: 아, 버카충 할 때 됐는데 다행이에요.
> 엄마: 버카충? 너 게임하니?
> 아들: 헐~ 버스카드 충전이요.

엄마와 아들이 사용하는 말이 달라서 의사소통이 잘 되지 않고 있어. 이처럼 세대에 따라 사회 · 문화적 맥락이 다른 것도 담화에 영향을 미칠 수 있어.

> 한국인: 시험에서 미역국을 먹었어.
> 외국인: 그게 무슨 말이야?

우리나라에서는 '미역국을 먹다'가 '시험에서 떨어지다'의 의미로 쓰여. 하지만 외국에서는 이런 표현을 쓰지 않기 때문에 의사소통이 원활하게 이루어지지 못하고 있어. 이처럼 문화적 차이도 담화에 영향을 미칠 수 있지.

문제로 연습하기

정답 29쪽

[01~05] 다음 빈칸에 들어가기에 알맞은 말을 쓰시오.

01 머릿속 생각을 소리를 내어 실제 문장으로 나타낸 것을 ☐☐라고 한다.

02 둘 이상의 발화들이 모여 이룬 하나의 의미 덩어리를 ☐☐라고 한다.

03 담화의 구성 요소에는 말하는 이, 듣는 이, 발화, ☐☐이 있다.

04 담화가 이루어지는 구체적인 시·공간, 배경지식, 말하는 이의 의도와 목적을 ☐☐☐☐이라고 한다.

05 담화의 내용에 영향을 미치는 지역, 세대, 성별, 문화 등의 상황을 ☐☐·☐☐☐☐☐이라고 한다.

[06~08] [보기]의 담화 상황에 관한 설명으로 맞으면 O표, 틀리면 X표 하시오.

> 보 기
> 태훈: 은진아, 너 일요일에 봉사 활동으로 어디에 갈 거야?
> 은진: 무료 급식소에 갈 거야.

06 '태훈'의 발화를 듣는 이는 '은진'이다. (　　　)

07 '태훈'은 '은진'에게 구체적인 봉사 활동 장소를 묻고 있다. (　　　)

08 이 담화에서 '태훈'은 '은진'이 일요일에 할 일을 모르고 있다. (　　　)

[09~11] 다음 담화 상황에서 고려해야 할 맥락을 알맞게 연결하시오.

09

> 아이 1: 우리 동네 동물원에 여시가 들어왔단다.
> 아이 2: 여시? 새로운 동물이니?
> 아이 1: 니는 서울에서 왔다메 여시도 모르나?

• 　　• ㉠ 세대

10

> 어머니: 오늘 좀 늦었구나.
> 학　생: 오늘 남아공* 좀 했어요.
> 어머니: 남아공? 축구 보고 왔니?
> 학　생: 내일이 시험인데 축구를 어떻게 해요.
> *남아공: 남아서 공부하다.

• 　　• ㉡ 지역

11

> 한국인: 이번 시험만큼은 칼을 가는 마음으로 준비할 거야.
> 외국인: 칼을 가는 마음이 뭐야?

• 　　• ㉢ 문화

V 기타

개념 55 담화의 특성과 유형

담화의 특성

- 말하는 이의 의도와 목적에 따라 발화의 의미가 달라질 수 있음.

→ 의도: 따뜻한 옷을 입어라. → 의도: 창문을 닫아라.

- 원활한 의사소통을 하려면 상대방의 처지, 입장, 상황 등을 고려해야 함.

- 말하는 이와 듣는 이의 위치에 따라 적절한 지시어를 사용해야 함.

> 기문: 이 옷은 어디에 둘까요?
> 엄마: 여기 옷장에 넣으렴. 이쪽에 자리가 있어.
> 기문: 거기보다는 저쪽 옷걸이가 낫지 않을까요? 걸어두기도 더 편해요.
>
> 이/여기/이쪽 : 말하는 이와 가까운 곳
> 거기: 기문이에게는 멀고 엄마에게 가까운 곳
> 저쪽: 엄마와 기문이에게 모두 먼 곳

[말하는 이와 듣는 이의 위치에 따른 지시어]
- 말하는 이에게 가까이 있는 경우: 이, 이것, 이분, 여기, 이쪽
- 듣는 이에게 가까이 있는 경우: 그, 그것, 그분, 거기, 그쪽
- 말하는 이와 듣는 이 모두에게 멀리 있는 경우: 저, 저것, 저분, 저기, 저쪽

- 담화에 참여한 사람들의 나이에 따라 높임 표현을 사용하기도 함.

> 선생님: 문호야, 지금 왔니?
> 문　호: 네, 지금 왔습니다.

> 문　호: 선생님, 지금 오셨어요?
> 선생님: 응, 지금 왔어.

문호는 선생님께 높임 표현을 쓰고 있어.

담화의 유형

유형	말하는 이의 의도	예
정보 제공 담화	지식과 정보를 제공함.	강의, 뉴스 보도
호소 담화	상대방을 설득하여 무엇인가를 하도록 유도함.	광고, 연설
친교 담화	인간관계를 원활하게 함.	인사말, 잡담
약속 담화	약속을 지키겠다고 다짐함.	선서, 맹세

문제로 연습하기

정답 29쪽

[01~03] 다음 내용이 맞으면 O표, 틀리면 X표 하시오.

01 어떠한 상황에서도 하나의 담화는 하나의 의미와 목적만 가진다. (　　　)

02 말하는 이의 의도를 잘 전달하기 위해서는 상대방을 고려해야 한다. (　　　)

03 말하는 이와 듣는 이의 위치에 따라 적절한 지시어를 사용해야 한다. (　　　)

V

기타

[04~06] 담화의 유형과 그에 해당하는 예를 알맞게 연결하시오.

04 정보 제공 담화 ·		· ㉠ 뉴스, 강의
05 호소 담화 ·		· ㉡ 인사말, 잡담
06 친교 담화 ·		· ㉢ 광고, 연설

[07~09] 다음 담화에서 말하는 이의 의도가 잘 전달되었다면 O표, 그렇지 않으면 X표 하시오.

07 (　　　)

> 엄마: (늦게 들어온 아들에게 화난 표정으로) 도대체 지금 몇 시니?
> 아들: 10시가 넘었네요.

08 (　　　)

> 학생 1: 짐이 너무 많아서 앞이 잘 안 보여.
> 학생 2: 그래, 내가 들어 줄게.

09 (　　　)

> 집주인: 음식을 차린다고 했는데 변변찮네요.
> 손　님: 정말 그러네요. 먹을 게 없어요.

[10~11] 상황을 고려하여 [보기]의 발화가 의미하는 바가 무엇인지를 알맞게 연결하시오.

> 보기
> 숙제해야 해.

10 동생이 음악을 크게 틀었을 때 ·		· ㉠ 축구하러 갈 수 없다.
11 친구가 축구하러 가자고 했을 때 ·		· ㉡ 음악 소리를 줄여라.

12 다음 담화에서 가리키는 대상이 ㉠과 같은 것을 모두 찾아 그 기호를 쓰시오. (　　　　　)

> 형: ㉠이거 멋있지 않니?
> 동생: 난 ㉡그거보다는 ㉢이게 더 나은 것 같아.
> 형: ㉣그건 내가 사주기 싫은데.
> 동생: 내 선물이니까 내가 고르면 안 돼?
> 형: 그래도 난 ㉤이게 제일 좋아.

실력 완성하기

[개념 54~55] 고난도

01 담화에 관한 설명으로 알맞지 않은 것은?

① 성별이나 문화가 담화에 영향을 끼치기도 한다.
② 둘 이상의 문장이 하나의 의미를 이루어야 한다.
③ 담화가 이루어지는 상황 맥락에 따라 담화의 의미가 달라진다.
④ 담화에 영향을 미치는 요소를 고려해야 의미를 정확하게 전달할 수 있다.
⑤ 담화의 의미를 파악하기 위해서는 문화나 성별 등의 요인보다는 단어의 뜻만 이해하는 것이 더 좋다.

[02~03] 다음 물음에 답하시오.

[개념 54]

02 (가), (나)에 드러난 상황으로 알맞지 않은 것은?

	(가)	(나)
말하는 이	호텔 직원	의사 ··························· ①
듣는 이	투숙객 ························ ②	환자
시간	손님이 호텔에 머무르려고 왔을 때 ··························· ③	진료 시간 ······················ ④
장소	호텔 ··························· ⑤	병원

참고해 봐!

담화는 말하는 이와 듣는 이의 위치, 말하는 이의 의도와 목적, 말하는 이와 듣는 이의 관계 등의 상황 맥락에 따라 같은 내용이라도 의미가 달라진다. 그렇기 때문에 상황 맥락을 잘 이해하는 것이 중요하다.

[개념 55]

03 (가), (나)에 담긴 말하는 이의 의도나 목적으로 알맞지 않은 것은?

① (가): 호텔에서 편안히 잘 잤는지 묻는 것
② (가): 호텔에서 제공한 서비스에 만족했는지 묻는 것
③ (나): 몸의 상태에 이상이 없는지 묻는 것
④ (나): 잠과 관련하여 이야기할 내용이 있는지 묻는 것
⑤ (나): 병원 시설과 관련하여 불편한 점을 사과하는 것

[개념 55]

04 다음 담화 상황에 대한 설명으로 가장 알맞은 것은?

> 수진: (할머니를 만나서) 할머니, 안녕히 주무셨어요?
> 수진: (동생인 진호를 만나서) 진호야, 잘 잤어?

① 장소에 따라 높임 표현을 다르게 사용하였다.
② 친밀도에 따라 높임 표현을 다르게 사용하였다.
③ 지역과 세대에 따라 높임 표현을 다르게 사용하였다.
④ 의도와 목적에 따라 높임 표현을 다르게 사용하였다.
⑤ 상대방과의 관계에 따라 높임 표현을 다르게 사용하였다.

[개념 55]

05 담화 유형에 대한 설명으로 적절하지 않은 것은?

① 제품의 사용 방법을 설명하는 담화는 약속 담화이다.
② 음식물 쓰레기를 줄이자는 내용의 담화는 호소 담화이다.
③ 친구들과 서로의 관심사를 이야기하는 담화는 친교 담화이다.
④ 입시 설명회에서 입시에 대해 설명하는 담화는 정보 제공 담화이다.
⑤ 학생들이 청소년 단체에서 규칙을 지키기로 선서한 담화는 약속 담화이다.

[개념 55] 고난도

06 다음은 [보기]의 담화에 대한 설명이다. ㉠과 ㉡에 알맞은 말을 쓰시오.

> 보기
> (엄마가 늦게까지 게임을 하고 있는 아들을 바라보며)
> 엄마: 내일 학교에 안 갈 거니?
> 아들: 내일요? 쉬는 날도 아닌데 당연히 가야죠.

> 아들은 대화가 이루어지는 ㉠과 어머니의 발화 ㉡를 고려하지 않고 말을 하고 있다.

㉠ : ( ) ㉡ : ( )

[개념 55]

07 다음 담화의 맥락을 고려하여 괄호 안에 알맞은 지시어를 쓰시오.

> 형: 배고픈데 뭐 시켜 먹을까? / 동생: 치킨 어때?
> 형: 음. 마음에 드네. 그럼 내가 전화할게. 내 휴대전화가 어디 있지?
> 동생: 형 바로 앞에 있네. / 형: 어디?
> 동생: ( ).

이렇게 풀어 봐!

위치에 따른 지시어를 쓸 경우에는 말하는 사람과 듣는 사람 중 누구와 더 가까이에 있는지, 모두에게 먼 곳에 있는지를 먼저 파악해야 해.

개념 56 자음의 창제 원리

● **자음의 창제 원리**

- 상형: 발음 기관의 모양을 본떠서 기본자인 'ㄱ, ㄴ, ㅁ, ㅅ, ㅇ'을 만듦.
- 가획: 5개의 기본자에 획을 더하여 새 글자를 만듦. 기본자에 획을 더해 소리의 세기를 나타냄.
- 이체: 상형이나 가획의 원리를 적용하지 않고 모양을 달리해 만듦. 소리의 세기를 나타내지 않음.

기본자(상형)	창제 원리	한 획을 더함.(가획)	두 획을 더함.(가획)	이체
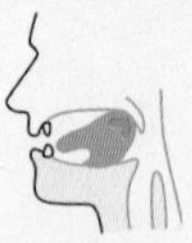 ㄱ	혀뿌리가 목구멍을 막는 모양을 본뜸.(어금닛소리)	ㅋ		ㆁ
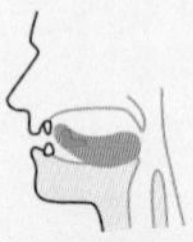 ㄴ	혀끝이 윗잇몸에 닿는 모양을 본뜸.(혓소리)	ㄷ	ㅌ	ㄹ
 ㅁ	입의 모양을 본뜸.(입술소리)	ㅂ	ㅍ	
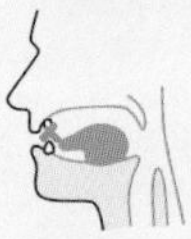 ㅅ	이의 모양을 본뜸.(잇소리)	ㅈ	ㅊ	ㅿ
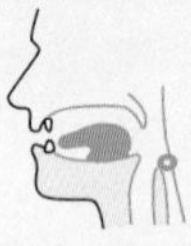 ㅇ	목구멍의 모양을 본뜸.(목구멍소리)	ㆆ	ㅎ	

[훈민정음]
'백성을 가르치는 바른 소리'라는 뜻으로, 1443년 세종대왕이 창제한 우리나라 고유의 글자를 이르는 말임.

[자음의 명칭]
훈민정음에서 'ㄱ'은 어금니 옆에서 소리가 난다고 하여 '엄쏘리'라고 하였고, 'ㄴ'은 혀 옆에서 소리가 난다고 하여 '혀쏘리', 'ㅁ'은 '입시울쏘리', 'ㅅ'은 '니쏘리', 'ㅇ'은 '목소리'라고 하였음.

[사라진 자음]
- ㆁ(옛이응): 16세기 말까지 쓰였다가 'ㅇ'으로 합쳐짐.
- ㆆ(여린히읗): 'ㅇ'과 'ㅎ'의 중간 소리. 주로 한자어 표기에 사용되다가 사라짐.
- ㅿ(반치음): 16세기 말까지 쓰이다가 사라짐.

문제로 연습하기

정답 30쪽

[01~02] 다음 설명이 맞으면 O표, 틀리면 X표 하시오.

01 자음의 기본 글자는 'ㄱ, ㄴ, ㅁ, ㅅ, ㅇ'이다. (　　　)

02 가획자는 기본자에 획을 추가하여 만든 것이다. (　　　)

[03~05] 빈칸에 들어가기에 알맞은 말을 쓰시오.

03 어금닛소리의 기본자는 □이고, 가획자는 □, 이체자는 'ㆁ'이다.

04 'ㄴ'은 혀끝이 윗잇몸에 닿는 모양을 본뜬 □□□로, 여기에 두 획을 더한 글자는 □이다.

05 'ㅇ'은 □□□의 모양을 본뜬 글자로, 가획자는 ㆆ과 □이 있고, 이체자는 없다.

개념 57 모음의 창제 원리

● **모음의 창제 원리**

- 상형: '천(하늘, 天), 지(땅, 地), 인(사람, 人)'의 모양을 본떠 기본자인 'ㆍ, ㅡ, ㅣ'를 만듦.
- 합성: 모음의 기본자를 합쳐서 초출자와 재출자를 만듦.
  - 초출자: 기본자인 'ㆍ, ㅡ, ㅣ'를 서로 결합하여 만듦.
    - 예 ㆍ+ㅡ=ㅗ, ㆍ+ㅣ=ㅓ, ㅣ+ㆍ=ㅏ
  - 재출자: 기본자와 초출자를 결합하여 만듦.
    - 예 ㅏ+ㆍ → ㅑ, ㆍ+ㅓ=ㅕ

기본자	창제 원리	초출자	재출자
ㆍ	하늘의 둥근 모양을 본뜸.	ㅗ, ㅏ ㅜ, ㅓ	ㅛ, ㅑ ㅠ, ㅕ
ㅡ	땅의 평평한 모양을 본뜸.		
ㅣ	사람이 서 있는 모양을 본뜸.		

[한글의 우수성과 가치]

- 독창성: 다른 나라의 문자를 따라하거나 바꾸어 만들지 않고 새로운 원리에 따라 만들었음.
- 과학성: 발음 기관과 하늘, 땅, 사람의 모양을 본떠 기본자를 만들고 그것에 획을 더해 새로운 글자를 만들었음.
- 경제성: 자음 17개와 모음 11개, 총 28개의 문자만을 가지고 많은 소리를 나타낼 수 있음.
- 실용성: 한 글자가 한 소리로 발음되는 글자로, 누구나 쉽게 읽고 쓸 수 있음.

문제로 연습하기

정답 30쪽

[01~02] 다음 설명이 맞으면 O표, 틀리면 X표 하시오.

01 모음의 초출자는 자음의 기본자와 모음의 기본자를 결합하여 만들었다. (　　　)

02 모음의 기본자는 모두 3개이며, 발음 기관의 모양을 본떠서 만들었다. (　　　)

[03~05] 모음의 기본자와 기본자의 창제 원리를 알맞게 연결하시오.

03 ㆍ ・　　　　　・ ㉠ 사람이 서 있는 모양을 본뜸.

04 ㅡ ・　　　　　・ ㉡ 땅의 평평한 모양을 본뜸.

05 ㅣ ・　　　　　・ ㉢ 하늘의 둥근 모양을 본뜸.

06 **㉠과 ㉡에 공통으로 들어가기에 알맞은 말을 쓰시오.** (　　　　　　)

> 모음의 기본자끼리 결합하여 만든 ㉠에는 'ㅗ, ㅜ, ㅏ, ㅓ'가 있으며, 기본자와 ㉡를 결합하여 만든 재출자에는 'ㅛ, ㅠ, ㅑ, ㅕ'가 있다.

→ 10분 Review 테스트 164쪽

실력 완성하기

[개념 56~57]
01 **훈민정음의 자음 기본자와 모음 기본자에 대한 설명으로 알맞지 않은 것은?**

① 자음의 기본자는 발음 기관의 모양을 본떠 만들었다.
② 자음의 기본자에 획을 더해 새로운 자음을 만들었다.
③ 모음의 기본자는 3개이고, 자음의 기본자는 5개이다.
④ 모음의 기본자와 자음의 기본자는 상형의 원리에 따라 만들었다.
⑤ 모음에는 기본자와 그것에 한 번의 획을 더한 글자만이 있다.

[개념 56]
02 **자음의 창제 원리로 적절하지 않은 것은?**

① ㄱ: 혀뿌리가 목구멍을 막는 모양을 본뜸.
② ㄴ: 혀끝이 윗잇몸에 닿는 모양을 본뜸.
③ ㅁ: 입의 모양을 본뜸.
④ ㅅ: 이의 모양을 본뜸.
⑤ ㅇ: 오므렸을 때 입의 모양을 본뜸.

[개념 56]
03 **다음 창제의 원리와 관련이 없는 자음은?**

> 5개의 기본자에 획을 더하여 새 글자를 만들었다.

① ㅋ ② ㅌ ③ ㆆ ④ ㅿ ⑤ ㅂ

[개념 56] 고난도
04 **다음 질문에 대한 대답으로 적절한 것은?**

> ‘ㄹ’은 ‘ㄴ’과 모양이 닮은 글자니까 ‘ㄴ’의 가획자이지?

① 맞아, 획을 몇 개 더했으니 가획자야.
② 맞아, 모양이 비슷하니 가획자로 볼 수 있어.
③ 아니야. 소리가 더 커졌으니 재출자로 봐야 해.
④ 아니야, 소리의 세기가 더 커지지 않았으니 이체자야.
⑤ 맞아. 모양을 본따서 만들었으니 상형자로 보아야 해.

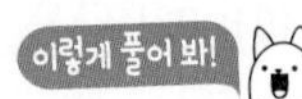

가획자는 기본자에 획을 더한 것으로, 획을 더하여 소리의 세기가 커지는 것을 표현한 거야. 이체자의 경우에는 소리의 세기가 커지지 않기 때문에, 가획을 했다고 하지 않지.

[개념 56]
05 **다음 중 가획의 수가 나머지와 다른 하나는?**

① ㅎ ② ㅌ ③ ㅊ ④ ㅋ ⑤ ㅍ

[개념 56]
06 자음의 창제 원리에 관한 설명으로 옳은 것을 모두 고르면?

ㄱ. 'ㄱ'은 어금닛소리이다.
ㄴ. 'ㅁ'에 두 획을 더한 글자는 'ㅍ'이다.
ㄷ. 'ㅈ'은 입의 모양을 본뜬 기본 글자에 획을 추가한 것이다.
ㄹ. 'ㆁ'은 이체자로 현대에서는 쓰이고 있지 않은 자음이다.

① ㄱ, ㄴ ② ㄱ, ㄹ ③ ㄱ, ㄴ, ㄹ
④ ㄱ, ㄷ, ㄹ ⑤ ㄴ, ㄷ, ㄹ

참고해 봐!
훈민정음의 자음의 가운데 'ㆁ, ㅿ, ㆆ'은 현재는 사용하지 않는 글자이다.

[개념 57]
07 모음의 창제 원리를 바르게 설명한 것은?

① 'ㅣ'는 하늘의 둥근 모양을 본떠 만들었다.
② 'ㆍ'은 땅의 평평한 모습을 본떠 만들었다.
③ 'ㅡ'는 사람이 기대있는 모습을 본떠 만들었다.
④ 하늘, 땅 , 사람의 모습을 합쳐서 기본자를 만들었다.
⑤ 모음의 기본자를 합쳐서 글자를 만드는 합성의 원리가 적용되었다.

[개념 57] 고난도
08 [보기]에 제시된 모음의 창제 원리에 대한 설명으로 알맞은 것은?

보기
ㆍ, ㅡ, ㅣ, ㅗ, ㅜ, ㅏ, ㅓ, ㅛ, ㅠ, ㅑ, ㅕ

① 'ㅣ, ㅗ, ㅜ, ㅏ'는 기본자를 결합하여 만들었다.
② 'ㅛ, ㅠ, ㅑ, ㅕ'는 기본자와 초출자를 결합하여 만들었다.
③ 'ㅗ, ㅜ, ㅏ'는 가획의 원리에 의해 기본자에 획을 더해 만들었다.
④ 'ㅓ'는 기본자를 서로 결합하는 이체의 원리로 만들었다.
⑤ 'ㅏ, ㅓ, ㅛ, ㅠ'는 기본자와 초출자를 결합하여 만들었다.

[개념 56~57] 고난도
09 ㉠과 ㉡을 결합하여 만든 글자로 적절한 것은?

자음의 기본자는 발음 기관의 모양을 본떠서 만든 것으로 어금닛소리, 혓소리, 입술소리, ㉠잇소리, 목구멍소리가 있다. 모음의 기본자는 만물의 기본 요소인 하늘의 둥근 모습, ㉡땅의 평평한 모습, 사람이 서 있는 모습을 본떠 만든 것이다.

① 즈 ② 흐 ③ 치 ④ 조 ⑤ 파

Break Time

'행복'은
언제나
우리 곁에 있지만...
kimyh@hani.co.kr
'감사'하는 마음이 없으면 작은 행복조차 느끼지 못한다...

10분 Review 테스트

제1회~제16회

10분 Review 테스트

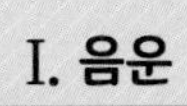

[01~04] **다음 설명이 맞으면 O표, 틀리면 X표 하시오.**

01 사람들은 동일한 단어를 서로 다른 음성으로 발음한다. ( )

02 음운은 말의 뜻을 구별해 주는 구체적이고 물리적인 말소리이다. ( )

03 음절은 한 번에 발음할 수 있는 말소리의 최소 단위로, 모음이 있어야 구성된다. ( )

04 모음은 발음할 때 공기의 흐름에 장애를 받으면서 나오는 소리이다. ( )

[05~08] **[보기]와 같이 단어의 음운을 분석하시오.**

보기

물 → ㅁ, ㅜ, ㄹ

05 공 → ______

06 해 → ______

07 노래 → ______

08 공책 → ______

[09~14] **다음 단어에 사용된 모음이 단모음이면 '단', 이중 모음이면 '이중'이라고 쓰시오.**

09 돌 – ( )

10 춤 – ( )

11 왕 – ( )

12 게 – ( )

13 귀 – ( )

14 용 – ( )

[15~17] 다음 빈칸에 알맞은 말을 쓰시오.

15 □□□□은 혀의 앞쪽에서 발음되는 모음을 가리킨다.

16 입술의 모양을 둥글게 하여 발음하는 모음을 □□□□이라고 한다.

17 발음할 때 혀의 높이가 높은 모음을 □□□, 낮은 모음을 □□□이라고 한다.

[18~20] 다음 모음들의 종류를 찾아 알맞게 연결하시오.

18 ㅣ, ㅟ, ㅡ, ㅜ •　　　　• ㉠ 고모음

19 ㅔ, ㅚ, ㅓ, ㅗ •　　　　• ㉡ 원순 모음

20 ㅟ, ㅚ, ㅜ, ㅗ •　　　　• ㉢ 중모음

몇 문제 맞혔나요?(　　　) / 20문항

맞힌 개수	17개 이상	11~16개	10개 이하
결과	다음 회로 넘어가도 되겠어요!	이번 회 한 번만 더 읽고 갈까요?	복습하고 넘어가야겠어요.

제2회 10분 Review 테스트

[01~04] 다음 설명이 맞으면 O표, 틀리면 X표 하시오.

01 국어에서 말의 뜻은 자음과 모음의 차이에 의해서만 구별된다. (　　　)

02 소리의 길이는 말의 뜻을 구별해 주는 역할을 한다. (　　　)

03 같은 음운으로 이루어진 동일한 단어도 서로 뜻이 다른 경우가 있다. (　　　)

04 이중 모음은 발음할 때 입술의 모양이나 혀의 위치가 바뀌지 않는 모음을 가리킨다. (　　　)

[05~07] 다음 빈칸에 알맞은 말을 쓰시오.

05 단모음 중 입술 모양이 자연스럽게 펴진 상태에서 발음되는 것은 모두 □ 개이다.

06 혀의 앞뒤 위치를 기준으로 할 때 모음 'ㅣ'는 모음 'ㅏ'에 비해 □ 쪽에서 소리 난다.

07 모음 'ㅟ'를 발음할 때의 혀의 높이는 모음 'ㅚ'를 발음할 때의 혀의 높이보다 더 □□.

[08~13] [보기]와 같이 (　　) 안에 알맞은 모음의 종류를 고르시오.

보기

ㅣ - (전설 모음 / 후설 모음)

08 ㅜ - (전설 모음 / 후설 모음)

09 ㅟ - (전설 모음 / 후설 모음)

10 ㅗ - (평순 모음 / 원순 모음)

11 ㅔ - (평순 모음 / 원순 모음)

12 ㅚ - (고모음 / 중모음 / 저모음)

13 ㅐ - (고모음 / 중모음 / 저모음)

정답 및 해설 32쪽

[14~16] **다음 모음들의 종류를 찾아 알맞게 연결하시오.**

14 ㅡ, ㅓ, ㅏ, ㅜ, ㅗ • • ㉠ 평순 모음

15 ㅣ, ㅔ, ㅐ, ㅟ, ㅚ • • ㉡ 전설 모음

16 ㅣ, ㅔ, ㅐ, ㅡ, ㅓ, ㅏ • • ㉢ 후설 모음

[17~20] **다음 조건을 만족하는 모음을 [보기]에서 찾아 쓰시오.**

보기

ㅏ, ㅓ, ㅔ, ㅗ, ㅜ, ㅚ, ㅣ

17 고모음+평순 모음 ( )

18 저모음+후설 모음 ( )

19 원순 모음+전설 모음 ( )

20 평순 모음+전설 모음+중모음 ( )

몇 문제 맞혔나요? ( ) / 20문항

맞힌 개수	17개 이상	11~16개	10개 이하
결과	다음 회로 넘어가도 되겠어요!	이번 회 한 번만 더 읽고 갈까요?	복습하고 넘어가야겠어요.

10분 Review 테스트

[01~05] 다음 설명이 맞으면 O표, 틀리면 X표 하시오.

01 자음은 공기의 흐름에 장애를 받고 나오는 소리로, 국어에는 19개가 있다. (　　　)

02 모든 자음은 목청(성대)의 울림이 없이 발음된다. (　　　)

03 자음은 발음할 때 혀의 높낮이와 혀의 앞뒤 위치 등에 따라 나뉜다. (　　　)

04 자음은 소리 나는 위치에 따라 입술소리, 잇몸소리, 센입천장소리 등으로 나뉜다. (　　　)

05 자음에는 발음할 때 공기가 입안을 통과하는 것과 콧속을 통과하는 것이 있다. (　　　)

[06~08] (　　) 안에 알맞은 자음의 종류를 고르시오.

06 ㄱ - (파열음 / 마찰음)

07 ㅌ - (된소리 / 거센소리)

08 ㅅ - (센입천장소리 / 잇몸소리)

[09~12] 다음 빈칸에 알맞은 말을 쓰시오.

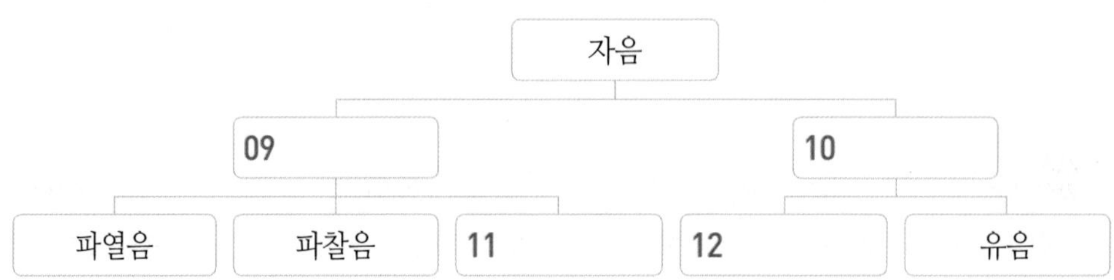

[13~18] **다음 설명에 해당하는 자음을 [보기]에서 모두 찾아 쓰시오.**

보기
ㄱ, ㄲ, ㄴ, ㄹ, ㅁ, ㅂ, ㅃ, ㅇ, ㅈ, ㅉ, ㅊ, ㅋ, ㅍ

13 목청을 울리면서 소리 나는 자음 ………………………………………………… (　　　　　)

14 두 입술 사이에서 소리 나는 자음 ………………………………………………… (　　　　　)

15 여린입천장과 혀의 뒷부분 사이에서 소리 나는 자음 ………………………… (　　　　　)

16 예사소리와 된소리에 비해 격하고 거센 느낌을 주는 자음 …………………… (　　　　　)

17 입안의 통로를 막고 코로 공기를 내보내면서 소리 내는 자음 ……………… (　　　　　)

18 공기의 흐름을 막았다가 서서히 터뜨리면서 마찰시켜 소리 내는 자음 …… (　　　　　)

몇 문제 맞혔나요? (　　　) / 18문항

맞힌 개수	15개 이상	10~14개	9개 이하
결과	다음 회로 넘어가도 되겠어요!	이번 회 한 번만 더 읽고 갈까요?	복습하고 넘어가야겠어요.

10분 Review 테스트

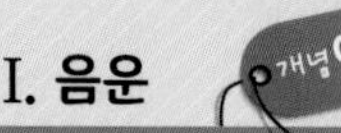

[01~05] 다음 빈칸에 알맞은 말을 쓰시오.

01 목청을 울리지 않고 소리 나는 자음을 □□□□□라고 한다.

02 잇몸소리는 윗잇몸과 □□이 닿아서 소리 나는 자음을 가리킨다.

03 센입천장소리는 센입천장과 □□□ 사이에서 소리 나는 자음을 가리킨다.

04 예사소리, 된소리, 거센소리는 자음을 소리의 □□에 따라 분류한 것이다.

05 □□□은 공기의 흐름을 막았다가 터뜨리면서 소리 내는 자음을 가리킨다.

[06~08] (　　) 안에 알맞은 자음의 종류를 고르시오.

06 ㅎ - (파찰음 / 마찰음)

07 ㅇ - (울림소리 / 안울림소리)

08 ㅍ - (입술소리 / 여린입천장소리)

[09~14] 다음 자음들의 종류를 찾아 알맞게 연결하시오.

09 ㄱ, ㅅ, ㅈ •　　• ㉠ 파열음

10 ㅃ, ㅆ, ㅉ •　　• ㉡ 마찰음

11 ㄴ, ㄷ, ㄸ •　　• ㉢ 된소리

12 ㅂ, ㄸ, ㅋ •　　• ㉣ 예사소리

13 ㅅ, ㅆ, ㅎ •　　• ㉤ 잇몸소리

14 ㅈ, ㅉ, ㅊ •　　• ㉥ 센입천장소리

[15~22] **다음 조건을 모두 충족하는 자음을 빈칸에 쓰시오.**

15 된소리 + 파찰음 = (　　　)

16 입술소리 + 비음 = (　　　)

17 센입천장소리 + 거센소리 = (　　　)

18 마찰음 + 목청소리 = (　　　)

19 울림소리 + 잇몸소리 = (　　　)

20 파열음 + 여린입천장소리 = (　　　)

21 파열음 + 예사소리 + 입술소리 = (　　　)

22 안울림소리 + 잇몸소리 + 파열음 = (　　　)

몇 문제 맞혔나요? (　　　) / 22문항

맞힌 개수	20개 이상	12~19개	11개 이하
결과	다음 회로 넘어가도 되겠어요!	이번 회 한 번만 더 읽고 갈까요?	복습하고 넘어가야겠어요.

제5회 10분 Review 테스트

[01~04] **다음 빈칸에 들어가기에 알맞은 말을 [보기]에서 찾아 쓰시오.**

보기

품사, 관계언, 의미, 기능, 용언

01 ☐☐은/는 단어를 성질이 공통된 것끼리 모아 분류한 갈래이다.

02 품사를 분류하는 기준에는 형태, ☐☐, 의미가 있다.

03 우리말에서 단어는 문장에서 어떤 공통적인 ☐☐을/를 나타내는지에 따라 9개의 품사로 나뉜다.

04 단어는 문장에서 어떤 기능을 하는지에 따라 체언, ☐☐☐, ☐☐, 수식언, 독립언으로 나뉜다.

[05~13] **다음 설명에 해당하는 품사를 찾아 알맞게 연결하시오.**

05	체언을 꾸며 주는 단어 •	• ㉠ 명사
06	주로 용언을 꾸며 주는 단어 •	• ㉡ 대명사
07	수량이나 순서를 나타내는 단어 •	• ㉢ 수사
08	사람이나 사물의 움직임을 나타내는 단어 •	• ㉣ 조사
09	사람이나 사물의 상태나 성질을 나타내는 단어 •	• ㉤ 동사
10	사람, 사물, 장소의 이름을 대신하여 가리키는 단어 •	• ㉥ 형용사
11	구체적인 대상, 추상적인 대상의 이름을 나타내는 단어 •	• ㉦ 관형사
12	말하는 사람의 놀람, 느낌, 부름, 대답 등을 나타내는 단어 •	• ㉧ 부사
13	다른 말과의 문법적 관계를 나타내거나 특별한 뜻을 더하는 단어 •	• ㉨ 감탄사

[14~16] **다음 설명이 맞으면 O표, 틀리면 X표 하시오.**

14 체언은 반드시 조사와 결합하여서만 쓰인다. (   )

15 대명사와 수사에 비해 명사는 앞말의 꾸밈을 자유롭게 받을 수 있다. (   )

16 모든 관계언은 문장에서 쓰일 때 형태가 변하지 않는다. (   )

[17~25] **[보기]에서 다음 단어들의 품사를 골라 쓰시오.**

보기
명사 대명사 수사 조사 동사 형용사 관형사 부사 감탄사

17 을, 만, 도, 까지 ( )
18 헌, 옛, 모든, 무슨 ( )
19 공, 연필, 평화, 사랑 ( )
20 하나, 둘, 첫째, 둘째 ( )
21 놀다, 가다, 뛰다, 먹다 ( )
22 여기, 저기, 그것, 우리 ( )
23 곱다, 맑다, 작다, 예쁘다 ( )
24 매우, 많이, 아주, 열심히 ( )
25 우아, 어머나, 아이쿠, 여보세요 ( )

몇 문제 맞혔나요? ( ) / 25문항

맞힌 개수	20개 이상	13~19개	12개 이하
결과	다음 회로 넘어가도 되겠어요!	이번 회 한 번만 더 읽고 갈까요?	복습하고 넘어가야겠어요.

제6회 10분 Review 테스트

[01~03] 다음 빈칸에 들어가기에 알맞은 말을 [보기]에서 찾아 쓰시오.

보기

수식언, 수사, 감탄사, 대명사

01 ☐☐☐은 문장에서 다른 말을 꾸며 주는 역할을 한다.

02 문장에서 주로 주체의 역할을 하는 체언에는 명사, ☐☐☐, ☐☐가 있다.

03 ☐☐☐는 문장에서 다른 단어와 관계를 맺지 않고 독립적으로 쓰이는 독립언이다.

[04~08] 다음 설명이 맞으면 O표, 틀리면 X표 하시오.

04 조사는 홀로 쓰일 수 없고 주로 체언 뒤에 붙어서 쓰인다. (　　)

05 문장에서 동작이나 상태의 주체, 동작의 대상 등이 되는 단어를 용언이라고 한다. (　　)

06 용언은 문장에서의 쓰임에 따라 형태가 변하기도 한다. (　　)

07 부사는 체언을, 관형사는 주로 용언을 꾸며 준다. (　　)

08 관형사와 부사는 모두 조사와 결합해서만 쓰인다. (　　)

[09~11] 다음 문장의 괄호 안에 들어갈 단어를 [보기]에서 모두 골라 그 품사를 쓰시오.

보기

모든　그녀　께서　청소한다　앗　푸르다　저
나　을　공부한다　어머나　빨리　맑다　조용히

09 상희가 열심히 ________.

→ 괄호 안에 들어갈 단어는 (　　　,　　　)이고, 그 품사는 (　　　)이다.

10 ________ 꽃이 마음에 든다.

→ 괄호 안에 들어갈 단어는 (　　　,　　　)이고, 그 품사는 (　　　)이다.

11 가을 하늘이 매우 ________.

→ 괄호 안에 들어갈 단어는 (　　　,　　　)이고, 그 품사는 (　　　)이다.

[12~13] 다음 문장에서 체언을 모두 찾아 밑줄을 긋고, 각각의 품사를 쓰시오.

12 우리는 선생님께 질문했다.

13 오늘은 학생 다섯이 지각을 했다.

[14~15] 다음 문장에 쓰인 관계언의 총 개수를 쓰시오.

14 하늘에 구름이 둥둥 떠다닌다. ( )개

15 친구들이 그에게 선물을 주었다. ( )개

[16~20] 다음 문장에서 밑줄 친 조사의 역할을 찾아 알맞게 연결하시오.

16 수지가 수영을 한다. •

17 철수도 노래를 부른다. •

18 내일 서점에서 만나자. •

19 저것은 어머니의 책이다. •

20 너만 그것을 가져오지 않았어. •

• ㉠ 다른 말과의 문법적인 관계를 나타냄.

• ㉡ 앞말에 특별한 뜻을 더해 줌.

[21~22] 다음 문장에서 관형사에는 O표, 부사에는 △표 하시오.

21 새 옷을 입으니 기분이 무척 좋다.

22 햇빛이 너무 강해서 눈이 정말 부시다.

[23~25] 다음 문장에서 밑줄 친 단어들의 쓰임을 비교하여 각각의 품사를 쓰시오.

23
- ㉠ 흰 옷을 버리지 마라. ( )
- ㉡ 헌 옷을 버리지 마라. ( )

24
- ㉠ 그는 매우 빨리 걷는다. ( )
- ㉡ 그는 걸음이 매우 빨라. ( )

25
- ㉠ 그는 고향을 그리워한다. ( )
- ㉡ 그 사람은 고향을 그리워한다. ( )

몇 문제 맞혔나요? ( ) / 25문항

맞힌 개수	20개 이상	13~19개	12개 이하
결과	다음 회로 넘어가도 되겠어요!	이번 회 한 번만 더 읽고 갈까요?	복습하고 넘어가야겠어요.

10분 Review 테스트

[01~04] 다음 문장의 괄호 안에 들어갈 단어를 [보기]에서 모두 골라 그 품사를 쓰시오.

보기

모든 그녀 께서 청소한다 앗 푸르다 저
나 을 공부한다 어머나 빨리 맑다 조용히

01 내 동생은 책을 ________ 읽는다.

→ 괄호 안에 들어갈 단어는 (,)이고, 그 품사는 ( )이다.

02 ________, 벌써 집에 갈 시간이야!

→ 괄호 안에 들어갈 단어는 (,)이고, 그 품사는 ( )이다.

03 ________은/는 도화지에 그림을 그렸다.

→ 괄호 안에 들어갈 단어는 (,)이고, 그 품사는 ( )이다.

04 할아버지________ 산책________ 가신다.

→ 괄호 안에 들어갈 단어는 (,)이고, 그 품사는 ( )이다.

[05~07] 다음 문장에서 체언을 모두 찾아 밑줄을 긋고, 각각의 품사를 쓰시오.

05 민수가 올 때까지 여기에서 기다리자.

06 당신 옆에 있는 그것을 나에게 파시오.

07 그는 항상 첫째가 되기 위해 노력을 했다.

[08~10] 다음 문장에 쓰인 관계언의 총 개수를 쓰시오.

08 순희만 집으로 가고 우리는 학교에 남았다. ………………………………………… ( )개

09 우리는 비를 피하려고 처마 밑으로 뛰어들었다. ………………………………… ( )개

10 학교에서 공원까지 가는 가장 빠른 방법은 버스를 타는 것이다. ……………… ( )개

[11~13] 다음 문장에서 관형사에는 O표, 부사에는 △표 하시오.

11 그 꽃은 며칠만 더 기다리면 필 것이다.

12 이 빌딩은 서울에서 가장 높은 건물이다.

13 헌 옷을 깨끗이 빨아서 햇볕에 바싹 말렸다.

[14~17] 다음 문장에서 밑줄 친 단어들의 품사를 순서대로 쓰시오.

14 세월은 흐르는 강물과도 같다. ………… (　　　,　　　)

15 화단에 노란 꽃이 활짝 피었다. ………… (　　　,　　　)

16 아이들은 조용한데, 어른들은 떠든다. ………… (　　　,　　　)

17 학생들이 없는 교실은 너무나 고요했다. ………… (　　　,　　　)

[18~22] 다음 문장에서 밑줄 친 단어들의 품사를 찾아 알맞게 연결하시오.

18 네가 우리를 살렸어. • 　　　• ㉠ 체언

19 이 옷이 마음에 꼭 들어. • 　　　• ㉡ 용언

20 그는 매일 사과 하나를 먹는다. • 　　　• ㉢ 수식언

21 그녀가 입고 있는 옷이 아름답다. • 　　　• ㉣ 관계언

22 어머나, 벌써 꽃이 피었네. • 　　　• ㉤ 독립언

[23~25] 다음 문장에서 밑줄 친 단어들의 쓰임을 비교하여 각각의 품사를 쓰시오.

23
- ㉠ 학생 둘이 함께 걸어간다. ………… (　　　)
- ㉡ 두 학생이 함께 걸어간다. ………… (　　　)

24
- ㉠ 온갖 꽃이 활짝 피었다. ………… (　　　)
- ㉡ 과연 그는 부지런한 학생이다. ………… (　　　)

25
- ㉠ 앗, 너무 시간이 늦었어. ………… (　　　)
- ㉡ 청춘, 이는 얼마나 가슴 설레는 말인가. ………… (　　　)

몇 문제 맞혔나요?(　　　) / 25문항

맞힌 개수	20개 이상	13~19개	12개 이하
결과	다음 회로 넘어가도 되겠어요!	이번 회 한 번만 더 읽고 갈까요?	복습하고 넘어가야겠어요.

제8회 10분 Review 테스트

[01~03] 다음 설명이 맞으면 O표, 틀리면 X표 하시오.

01 고유어는 우리 민족이 오래 전부터 써 온 순우리말이다. (　　)

02 한자어는 우리말을 바탕으로 새롭게 만들어진 말이다. (　　)

03 외래어는 외국에서 들어와 우리말에 뿌리를 내린 어휘이다. (　　)

[04~06] 다음 빈칸에 들어가기에 알맞은 말을 [보기]에서 찾아 쓰시오.

보기
한자어, 외래어, 지역, 사회

04 우리말 어휘는 어원에 따라 고유어, 한자어, □□□로 나눌 수 있다.

05 우리말 어휘는 양상에 따라 □□ 방언, □□ 방언으로 나눌 수 있다.

06 '고치다'는 문맥에 따라 '수리하다, 수정하다, 수선하다, 치료하다' 등으로 바꿔 쓸 수 있다. 이를 고려하면 □□□가 고유어에 비해 좀 더 정확하고 세분화된 의미를 가지고 있음을 알 수 있다.

[07~12] 각 단어의 묶음과 그 단어의 묶음이 해당하는 어휘를 찾아 알맞게 연결하시오.

07 빵, 고무, 샤부샤부 •

08 감기, 편지, 사과 •

09 그네, 씨름, 파랗다 •

10 친구, 공원, 운동화 •

11 재킷, 라켓, 텔레비전 •

12 잔디, 길잡이, 할아버지 •

• ㉠ 고유어

• ㉡ 한자어

• ㉢ 외래어

[13~15] **다음 괄호 안에 들어가기에 알맞은 말을 고르시오.**

13 (지역 방언 / 사회 방언)을 쓰면 그 지역 사람들의 정서와 생활 등을 효과적으로 나타낼 수 있다.

14 청소년들은 같은 (지역 방언 / 사회 방언)을 사용함으로써 친근감을 느끼기도 한다.

15 (지역 방언 / 사회 방언)을 사용하면 동일한 세대나 전문 분야에 속한 사람들 사이에서 의사소통의 효율성을 높일 수 있다.

몇 문제 맞혔나요? (　　　) / 15문항

맞힌 개수	13개 이상	11~12개	10개 이하
결과	다음 회로 넘어가도 되겠어요!	이번 회 한 번만 더 읽고 갈까요?	복습하고 넘어가야겠어요.

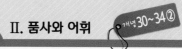

제9회 10분 Review 테스트

[01~03] **다음 설명이 맞으면 O표, 틀리면 X표 하시오.**

01 고유어는 한자어에 비해 전문적인 개념이나 추상적인 의미를 표현하는 어휘가 많다. (　　　)

02 사회 방언은 연령, 성별, 직업 등과 같은 사회적 요인에 따라 달라진 말이다. (　　　)

03 지역 방언은 산, 강에 의한 지역 구분 등 지역적 요인에 따라 달라진 말이다. (　　　)

[04~06] **다음 빈칸에 들어가기에 알맞은 말을 [보기]에서 찾아 쓰시오.**

보 기

고유어, 외래어, 지역 방언, 사회 방언

04 한자어나 □□□를 지나치게 많이 사용하면 의사소통에 어려움을 줄 수 있으므로, 필요한 경우에만 적절히 사용해야 한다.

05 □□ □□은 동일한 지역 사람들 간의 대화에서 사용하면 같은 지역 사람들끼리 친밀감을 높일 수 있다는 장점이 있다.

06 □□ □□은 크게 청소년층과 노년층 등 세대에 따라 달라지는 어휘와 전문 분야에 따라 달라지는 어휘로 나눌 수 있다.

[07~12] **[보기]에서 다음 설명에 해당하는 어휘의 종류를 찾아 그 기호를 쓰시오.**

보 기

㉠ 고유어　　㉡ 한자어　　㉢ 외래어

07 고유어로 대체하여 사용하기 어려운 경우가 많은 편이다. ························ (　　　)

08 일상생활에서 자주 사용되는 기본적인 어휘가 많은 편이다. ························ (　　　)

09 한자를 바탕으로 하여 만들어진 어휘로, 우리말에서의 비중이 가장 크다. ·········· (　　　)

10 우리 민족 특유의 문화나 전통, 생활, 정서 등을 효과적으로 표현할 수 있다. ······ (　　　)

11 중국이나 일본에서 들어온 말도 있지만, 우리가 스스로 만들어 낸 말도 있다. ···· (　　　)

12 서양의 문물이 들어오면서 그것을 가리키는 말이 함께 들어온 경우가 많다. ······ (　　　)

[13~15] **[보기]의 밑줄 친 어휘와 관련된 방언에 대한 설명으로 맞으면 O표, 틀리면 X표 하시오.**

보기

관광객: 안녕하세요? 뭘 잡으셨어요?
제주도 해녀: 구젱기(소라)랑 물꾸럭(문어) 좀 잡았수다(잡았습니다).
관광객: 뭘 잡으셨다고요?
제주도 해녀: 귀가 왁왁하우꽈(어둡습니까)?

13 해당 지역에서 오랫동안 전해 내려온 전통과 풍습을 깊이 이해하는 데 도움을 준다. (　　)

14 각 지역의 다양한 문화를 하나로 통일해 주기 때문에 하나의 문화를 다음 세대에 온전히 물려 줄 수 있다. (　　)

15 다른 지역 사람들과 의사소통을 할 때 쓰면 말하고자 하는 내용을 효과적으로 전달할 수 있다. (　　)

몇 문제 맞혔나요? (　　) / 15문항

맞힌 개수	13개 이상	11~12개	10개 이하
결과	다음 회로 넘어가도 되겠어요!	이번 회 한 번만 더 읽고 갈까요?	복습하고 넘어가야겠어요.

[01~04] **다음 설명이 맞으면 O표, 틀리면 X표 하시오.**

01 문장의 주어와 서술어는 경우에 따라서 생략도 가능하다. (　　)

02 문장의 주성분에는 주어, 목적어, 부사어, 서술어가 있다. (　　)

03 주어는 문장에서 '누가/무엇이'에 해당하는 부분으로 동작이나 상태, 성질의 주체를 말한다. (　　)

04 서술어는 문장에서 주어의 동작 또는 상태나 성질 등을 풀이하는 기능을 한다. (　　)

[05~08] **다음 문장을 주어부와 서술부로 나누시오.**

05 빠른 말은 벌써 도착했다.

06 오늘 아침 햇살은 매우 강하다.

07 간절한 나의 소원이 이루어졌다.

08 사랑스러운 아이가 해맑게 웃는다.

[09~13] **다음 밑줄 친 말의 문장 성분을 쓰시오.**

09 <u>그</u> 꽃은 매우 아름답다. ………………………… (　　)

10 어린 동생이 열심히 그림을 <u>그린다</u>. ………………………… (　　)

11 부지런한 <u>새가</u> 먹이를 잡는다. ………………………… (　　)

12 <u>귀여운</u> 아이가 방긋 웃는다. ………………………… (　　)

13 어머니께서는 나에게 <u>간식을</u> 해주셨다. ………………………… (　　)

[14~20] 다음 문장의 밑줄 친 부분의 문장 성분을 알맞게 연결하시오.

14 강아지가 꼬리를 흔든다.	•	• ㉠ 주어
15 어머, 아기가 물을 쏟았구나.	•	• ㉡ 서술어
16 영희도 지금 집에 간다.	•	• ㉢ 목적어
17 그는 너를 사랑한다.	•	• ㉣ 보어
18 친구가 나에게 빨리 연락했다.	•	• ㉤ 부사어
19 이제 선호는 어린애가 아니다.	•	• ㉥ 관형어
20 네, 제가 그런 신을 찾아보겠습니다.	•	• ㉦ 독립어

몇 문제 맞혔나요?(　　　　) / 20문항

맞힌 개수	17개 이상	11~16개	10개 이하
결과	다음 회로 넘어가도 되겠어요!	이번 회 한 번만 더 읽고 갈까요?	복습하고 넘어가야겠어요.

제 11 회 10분 Review 테스트

[01~05] 다음 설명이 맞으면 O표, 틀리면 X표 하시오.

01 문장에서 서술어의 동작의 대상이 되는 성분으로 '무엇을/누구를'에 해당하는 것은 목적어이다. (　　)

02 보어는 반드시 특정 서술어 앞에서만 나타난다. (　　)

03 일반적으로 관형어를 생략하면 문장의 기본 의미를 전달하는 데 지장이 있다. (　　)

04 부사어는 품사인 부사가 그대로 부사어가 되거나 체언에 부사를 만드는 조사가 붙어서 만들어지기도 한다. (　　)

05 독립어는 다른 문장 성분과 직접적인 관련을 맺지 않고 독자적으로 쓰이기 때문에 생략이 가능하다. (　　)

[06~10] 다음 밑줄 친 말의 문장 성분을 쓰시오.

06 우리는 자라 새 나라의 <u>기둥이</u> 되겠습니다. ························ (　　　　)

07 나는 점심때 <u>밥만</u> 먹었다. ························ (　　　　)

08 <u>여보세요</u>, 잠시 시간 있으신가요? ························ (　　　　)

09 세월이 <u>빠르게</u> 가는구나. ························ (　　　　)

10 <u>너만</u> 아직도 안 갔니? ························ (　　　　)

[11~14] 다음 밑줄 친 부속 성분이 꾸며 주는 말을 찾아 빈칸에 쓰시오.

11 내가 <u>좋아하는</u> 운동은 축구이다. ························ (　　　　)

12 형주는 노래를 <u>정말</u> 잘 부른다. ························ (　　　　)

13 동생은 <u>심한</u> 장난꾸러기가 아니다. ························ (　　　　)

14 <u>설마</u> 비가 오겠어? ························ (　　　　)

[15~20] **다음 문장의 주성분에는 ○, 부속 성분에는 △, 독립 성분에는 □표 하시오.**

15 할머니께서 즐겁게 텃밭을 가꾸신다.

16 나영이가 운동장에서 선주를 오래 기다린다.

17 어머나, 올챙이가 벌써 큰 개구리가 되었구나.

18 거미는 곤충이 절대 아니다.

19 작은 강아지들이 벌써 눈을 떴다.

20 앗, 곧 갈게요.

몇 문제 맞혔나요?(　　　) / 20문항

맞힌 개수	17개 이상	11~16개	10개 이하
결과	다음 회로 넘어가도 되겠어요!	이번 회 한 번만 더 읽고 갈까요?	복습하고 넘어가야겠어요.

제12회 10분 Review 테스트

[01~03] 다음 설명이 맞으면 O표, 틀리면 X표 하시오.

01 한 문장에 나타나는 주어와 목적어의 개수에 따라 홑문장과 겹문장으로 나눌 수 있다. (　　)

02 이어진문장은 대등하게 이어진 문장과 종속적으로 이어진 문장으로 나눌 수 있다. (　　)

03 안긴문장에는 명사절, 부사절, 서술절, 관형절, 인용절이 있다. (　　)

[04~09] 다음 문장 중 홑문장은 '홑', 겹문장은 '겹'이라고 쓰시오.

04 성희가 자전거를 탄다. ········ (　　)

05 달이 밝아서 마을이 잘 보인다. ········ (　　)

06 지아는 꽃을 심고 종호는 꽃에 물을 준다. ········ (　　)

07 수현이는 문제를 정말 빨리 푸는구나. ········ (　　)

08 바람이 불어 나뭇잎이 떨어진다. ········ (　　)

09 우리는 일이 빨리 끝나기를 기다린다. ········ (　　)

[10~13] 다음 문장 중 앞뒤 문장이 대등하게 연결되었으면 '대등', 종속적으로 연결되었으면 '종속'이라고 쓰시오.

10 지선이는 웃었지만 현수는 울었다. ········ (　　)

11 나는 잠을 자려고 방으로 들어갔다. ········ (　　)

12 우리 반은 여학생이 많고, 옆 반은 남학생이 많다. ········ (　　)

13 국어 공부를 열심히 하면 좋은 결과를 얻을 수 있을 것이다. ········ (　　)

정답 및 해설 34쪽

[14~22] 다음 문장에서 안긴문장에 밑줄을 긋고 절의 종류를 쓰시오.

14 코끼리는 코가 길다. (　　　　)

15 그 배는 충무공이 만든 거북선이다. (　　　　)

16 언니가 "오늘이 그날이다."라고 말했다. (　　　　)

17 주영이는 일단 공기가 잘 통하게 문을 열었다. (　　　　)

18 나는 눈치가 없음을 이제야 알았다. (　　　　)

19 비가 소리도 없이 내린다. (　　　　)

20 그녀는 마음이 아팠다. (　　　　)

21 내가 그 일을 했음이 밝혀졌다. (　　　　)

22 언니는 아빠가 사 주신 연필로 시험을 봤다. (　　　　)

몇 문제 맞혔나요? (　　　　) / 22문항

맞힌 개수	20개 이상	12~19개	11개 이하
결과	다음 회로 넘어가도 되겠어요!	이번 회 한 번만 더 읽고 갈까요?	복습하고 넘어가야겠어요.

제13회 10분 Review 테스트

[01~03] 다음 설명이 맞으면 O표, 틀리면 X표 하시오.

01 명사절은 문장 속에서 주어, 목적어, 서술어의 역할을 한다. (　　)

02 관형절은 문장 안에서 체언을 꾸며 주는 역할을 하는 안긴문장을 말한다. (　　)

03 인용절을 안은 문장은 인용하는 방식에 따라 직접 인용과 간접 인용으로 나뉜다. (　　)

[04~09] 다음 문장 중 홑문장은 '홑', 겹문장은 '겹'이라고 쓰시오.

04 승철이는 발에 땀이 나도록 빨리 뛰었다. ··············· (　　)

05 국화꽃이 마을 동산을 환하게 뒤덮고 있다. ··············· (　　)

06 할머니께서 선영이에게 옛날 이야기를 해 주신다. ··············· (　　)

07 선생님께서는 날씨가 정말 좋다고 말씀하셨다. ··············· (　　)

08 나는 그녀에게 나의 시계를 주었다. ··············· (　　)

09 내가 좋아하던 게임은 이제 전설이 되었다. ··············· (　　)

[10~13] 다음 문장 중 앞뒤 문장이 대등하게 연결되었으면 '대등', 종속적으로 연결되었으면 '종속'이라고 쓰시오.

10 비가 내려서 민호는 우산을 샀다. ··············· (　　)

11 나는 수학을 잘하고 동생은 영어를 잘한다. ··············· (　　)

12 밥을 너무 많이 먹어서 배가 부르다. ··············· (　　)

13 나는 미술 동아리에 지원했지만 지희는 지원하지 않았다. ··············· (　　)

[14~18] **다음 문장과 관련있는 것을 [보기]에서 찾아 그 기호를 쓰시오.**

보 기
㉠ 앞뒤 문장이 원인과 결과의 관계가 됨.
㉡ 앞 문장이 뒤 문장의 조건이 됨.
㉢ 앞 문장이 뒤 문장의 목적이 됨.

14 시간이 다 되어서 나는 일어났다. ………… (   )

15 송호는 쓰레기를 버리려고 교실 뒤로 갔다. ………… (   )

16 내가 동생과 잘 놀아주면 어머니께서 칭찬하신다. ………… (   )

17 나는 열심히 공부하느라 힘들었다. ………… (   )

18 나는 게임을 하려고 숙제를 빨리 끝냈다. ………… (   )

몇 문제 맞혔나요?(   ) / 18문항

맞힌 개수	15개 이상	10~14개	9개 이하
결과	다음 회로 넘어가도 되겠어요!	이번 회 한 번만 더 읽고 갈까요?	복습하고 넘어가야겠어요.

제14회 10분 Review 테스트

[01~05] 다음 설명이 맞으면 O표, 틀리면 X표 하시오.

01 받침에 쓰인 자음 중 실제로 발음되는 것은 7개이다. (　　　)

02 '예, 례' 이외의 'ㅖ'는 [ㅔ]로도 발음한다. (　　　)

03 자음을 첫소리로 가지고 있는 음절의 'ㅢ'는 [ㅔ]로 발음한다. (　　　)

04 받침에 쓰인 'ㅍ'은 단어의 끝이나 자음 앞에서 원래의 소리로 발음한다. (　　　)

05 받침에 쓰인 자음 'ㅎ'은 음운 환경에 따라 탈락되기도 한다. (　　　)

[06~08] 다음 단어의 발음으로 맞는 것을 모두 찾아 √표 하시오.

06 은혜 [은헤] (　　　) [은혜] (　　　)

07 다쳐 [다처] (　　　) [다쳐] (　　　)

08 예술 [에술] (　　　) [예술] (　　　)

[09~13] 다음 밑줄 친 부분의 받침이 어떤 소리로 발음되는지 각각 쓰시오.

09 비옷 한 벌을 구입했다. ······ (　　　)

10 창문을 닦고 있다. ······ (　　　)

11 말을 함부로 내뱉지 마라. ······ (　　　)

12 어미닭과 병아리가 마당을 거닐고 있다. ······ (　　　)

13 앞뒤를 잘 정리하는 사람이 되자. ······ (　　　)

정답 및 해설 34쪽

[14~15] **받침 'ㅎ'에 유의하여 다음 밑줄 친 단어의 올바른 발음을 쓰시오.**

14 노랗게 핀 개나리가 봄을 알린다. (   )

15 그 물고기는 너무 어리니 놓아 주어라. (   )

[16~20] **다음 밑줄 친 부분의 발음을 쓰시오.**

16 낮다 (   )

17 넓적다리 (   )

18 쌓네 (   )

19 옳다 (   )

20 얹고 (   )

몇 문제 맞혔나요? (   ) / 20문항

맞힌 개수	17개 이상	11~16개	10개 이하
결과	다음 회로 넘어가도 되겠어요!	이번 회 한 번만 더 읽고 갈까요?	복습하고 넘어가야겠어요.

10분 Review 테스트

[01~02] 다음 단어의 발음으로 맞는 것을 모두 찾아 √표 하시오.

01 희다 [히다] ( ) [희다] ( )

02 고의 [고의] ( ) [고이] ( )

[03~07] [보기]의 ( ) 안에 들어갈 말을 차례대로 쓰시오.

보기

어말 위치에서 또는 자음으로 시작된 조사나 어미 앞에서 'ㄲ, ㅋ', 'ㅅ, ㅆ, ㅈ, ㅊ, ㅌ' 및 'ㅍ'은 각각 [ㄱ, ㄷ, ㅂ]으로 발음된다. 구체적으로 말하면, 받침 'ㄲ, ㅋ'은 받침 'ㄱ'과 같이 (**03.** [ ])(으)로 발음하고 받침 'ㅅ, ㅆ, ㅈ, ㅊ, ㅌ'은 받침 'ㄷ'과 같이 (**04.** [ ])(으)로 발음하며, 'ㅍ'은 받침 'ㅂ'과 같이 (**05.** [ ])(으)로 발음한다. 받침 'ㄴ, ㄹ, ㅁ, ㅇ'은 변화 없이 본음대로 각각 (**06.** [ ])(으)로 발음한다. 그리하여 우리말의 받침소리로는 (**07.** [ ])만 발음한다.

[08~12] 다음 ( ) 안에 알맞은 자음을 쓰시오.

08 '앉다'의 받침 'ㄵ'은 어말 또는 자음 앞에서 ( )(으)로 발음한다.

09 '젊다'의 받침 'ㄻ'은 어말 또는 자음 앞에서 ( )(으)로 발음한다.

10 '굵게'의 받침 'ㄺ'은 'ㄱ' 앞에서 ( )(으)로 발음한다.

11 '옳소'의 받침 'ㅀ' 중 'ㅎ'은 뒤에 'ㅅ'이 결합하여 'ㅅ'을 ( )(으)로 발음한다.

12 '않는'의 받침 'ㄶ' 은 뒤에 'ㄴ'이 결합하여, ( )만 발음하고 ( )을/를 발음하지 않는다.

[13~15] 다음 밑줄 친 두 단어의 받침이 같은 소리로 나면 '='를, 다른 소리로 나면 '≠'를 하시오.

13 하늘이 맑다. / 하늘은 맑고 바람은 시원하다. (   )

14 땅을 지긋이 밟고 서 있다. / 강아지가 땅을 밟다. (   )

15 솥 한 가득 밥을 지었다. / 보리밭 주변까지 파랗다. (   )

[16~20] 다음 밑줄 친 부분의 발음을 쓰시오.

16 짚고 (   )

17 굵적이다 (   )

18 찧어 (   )

19 밝게 (   )

20 옷값 (   )

몇 문제 맞혔나요? (   ) / 20문항

맞힌 개수	17개 이상	11~16개	10개 이하
결과	다음 회로 넘어가도 되겠어요!	이번 회 한 번만 더 읽고 갈까요?	복습하고 넘어가야겠어요.

10분 Review 테스트

[01~04] 언어의 특성과 이에 대한 설명을 알맞게 연결하시오.

01 자의성 · · ㉠ 인간은 한정된 단어로 무한히 많은 문장을 만들 수 있다.

02 사회성 · · ㉡ 언어의 의미와 말소리 사이에는 필연적인 관계가 없다.

03 역사성 · · ㉢ 시간이 흐름에 따라 따라 언어는 생성 · 소멸 · 변화한다.

04 창조성 · · ㉣ 언어는 사회적 약속이므로 개인이 마음대로 바꿀 수 없다.

[05~08] 다음 예에서 알 수 있는 언어의 특성을 쓰시오.

05 평지보다 높이 솟아 있는 땅의 부분을 우리는 '산'이라고 하지만 미국에서는 'mountain'이라고 한다. .... ( )

06 '학교'라는 한정된 단어로 '나는 학교에 간다.' '학교는 재미있다.' '학교가 너무 멀다.' 등 수많은 문장을 만들 수 있다. .... ( )

07 지구에서 육지를 제외한 부분으로, 짠물이 괴어 하나로 이어진 넓고 큰 부분을 '바다'가 아니라 '푸름'이라고 부르면 아무도 알아듣지 못한다. .... ( )

08 사회가 변함에 따라 '누리꾼, 아파트, 인터넷, 사이버 수사대'와 같이 예전에는 없던 말이 생겨나기도 한다. .... ( )

[09~12] 담화에 관한 설명이 맞으면 O, 틀리면 X표 하시오.

09 담화의 구성 요소는 '말하는 이', '듣는 이', '맥락', '발화'이다. ( )

10 담화의 맥락에는 상황 맥락과 사회 · 문화적 맥락이 있다. ( )

11 사회 · 문화적 맥락이 다르더라도 같은 문장이라면 반드시 같은 의미만 갖는다. ( )

12 원활한 의사소통을 하려면 말하는 사람은 듣는 사람의 상황을 고려해야 한다. ( )

[13~14] 다음 담화에서 의사소통에 문제가 생긴 이유가 무엇인지 빈칸에 알맞은 말을 쓰시오.

13

> 지희: 이모, 여기 메뉴판 좀 주시겠어요?
> 외국인: 오, 이 음식점은 너의 가족이 운영하는 곳이니?
> 지희: 아니, 그게 아니라…….

⇒ 이유: 우리와 외국의 ☐☐적 맥락이 다르기 때문에 의사소통이 원활하게 이루어지지 않았다.

14

(추운 겨울날, 수철이가 창문의 바로 옆에 서 있다.)
소연: 수철아 너무 춥다.
수철: 추워? 그럼 옷을 더 입어.
소연: 아니, 그게 아니라 …….

⇒ 이유: 수철이가 소연이가 말하는 [ ][ ]를 정확히 파악하지 못했기 때문에 의사소통이 원활하게 이루어지지 않았다.

[15~16] 다음 글자를 [보기]와 같이 설명하시오.

보기
기 → 어금니 소리인 'ㄱ'과 사람이 서 있는 모양을 본뜬 'ㅣ'가 결합함.

15 느 → ______________________

16 ᄉᆞ → ______________________

[17~21] [보기]에서 다음 설명과 관련된 자음들을 모두 골라 쓰시오.

보기
ㄱ, ㅋ, ㆁ, ㄴ, ㄷ, ㅌ, ㄹ, ㅁ, ㅂ, ㅍ, ㅅ, ㅈ, ㅊ, ㅿ, ㅇ, ㆆ, ㅎ

17 발음 기관의 모양을 본뜬 기본자 ··········(   )

18 'ㅂ, ㅍ'의 기본자 ················(   ) 19 'ㄴ'에 가획을 한 글자 ····(   )

20 목구멍의 모양을 본뜬 글자 ··(   ) 21 'ㄱ'의 가획자 ··············(   )

[22~25] [보기]에서 다음 글자들의 공통점을 찾아 쓰시오.

보기
가획자 이체자 초출자 재출자

22 ㅋ, ㄷ, ㅂ, ㅈ, ㆆ ·················(   ) 23 ㅗ, ㅏ, ㅜ, ㅓ ················(   )

24 ㆁ, ㄹ, ㅿ ···························(   ) 25 ㅛ, ㅑ, ㅠ, ㅕ ················(   )

몇 문제 맞혔나요? (   ) / 25문항

맞힌 개수	20개 이상	13~19개	12개 이하
결과	다음 회로 넘어가도 되겠어요!	이번 회 한 번만 더 읽고 갈까요?	복습하고 넘어가야겠어요.

숨마 주니어®

중·고 내신 및 수능을 위한

중학 국어

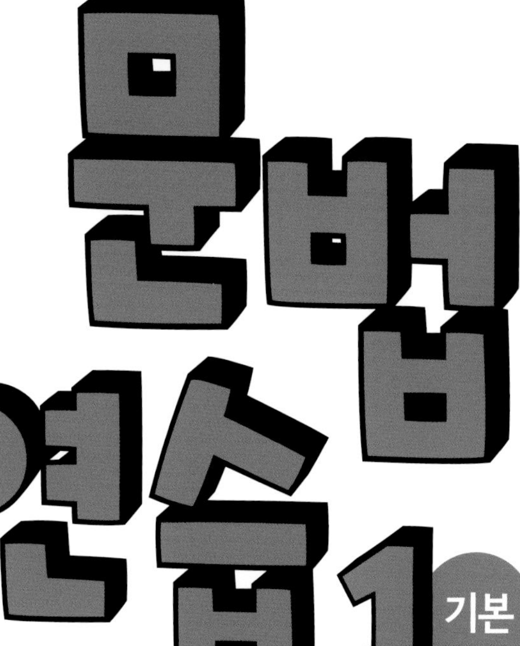

국어 교과서 **문법 필수 개념 57**개 **30**일 완성!

중학 문법=고교 내신·수능까지 연계되는 기초 필수!

음운·품사와 어휘·문장·단어의 발음과 표기
언어의 특성·담화·한글 창제 원리 등 필수 문법

SUB NOTE 정답 및 해설

정답 및 해설

I 음운

1 음운과 음성, 음절의 차이

01 음절 02 음성
03 음운 04 ○
05 × 06 ○

2 음운

01 × 02 ×
03 ○ 04 ○
05 ㅍ 06 ㅁ, ㅓ, ㄱ
07 ㄱ, ㅣ, ㅊ, ㅣ, ㅁ 08 ㅅ, ㅏ, ㄷ, ㅏ, ㄹ, ㅣ

3 단모음, 이중 모음

01 달라지지 않는다 02 다르다
03 달라지지 않는다 04 'ㅗ'
05 ㉠ 06 ㉡
07 ㉡ 08 ㉠
09 ㉠ 10 ㉡
11 ㉠ 12 ㉡

4 단모음의 분류 (1)_고모음, 중모음, 저모음

01 높낮이 02 크게
03 낮아진다 04 저모음
05 중모음 06 고모음
07 ㉢ 08 ㉡
09 ㉠

5 단모음의 분류 (2)_원순 모음, 평순 모음

01 입술 02 원순
03 평순 04 ㉡
05 ㉠ 06 ㉡
07 ㉡ 08 ㉠
09 ㉡ 10 ㉠
11 ㉡ 12 ㉡
13 ㉠

6 단모음의 분류 (3)_전설 모음, 후설 모음

01 × 02 ○
03 ○ 04 다른
05 앞쪽 06 뒤쪽
07 ㅐ, ㅔ, ㅚ, ㅟ, ㅣ 08 ㅏ, ㅓ, ㅗ, ㅜ, ㅡ

7 단모음 체계표

01 전설 모음, 평순 모음, 중모음
02 후설 모음, 평순 모음, 고모음
03 후설 모음, 원순 모음, 고모음
04 전설 모음, 평순 모음, 저모음
05 후설 모음, 평순 모음, 저모음
06 ㅔ, ㅚ, ㅓ, ㅗ
07 ㅟ, ㅚ 08 ㅓ, ㅗ
09 ㅣ 10 ㅏ

8 소리의 길이

01 ○ 02 ×
03 ○ 04 ㉡
05 ㉠ 06 ㉠
07 ㉠ 08 ㉡

개념 1~8 실력 완성하기

01 ② 02 ⑤ 03 ② 04 ⑤ 05 ⑤
06 ① 07 ④ 08 ② 09 ③ 10 ④
11 ③ 12 ② 13 ⑤ 14 ④ 15 ③

01 ②

정답 풀이

음운은 말의 뜻을 구별해 주는 소리의 가장 작은 단위로, 대표적인 음운으로는 모음, 자음이 있다. 이 외에 소리의 길이도 음운의 역할을 수행한다. 즉 모음을 발음할 때 소리의 길고 짧음에 따라 의미가 달라지기도 한다.

오답 풀이

① 한 번에 발음할 수 있는 말소리의 가장 작은 단위는 음절이다.

③ 사람의 발음 기관을 통해 나오는 구체적이고 물리적인 말소리는 음성이다. 사람마다 동일한 단어를 서로 다른 음성으로 발음하므로, 음성은 사람의 발음에 따라 차이가 나타난다고 할 수 있다.
④ 음운은 말의 뜻을 구별해 주는 소리의 가장 작은 단위이다.
⑤ 음운은 사람들의 머릿속에 같은 소리로 인식되는 추상적인 말소리이다.

[국어의 음운]
음운에는 모음과 자음, 소리의 길이 외에도 소리의 높낮이, 강세(세기) 등이 존재하지만, 국어에서는 모음, 자음, 소리의 길이만을 음운으로 인정한다.

02 ⑤

정답 풀이

'외할아버지'는 '[외], [하], [라], [버], [지]'라는 5개의 음절로 이루어져 있다.

오답 풀이

① '힘'은 '[힘]'이라는 1개의 음절로 이루어져 있다.
② '머리'는 '[머], [리]'라는 2개의 음절로 이루어져 있다.
③ '고구마'는 '[고], [구], [마]'라는 3개의 음절로 이루어져 있다.
④ '시나브로'는 '[시], [나], [브], [로]'라는 4개의 음절로 이루어져 있다.

03 ②

정답 풀이

'호'는 자음 'ㅎ'과 모음 'ㅗ' 2개의 음운으로 이루어진 단어이다.

오답 풀이

① '가'는 자음 'ㄱ'과 모음 'ㅏ' 2개의 음운으로 이루어진 단어이다.
③ '장'은 자음 'ㅈ'과 모음 'ㅏ', 자음 'ㅇ' 3개의 음운으로 이루어진 단어이다.
④ '활'은 자음 'ㅎ'과 모음 'ㅘ', 자음 'ㄹ' 3개의 음운으로 이루어진 단어이다.
⑤ '벽'은 자음 'ㅂ'과 모음 'ㅕ', 자음 'ㄱ' 3개의 음운으로 이루어진 단어이다.

04 ⑤

정답 풀이

모음 중 단모음은 혀의 높낮이에 따라 고모음, 중모음, 저모음으로 나뉘는데, 발음할 때 고모음은 입이 작게 벌어지고 저모음은 입이 크게 벌어진다.

오답 풀이

① 단모음은 발음하는 도중에 혀의 위치나 입술 모양이 변하지 않는다.
② 모음은 자음과 달리 공기의 흐름이 발음 기관의 장애를 받지 않고 나오는 소리이다.
③ 이중 모음은 발음하는 도중에 혀의 위치나 입술 모양이 변한다.
④ 단모음은 발음할 때 혀의 위치가 앞에 있는지 뒤에 있는지에 따라 전설 모음과 후설 모음으로 나뉘고, 입술 모양이 둥근지 평평한지에 따라 원순 모음과 평순 모음으로 나뉘며, 혀의 높이가 높은지 중간쯤인지 낮은지에 따라 고모음, 중모음, 저모음으로 나뉜다.

[모음의 종류]
① 단모음: 소리 내는 도중에 혀의 위치나 입술 모양의 변화가 일어나지 않는 모음.
→ ㅏ, ㅐ, ㅓ, ㅔ, ㅗ, ㅚ, ㅜ, ㅟ, ㅡ, ㅣ(10개)
• 혀의 앞뒤 위치에 따라 '전설 모음, 후설 모음'으로 나뉨.
• 입술 모양에 따라 '원순 모음, 평순 모음'으로 나뉨.
• 혀의 높낮이에 따라 '고모음, 중모음, 저모음'으로 나뉨.
② 이중 모음: 소리 내는 도중에 혀의 위치나 입술 모양의 변화가 일어나는 모음.
→ ㅑ, ㅒ, ㅕ, ㅖ, ㅘ, ㅙ, ㅛ, ㅝ, ㅞ, ㅠ, ㅢ(11개)

05 ⑤

정답 풀이

'별무리'에는 모음 'ㅕ, ㅜ, ㅣ'가 사용되었는데, 'ㅕ'는 소리 내는 도중에 혀의 위치나 입술 모양이 달라지는 이중 모음이다.

오답 풀이

① '볼'에는 단모음 'ㅗ'가 사용되었다.
② '지위'에는 단모음 'ㅣ, ㅟ'가 사용되었다.
③ '텃새'에는 단모음 'ㅓ, ㅐ'가 사용되었다.
④ '외조부'에는 단모음 'ㅚ, ㅗ, ㅜ'가 사용되었다.

06 ①

정답 풀이

혀가 높은 곳에 있을 때 소리 나는 모음을 고모음이라 하는데, 'ㅣ, ㅟ, ㅡ, ㅜ'가 고모음에 속한다.

오답 풀이

②, ③, ④ 'ㅓ, ㅗ, ㅚ'는 모두 혀가 중간 높이에 있을 때 소리 나는 중모음이다.
⑤ 'ㅏ'는 혀가 낮은 곳에 있을 때 소리 나는 저모음이다.

07 ④

정답 풀이

단모음은 혀의 높낮이에 따라 고모음, 중모음, 저모음으로 나뉘는데, [보기]의 'ㅡ → ㅓ → ㅏ'는 '고모음 → 중모음 → 저모음'의 순서로 배열되어 혀의 높낮이가 점점 낮아지는 변화를 보인다. ④의 'ㅣ→ ㅔ → ㅐ'도 '고모음 → 중모음 → 저모음'의 순서로 배열되어 혀의 높낮이가 점점 낮아지는 변화를 보인다.

오답 풀이

①, ② 'ㅟ → ㅚ → ㅣ'와 'ㅜ → ㅗ → ㅟ'는 '고모음 → 중모음 → 고모음'의 순서로 배열되어 혀의 높낮이가 중간에 위치하다가 다시 높아지는 변화를 보인다.
③, ⑤ 'ㅐ → ㅔ → ㅜ'와 'ㅐ → ㅗ → ㅣ'는 '저모음 → 중모음 → 고모음'의 순서로 배열되어 혀의 높낮이가 점점 높아지는 변화를 보인다.

08 ②

정답 풀이

단모음은 혀의 앞뒤 위치에 따라 혀의 앞쪽에서 소리 나는 전설 모음과, 혀의 뒤쪽에서 소리 나는 후설 모음으로 나뉜다. [보기]에서 'ㅣ, ㅔ, ㅐ, ㅟ, ㅚ'는 전설 모음이고, 'ㅡ, ㅓ, ㅏ, ㅜ, ㅗ'는 후설 모음이므로, [보기]의 모음 분류 기준은 '혀의 앞뒤 위치'이다.

오답 풀이

① 단모음은 혀의 높낮이에 따라 고모음(ㅣ, ㅟ, ㅡ, ㅜ), 중모음(ㅔ, ㅚ, ㅓ, ㅗ), 저모음(ㅐ, ㅏ)으로 나뉜다.
③ 모든 모음은 목청(성대)을 울리면서 소리 난다.
④ 단모음은 입술 모양에 따라 입술을 둥글게 오므려서 소리 내는 원순 모음(ㅗ, ㅚ, ㅜ, ㅟ)과, 입술을 평평하게 펴서 소리 내는 평순 모음(ㅣ, ㅔ, ㅐ, ㅡ, ㅓ, ㅏ)으로 나뉜다.
⑤ 모음은 발음할 때 입술이나 혀의 움직임 유무에 따라 단모음과 이중 모음으로 나뉘며, [보기]에 제시된 모음 10개는 모두 단모음에 속한다.

09 ③

정답 풀이

혀의 높낮이가 중간쯤인 중모음에는 'ㅔ, ㅚ, ㅓ, ㅗ'가 있고, 혀의 최고점이 뒤쪽에 있는 후설 모음에는 'ㅡ, ㅓ, ㅏ ㅜ, ㅗ'가 있으며, 입술을 동그랗게 오므려서 소리 내는 원순 모음에는 'ㅟ, ㅚ, ㅜ, ㅗ'가 있다. 이 세 가지 모음에 모두 속하는 모음은 'ㅗ'이다.

오답 풀이

① 'ㅏ'는 저모음, 후설 모음, 평순 모음이다.
② 'ㅡ'는 고모음, 후설 모음, 평순 모음이다.
④ 'ㅚ'는 중모음, 전설 모음, 원순 모음이다.
⑤ 'ㅓ'는 중모음, 후설 모음, 평순 모음이다.

10 ④

정답 풀이

혀의 높낮이를 기준으로 단모음을 분류할 때 모음 'ㅓ'는 혀의 높이가 중간이고, 입천장과 혀 사이의 거리가 가깝지도 멀지도 않은 중간 정도인 '중모음'에 해당한다.

오답 풀이

① 'ㅟ'는 혀의 앞쪽에서 소리 나는 전설 모음이다.
② 'ㅡ'는 입술을 평평하게 펴서 소리 내는 평순 모음이다.
③ 'ㅜ'는 입술을 둥글게 오므려서 소리 내는 원순 모음이다.
⑤ 'ㅔ'는 혀의 높낮이가 중간일 때 소리 나는 중모음이다.

[고모음, 중모음, 저모음의 비교]

고모음	발음할 때 혀의 높이가 높고, 입천장과 혀 사이가 가까움.	ㅣ, ㅟ, ㅡ, ㅜ
중모음	발음할 때 혀의 높이가 중간이고, 입천장과 혀 사이의 거리가 중간 정도임.	ㅔ, ㅚ, ㅓ, ㅗ
저모음	발음할 때 혀의 높이가 낮고 입천장과 혀 사이가 멂.	ㅐ, ㅏ

11 ③

정답 풀이

'가위'라는 단어에서 'ㅏ'는 저모음이고, 'ㅟ'는 전설 모음이면서 원순 모음이다.

오답 풀이

① '주먹'에서 'ㅜ'는 고모음, 후설 모음, 원순 모음이며, 'ㅓ'는 중모음, 후설 모음, 평순 모음이다. 따라서 저모음, 전설 모음을 포함하고 있지 않은 단어이다.
② '모레'에서 'ㅗ'는 중모음, 후설 모음, 원순 모음이며, 'ㅔ'는 중모음, 전설 모음, 평순 모음이다. 따라서 저모음을 포함하고 있지 않은 단어이다.
④ '외국'에서 'ㅚ'는 중모음, 전설 모음, 원순 모음이며, 'ㅜ'는 고모음, 후설 모음, 원순 모음이다. 따라서 저모음을 포함하고 있지 않은 단어이다.
⑤ '피리'에서 'ㅣ'는 고모음, 전설 모음, 평순 모음이다. 따라서 저모음, 원순 모음을 포함하고 있지 않은 단어이다.

12 ②

정답 풀이

모음 중 발음할 때 혀의 위치나 입술 모양이 변함없이 일정한 단모음에는 'ㅏ, ㅐ, ㅓ, ㅔ, ㅗ, ㅚ, ㅜ, ㅟ, ㅡ, ㅣ'가 있다. 단모음 중 혀의 뒷부분에서 소리 나는 후설 모음에는 'ㅡ, ㅓ, ㅏ, ㅜ, ㅗ'가 있고, 입이 크게 벌어진 상태에서 소리 나는 저모음에는 'ㅐ, ㅏ'가 있으며, 발음할 때 입술이 둥글게 오므려지지 않는 평순 모음에는 'ㅣ, ㅔ, ㅐ, ㅡ, ㅓ, ㅏ'가 있다. 이 네 가지 모음에 모두 속하는 모음은 'ㅏ'이다.

오답 풀이

① 'ㅑ'는 발음할 때 혀의 위치나 입술 모양이 달라지는 이중 모음이다.
③ 'ㅜ'는 후설 모음, 고모음, 원순 모음이다.
④ 'ㅐ'는 전설 모음, 저모음, 평순 모음이다.
⑤ 'ㅗ'는 후설 모음, 중모음, 원순 모음이다.

13 ⑤

정답 풀이

'아이'라는 단어에서 'ㅏ'와 'ㅣ'는 모두 발음할 때 입술이 둥글게 오므려지지 않고 평평한 모양인 평순 모음이다. 따라서 '아이'를 발음할 때 입술은 둥글게 오므려졌다가 평평해지는 것이 아니라, 평평한 모양을 일정하게 유지한다.

오답 풀이

① [아], [이] 2개의 음절로 이루어져 있다.
② 'ㅏ'와 'ㅣ' 2개의 모음만으로 발음되며, '아'와 '이'의 첫소리인 'ㅇ'은 실제로 소리 나지 않는다.
③, ④ 'ㅏ'는 혀의 높이가 낮고 입이 크게 벌어지는 저모음이고, 'ㅣ'는 혀의 높이가 높고 입이 작게 벌어지는 고모음이다. 따라서 [아이]라고 발음할 때 입이 크게 벌어졌다가 작아지고, 혀의 높이가 낮아졌다가 높아진다.

14 ④

정답 풀이

'딸기 우유'에는 'ㅏ, ㅣ, ㅜ, ㅠ' 4개의 모음이 쓰였는데, 이 중 단모음은 'ㅏ, ㅣ, ㅜ'이다. 원순 모음에는 'ㅟ, ㅚ, ㅜ, ㅗ'가 있는데, '딸기 우유'에는 원순 모음 'ㅜ'가 쓰였다.

오답 풀이

① 고모음에는 'ㅣ, ㅟ, ㅡ, ㅜ'가 있는데, '딸기 우유'에는 고모음 'ㅣ, ㅜ' 2개가 쓰였다.
② 중모음에는 'ㅔ, ㅚ, ㅓ, ㅗ'가 있는데, '딸기 우유'에는 중모음이 쓰이지 않았다.
③ 전설 모음에는 'ㅣ, ㅔ, ㅐ, ㅟ, ㅚ'가 있는데, '딸기 우유'에는 전설 모음 'ㅣ'가 쓰였다.
⑤ '딸기 우유'에 쓰인 모음 'ㅏ, ㅣ, ㅜ, ㅠ' 중 단모음은 'ㅏ, ㅣ, ㅜ' 3개이고 이중 모음은 'ㅠ' 1개이다.

15 ③

정답 풀이

같은 자음과 모음으로 이루어진 단어도 발음할 때 모음을 길게 소리 내는지 짧게 소리 내는지에 따라 의미가 달라지는 경우가 있다. '말'이라는 단어는 동물의 한 종류인 '말[馬]'을 의미할 때에는 모음을 짧게, 사람이 하는 '말[言]'을 의미할 때에는 모음을 길게 소리 낸다.

오답 풀이

① 어두운 '밤[夜]'은 모음을 짧게, 먹는 '밤[栗]'은 모음을 길게 소리 낸다.
② 사람의 '눈[目]'은 모음을 짧게, 하늘에서 내리는 '눈[雪]'은 모음을 길게 소리 낸다.
④ 죄의 대가인 '벌[罰]'은 모음을 짧게, 곤충의 한 종류인 '벌[蜂]'은 모음을 길게 소리 낸다.
⑤ 사람의 '발[足]'은 모음을 짧게, 대나무 등으로 만든 가리개인 '발'은 모음을 길게 소리 낸다.

9 자음의 분류 (1)_소리 나는 위치

01	×	02	○
03	×	04	ⓜ
05	ⓒ	06	ⓛ
07	ⓡ	08	ⓖ

10 자음의 분류 (2)_목청의 울림 유무

01	성대	02	울림소리
03	떨리지 않고	04	ㄴ
05	ㅁ	06	×
07	ㄹ	08	○

11 자음의 분류 (3)_소리 내는 방법

01	파열음	02	파찰음
03	비음	04	유음
05	마찰음	06	파열음
07	비음	08	마찰음
09	파찰음	10	유음
11	파열음	12	파찰음

13	마찰음	14	파열음
15	비음	16	비음
17	파열음	18	소리 내는 방법
19	파찰음	20	막았다가 터뜨리면서

12 자음의 분류 (4)_소리의 세기

01 ×　　02 ×
03 ○　　04 ㉠, ⓒ
05 ㉢, ⓐ　　06 ㉡, ⓑ
07 종종 – 쫑쫑 – 총총
08 빙글빙글 – 삥글삥글 – 핑글핑글

13 자음 체계표

01 ㉣　　02 ㉢
03 ㉠　　04 ㉡
05 ㅊ　　06 ㅂ, ㅃ, ㅍ
07 ㅅ, ㅆ　　08 ㄱ, ㄲ, ㅋ

개념 9~13 실력 완성하기

01 ④	02 ③	03 ②	04 ④	05 ⑤
06 ③	07 ⑤	08 ②	09 ⑤	10 ④
11 ③	12 ②	13 ②	14 ⑤	15 ①
16 ②	17 ③	18 ②		

01 ④

정답 풀이

자음은 성대의 울림 유무에 따라 성대를 울리지 않고 소리 나는 '안울림소리'와 성대를 울리면서 소리 나는 '울림소리'로 나뉜다.

오답 풀이

① 국어의 자음은 'ㄱ, ㄲ, ㄴ, ㄷ, ㄸ, ㄹ, ㅁ, ㅂ, ㅃ, ㅅ, ㅆ, ㅇ, ㅈ, ㅉ, ㅊ, ㅋ, ㅌ, ㅍ, ㅎ'으로 모두 19개이다.
② 자음은 홀로 발음할 수 없고 모음과 결합해야 발음할 수 있다.
③ 자음은 소리의 세기에 따라 '예사소리, 된소리, 거센소리'로 나뉜다.
⑤ 자음은 발음할 때 목이나 입안 등의 발음 기관에서 공기 흐름의 장애를 받고 나오는 소리로, 공기 흐름의 장애를 받지 않고 나오는 모음과 구별된다.

02 ③

정답 풀이

파열음, 마찰음, 파찰음은 자음을 '소리 내는 방법'에 따라 나눈 것이다.

오답 풀이

① 비음과 유음은 자음을 '소리 내는 방법'에 따라 나눈 것이다.
② 안울림소리와 울림소리는 자음을 '목청의 울림 유무'에 따라 나눈 것이다.
④ 예사소리, 된소리, 거센소리는 자음을 '소리의 세기'에 따라 나눈 것이다.
⑤ 입술소리, 잇몸소리, 센입천장소리, 목청소리는 자음을 '소리 나는 위치'에 따라 나눈 것이다.

[자음의 분류]

분류 기준	종류
소리 나는 위치	입술소리, 잇몸소리, 센입천장소리, 여린입천장소리, 목청소리
목청의 울림 유무	안울림소리, 울림소리
소리 내는 방법	파열음, 파찰음, 마찰음, 비음, 유음
소리의 세기	예사소리, 된소리, 거센소리

03 ②

정답 풀이

[보기]의 그림에서 ㉠은 센입천장과 혓바닥 사이를 나타낸다. 따라서 ㉠에서 발음되는 자음은 센입천장소리인 'ㅈ, ㅉ, ㅊ'이다.

오답 풀이

① 'ㄴ, ㄹ'은 윗잇몸과 혀끝이 닿아서 발음되는 잇몸소리이다.
③ 'ㄱ, ㅇ'은 여린입천장과 혀의 뒷부분 사이에서 발음되는 여린입천장소리이고, 'ㅎ'은 목청 사이에서 발음되는 목청소리이다.
④ 'ㄷ, ㅅ'은 윗잇몸과 혀끝이 닿아서 발음되는 잇몸소리이고, 'ㅂ'은 두 입술 사이에서 발음되는 입술소리이다.
⑤ 'ㅂ, ㅃ, ㅍ, ㅁ'은 두 입술 사이에서 발음되는 입술소리이다.

[소리 나는 위치에 따른 자음의 분류]

입술소리	ㅂ, ㅃ, ㅍ, ㅁ
잇몸소리	ㄷ, ㄸ, ㅌ, ㅅ, ㅆ, ㄴ, ㄹ
센입천장소리	ㅈ, ㅉ, ㅊ

여린입천장소리	ㄱ, ㄲ, ㅋ, ㅇ
목청소리	ㅎ

04 ④

정답 풀이

'ㅂ'은 두 입술 사이에서, 'ㄷ'은 윗잇몸과 혀끝이 닿아서, 'ㄱ'은 여린입천장과 혀의 뒷부분 사이에서 소리 난다. 'ㅂ → ㄷ → ㄱ'의 순서로 발음해 보면 소리 나는 위치가 점차 입의 안쪽으로 이동한다.

오답 풀이

① 'ㅂ, ㄷ, ㄱ'은 모두 목청의 울림이 없는 안울림소리이다.
② 'ㅂ, ㄷ, ㄱ'은 모두 공기의 흐름이 막혔다가 터지면서 소리 나는 파열음이다.
③ 'ㅂ, ㄷ, ㄱ'은 모두 예사소리이다.
⑤ 'ㅂ, ㄷ, ㄱ'은 모두 발음할 때 공기가 콧속이 아닌 입속으로 흐르는 안울림소리이다.

05 ⑤

정답 풀이

'ㅅ, ㅆ'은 윗잇몸과 혀끝이 닿아서 소리 나는 잇몸소리이고, 'ㅎ'은 목청 사이에서 소리 나는 목청소리이다. 따라서 'ㅅ, ㅆ'과 'ㅎ'은 소리 나는 위치가 서로 다르다.

오답 풀이

① 'ㄴ, ㄹ'은 윗잇몸과 혀끝이 닿아서 소리 나는 잇몸소리이다.
② 'ㄷ, ㅌ'은 윗잇몸과 혀끝이 닿아서 소리 나는 잇몸소리이다.
③ 'ㄱ, ㄲ, ㅇ'은 여린입천장과 혀의 뒷부분 사이에서 소리 나는 여린입천장소리이다.
④ 'ㅁ, ㅂ, ㅍ'은 두 입술 사이에서 소리 나는 입술소리이다.

06 ③

정답 풀이

'품'에 쓰인 자음은 'ㅍ'과 'ㅁ' 2개로, 모두 두 입술 사이에서 소리 나는 입술소리이다.

오답 풀이

① '복'은 입술소리 'ㅂ' 1개와 여린입천장소리 'ㄱ' 1개를 포함하고 있다.
② '꽃'은 여린입천장소리 'ㄲ' 1개와 센입천장소리 'ㅊ' 1개를 포함하고 있을 뿐, 입술소리는 포함하고 있지 않다.
④ '발'은 입술소리 'ㅂ' 1개와 잇몸소리 'ㄹ' 1개를 포함하고 있다.
⑤ '빵'은 입술소리 'ㅃ' 1개와 여린입천장소리 'ㅇ' 1개를 포함하고 있다.

07 ⑤

정답 풀이

[보기]의 (ㄱ)에 제시된 'ㅂ, ㅃ, ㅍ, ㄷ, ㄸ, ㅌ, ㄱ, ㄲ, ㅋ, ㅈ, ㅉ, ㅊ, ㅅ, ㅆ, ㅎ' 15개의 자음은 모두 안울림소리에 해당하고, (ㄴ)에 제시된 'ㅁ, ㄴ, ㅇ, ㄹ' 4개의 자음은 모두 울림소리에 해당한다. 따라서 [보기]의 자음 분류 기준은 '목청의 울림 유무'이다.

오답 풀이

① 자음은 '소리의 세기'에 따라 예사소리(ㄱ, ㄷ, ㅂ, ㅅ, ㅈ), 된소리(ㄲ, ㄸ, ㅃ, ㅆ, ㅉ), 거센소리(ㅋ, ㅌ, ㅍ, ㅊ)로 나뉜다.
② 자음은 '소리 내는 방법'에 따라 파열음(ㅂ, ㅃ, ㅍ, ㄷ, ㄸ, ㅌ, ㄱ, ㄲ, ㅋ), 파찰음(ㅈ, ㅉ, ㅊ), 마찰음(ㅅ, ㅆ, ㅎ), 비음(ㅁ, ㄴ, ㅇ), 유음(ㄹ)으로 나뉜다.
③ 자음은 '소리 나는 위치'에 따라 입술소리(ㅂ, ㅃ, ㅍ, ㅁ), 잇몸소리(ㄷ, ㄸ, ㅌ, ㅅ, ㅆ, ㄴ, ㄹ), 센입천장소리(ㅈ, ㅉ, ㅊ), 여린입천장소리(ㄱ, ㄲ, ㅋ, ㅇ), 목청소리(ㅎ)로 나뉜다.
④ 혀의 앞뒤 위치는 모음을 전설 모음과 후설 모음으로 나누는 기준에 해당한다.

08 ②

정답 풀이

'ㄱ, ㄹ, ㅂ, ㄸ, ㅍ'을 소리 내는 방법에 따라 나누면 'ㄱ, ㅂ, ㄸ, ㅍ'은 모두 파열음에 속하고 'ㄹ'만 유음에 속한다.

[소리 내는 방법에 따른 자음의 분류]

파열음	ㅂ, ㅃ, ㅍ, ㄷ, ㄸ, ㅌ, ㄱ, ㄲ, ㅋ
파찰음	ㅈ, ㅉ, ㅊ
마찰음	ㅅ, ㅆ, ㅎ
비음(콧소리)	ㅁ, ㄴ, ㅇ
유음(흐름소리)	ㄹ

09 ⑤

정답 풀이

마찰음은 입안이나 목청 사이의 통로를 좁히고 그 좁은 틈 사이로 공기를 내보내어 마찰시켜 소리 내는 자음으로, 'ㅅ, ㅆ, ㅎ'이 있다.

오답 풀이

① 'ㄱ'은 파열음, 'ㄹ'은 유음, 'ㅁ'은 비음에 해당한다.
② 'ㄱ, ㄷ, ㅂ'은 모두 파열음에 해당한다.
③ 'ㄴ'은 비음, 'ㄹ'은 유음, 'ㅎ'은 마찰음에 해당한다.
④ 'ㅂ'은 파열음, 'ㅅ'은 마찰음, 'ㅈ'은 파찰음에 해당한다.

10 ④

정답 풀이

파찰음은 '파열'의 '파'와 '마찰'의 '찰'이 합쳐져 이름 붙여진 것으로, 파열음과 마찰음의 특성을 모두 가지고 있으며 'ㅈ, ㅉ, ㅊ'이 이에 해당한다.

오답 풀이

① 'ㅅ'은 입안이나 목청 사이의 통로를 좁히고 그 좁은 틈 사이로 공기를 내보내어 마찰시켜 소리 내는 마찰음이다.
② 'ㅇ'은 코로 공기를 내보내면서 소리 내는 비음이다.
③, ⑤ 'ㄲ'과 'ㅍ'은 공기의 흐름을 막았다가 터뜨리면서 소리 내는 파열음이다.

11 ③

정답 풀이

'밥물'의 '밥', '닫는'의 '닫', '먹물'의 '먹'에 쓰인 받침은 각각 'ㅂ', 'ㄷ', 'ㄱ'으로, 모두 공기의 흐름을 막았다가 터뜨리면서 소리 내는 파열음에 속한다. '밥물'이 [밤물]로, '닫는'이 [단는]으로, '먹물'이 [멍물]로 발음되는 것은 앞에서 말한 받침 'ㅂ', 'ㄷ', 'ㄱ'이 각각 'ㅁ', 'ㄴ', 'ㅇ'으로 바뀌어 발음됨을 나타낸다. 이때 'ㅁ', 'ㄴ', 'ㅇ'은 모두 입안의 통로를 막고 코로 공기를 내보내면서 소리 내는 '비음'에 속한다. 따라서 ㉠에는 '파열음'이, ㉡에는 '비음'이 적절하다.

12 ②

정답 풀이

목청을 울리지 않고 소리 나는 안울림소리에는 'ㅂ, ㅃ, ㅍ, ㄷ, ㄸ, ㅌ, ㄱ, ㄲ, ㅋ, ㅈ, ㅉ, ㅊ, ㅅ, ㅆ, ㅎ'이 있고, 윗잇몸과 혀끝이 닿아서 소리 나는 잇몸소리에는 'ㄷ, ㄸ, ㅌ, ㅅ, ㅆ, ㄴ, ㄹ'이 있으며, 공기가 막혔다가 터져 나오면서 소리 나는 파열음에는 'ㅂ, ㅃ, ㅍ, ㄷ, ㄸ, ㅌ, ㄱ, ㄲ, ㅋ'이 있다. 이 세 가지에 공통으로 속하는 자음은 'ㄷ, ㄸ, ㅌ'이며, ②의 '달'에 'ㄷ'이 포함되어 있다.

오답 풀이

① 'ㄱ'은 안울림소리, 여린입천장소리, 파열음이고, 'ㅇ'은 울림소리, 여린입천장소리, 비음이다.
③ 'ㄴ'은 울림소리, 잇몸소리, 비음이고, 'ㄹ'은 울림소리, 잇몸소리, 유음이다.
④ 'ㅂ'은 안울림소리, 입술소리, 파열음이고, 'ㄲ'은 안울림소리, 여린입천장소리, 파열음이다.
⑤ 'ㅈ'은 안울림소리, 센입천장소리, 파찰음이고, 'ㅁ'은 울림소리, 입술소리, 비음이다.

13 ②

정답 풀이

'ㅇ'은 목청을 울리면서 소리 나는 울림소리이다.

오답 풀이

① 'ㅎ'은 목청 사이에서 소리 나는 목청소리이다.
③ 'ㅅ'은 입안이나 목청 사이의 통로를 좁히고 그 좁은 틈 사이로 공기를 내보내어 마찰시켜 소리 나는 마찰음이다.
④ 'ㄴ'은 코로 공기가 흘러나오면서 소리 나는 비음이다.
⑤ 'ㅋ'은 여린입천장과 혀의 뒷부분 사이에서 소리 나는 여린입천장소리이다.

[자음의 소리 내는 방법]

파열음	공기의 흐름을 막았다가 터뜨리면서 소리 냄.
파찰음	공기를 막았다가 서서히 터뜨리면서 마찰시켜 소리 냄.
마찰음	입안이나 목청 사이의 통로를 좁히고 그 좁은 틈 사이로 공기를 내보내어 마찰시켜 소리 냄.
비음 (콧소리)	입안의 통로를 막고 코로 공기를 내보내면서 소리 냄.
유음 (흐름소리)	혀끝을 잇몸에 가볍게 대었다가 떼거나 혀끝을 윗잇몸에 댄 채 공기를 그 양 옆으로 흘려 내보내면서 소리 냄.

14 ⑤

정답 풀이

'구름'에 쓰인 자음은 'ㄱ, ㄹ, ㅁ'으로, 이 중 'ㄱ'은 안울림소리, 'ㄹ'은 잇몸소리, 'ㅁ'은 콧소리(비음)와 입술소리에 해당한다. 그러나 센입천장소리('ㅈ, ㅉ, ㅊ')에 해당하는 자음은 찾을 수 없다.

15 ①

정답 풀이

'향'은 자음 'ㅎ'과 'ㅇ'을 포함하고 있는 단어이다. 마찰음에는 'ㅅ, ㅆ, ㅎ'이 있으므로, '향'에 쓰인 마찰음은 'ㅎ' 1개뿐이다.

오답 풀이

② 자음 중 울림소리에는 'ㅁ, ㄴ, ㄹ, ㅇ'이 있는데, '향'에 쓰인 울림소리는 'ㅇ' 1개이다.
③ 흐름소리(유음)는 'ㄹ'로, '향'에는 흐름소리가 쓰이지 않았다.
④ 목청 사이에서 소리 나는 목청소리는 'ㅎ'으로, '향'에 'ㅎ'이 1개 쓰였다.
⑤ 센입천장과 혓바닥 사이에서 소리 나는 센입천장소리는 'ㅈ, ㅉ, ㅊ'으로, '향'에는 센입천장소리가 쓰이지 않았다.

16 ②

정답 풀이

'돌'의 첫소리인 'ㄷ'은 잇몸소리, 안울림소리, 파열음이고, 끝소리인 'ㄹ'은 잇몸소리, 울림소리, 유음이다.

오답 풀이

① '날'의 첫소리인 'ㄴ'은 잇몸소리, 울림소리, 비음이고, 끝소리인 'ㄹ'은 잇몸소리, 울림소리, 유음이다.
③ '철'의 첫소리인 'ㅊ'은 센입천장소리, 안울림소리, 파찰음이고, 끝소리인 'ㄹ'은 잇몸소리, 울림소리, 유음이다.
④ '땅'의 첫소리인 'ㄸ'은 잇몸소리, 안울림소리, 파열음이고, 끝소리인 'ㅇ'은 여린입천장소리, 울림소리, 비음이다.
⑤ '집'의 첫소리인 'ㅈ'은 '센입천장소리, 안울림소리, 파찰음이고, 끝소리인 'ㅂ'은 입술소리, 안울림소리, 파열음이다.

17 ③

정답 풀이

'ㄷ'은 공기를 막았다가 터뜨리면서 소리 내는 파열음이고 'ㄴ'은 코로 공기를 내보내면서 소리 내는 비음이다. 'ㄷ'과 'ㄴ'은 윗잇몸과 혀끝이 닿아서 소리 나는 잇몸소리라는 공통점이 있다.

오답 풀이

① 'ㄱ'과 'ㅈ'은 모두 보통의 세기로 소리 나는 예사소리이다.
② 'ㅈ'과 'ㅊ'은 공기를 막았다가 서서히 터뜨리면서 마찰시켜 소리 내는 파찰음이다.
④ 'ㄴ'과 'ㄹ'은 윗잇몸과 혀끝이 닿아서 소리 나는 잇몸소리이다.
⑤ 'ㅂ'과 'ㄱ'은 공기를 막았다가 터뜨리면서 소리 내는 파열음이며, 보통의 세기로 소리 나는 예사소리이다.

18 ②

정답 풀이

㉠의 '덜거덕'에는 예사소리 'ㄷ', ㉡의 '떨거덕'에는 된소리 'ㄸ', ㉢의 '털거덕'에는 거센소리 'ㅌ'이 쓰였다. 된소리가 쓰인 ㉡의 '떨거덕'이 예사소리가 쓰인 ㉠의 '덜거덕'에 비해 강하거나 단단한 느낌을 주기는 하지만, 부드럽고 매끄러운 느낌을 준다고 할 수는 없다.

오답 풀이

① 예사소리가 쓰인 ㉠의 '덜거덕'은 거센소리가 쓰인 ㉢의 '털거덕'에 비해 약하고 가벼운 느낌을 준다.
③ 거센소리가 쓰인 ㉢의 '털거덕'은 예사소리가 쓰인 ㉠의 '덜거덕'에 비해 격하고 거센 느낌을 준다.
④ 예사소리, 된소리, 거센소리는 안울림소리에만 해당되므로, [보기]와 같은 '예사소리 → 된소리 → 거센소리'의 변화는 안울림소리를 통해서만 느낄 수 있다.

[소리의 세기에 따른 자음의 분류]

예사소리	경쾌하고 가벼운 느낌.	ㄱ, ㄷ, ㅂ, ㅅ, ㅈ
된소리	단단하고 급한 느낌.	ㄲ, ㄸ, ㅃ, ㅆ, ㅉ
거센소리	격하고 거센 느낌.	ㅋ, ㅌ, ㅍ, ㅊ

Ⅱ 품사와 어휘

14 단어와 품사

01 ○ 02 ○
03 ① 선주, 중학교, 다닌다 ② 는, 에
04 ① 선주, 중학교 ② 는, 에 ③ 다닌다

15 품사의 분류 (1)_형태

01 달리다, 아프다, 웃다
02 옛, 어머나, 셋, 여기
03 아, 하늘, 이, 무척, 맑구나
04 ① 맑구나 ② 아, 하늘, 이, 무척

16 품사의 분류 (2)_기능

01 체언 02 관계언
03 수식언 04 서술
05 어머나 06 꽃
07 온갖, 활짝 08 피었구나
09 이

17 품사의 분류 (3)_의미

01 의미, 수사, 조사 02 움직임, 형용사
03 체언, 부사 04 그
05 민우, 문제 06 풀었네

18 명사

01 ○ 02 ×
03 ○ 04 ×
05 철수, 밥 06 도전
07 친구, 외국, 여행 08 하늘, 구름
09 독수리, 이순신, 자동차, 제주도
10 믿음, 우정, 행복, 자신감
11 ㉢ 12 ㉡
13 ㉠ 14 동생
15 화단

19 대명사

01 × 02 ○
03 ○ 04 ×
05 × 06 ○
07 이것, 저희 08 우리, 여기
09 ① 강릉 ② 현경 ③ 외할머니 ④ 오징어순대
10 ① 너, 그분 ② 그것 ③ 거기

20 수사

01 순서 02 조사
03 꾸밈 04 형태
05 셋째, 다섯째, 넷, 여섯
06 ① 넷, 여섯 ② 셋째, 다섯째

21 체언

01 × 02 ○
03 ○
04 여기, 그것, 둘, 설악산, 자유, 우리
05 ① 설악산, 자유 ② 여기, 그것, 우리 ③ 둘

22 조사(관계언)

01 × 02 ○
03 ○ 04 ○
05 와, 는, 이다 06 에서, 까지 에, 이
07 께서, 에게, 의, 을 08 에, 이
09 는, 이다 10 부터, 까지, 의
11 ㉠ 12 ㉡
13 ㉠ 14 ㉡
15 ㉢

23 동사

01 움직임 02 변한다
03 주체의 동작 04 기어간다
05 두드렸다 06 타고, 갔다
07 떠날 08 주었더니, 시들었다
09 잡혔다 10 열었다

24 형용사

01 ×　　02 ○
03 ○　　04 빨라
05 높고　　06 아름답다
07 친절하고　　08 알맞은
09 많으면, 좋을까

25 용언

01 ○　　02 ×
03 ○
04 하얀 – 형용사 / 움직인다 – 동사
05 노란 – 형용사 / 피었다 – 동사
06 걷는데 – 동사 / 나타났다 – 동사
07 얌전하고, 적은 – 형용사
08 조용했지만 – 형용사 / 떠들었다 – 동사

26 관형사

01 체언　　02 없다
03 변하지 않는다　　04 헌, 새
05 두　　06 여러
07 이, 온갖　　08 첫
09 옛, 모든
10 일을 마치는 데 (삼) 개월이 걸렸다.
11 (그) 집 앞을 지나간다.

27 부사

01 ×　　02 ○
03 ×　　04 ×
05 ㉡　　06 ㉢
07 ㉠　　08 ㉣
09 그것은 참으로 새로운 생각이다.
10 할머니께서는 모든 물건을 소중히 여기신다.
11 다행히 우리는 그 집을 쉽게 찾을 수 있었다.
12 한 사람이 뚜벅뚜벅 걸어와서 생긋 웃었다.
13 작업에는 이 방법보다 저 방법이 훨씬 더 좋다.
14 1개(갑자기)　　15 2개(매우, 빨리)
16 1개(철저히)　　17 2개(열심히, 꼭)
18 3개(설마, 벌써, 다)

28 수식언

01 관형사　　02 꾸며
03 활용　　04 부사
05 온 – 관형사 / 펑펑 – 부사
06 어떤 – 관형사 / 가장 – 부사
07 온갖 – 관형사 / 다, 결국 – 부사
08 새 – 관형사 / 재빨리 – 부사

29 감탄사(독립언)

01 ○　　02 ○
03 ○　　04 ×
05 ×　　06 야
07 아무렴　　08 어머
09 글쎄　　10 어이쿠

개념 14~29 실력 완성하기

01 ③　02 ③　03 ④　04 ④　05 ③
06 ①　07 ②　08 ⑤　09 ④　10 ②
11 ③　12 ③　13 ④　14 ④　15 ③
16 ①　17 ②　18 ①　19 ③　20 ④
21 ①　22 ④　23 ③　24 ⑤　25 ④
26 ②　27 ⑤　28 감탄사, 관형사, 명사, 조사, 부사, 동사

01 ③

정답 풀이

자립성과 분리성을 가진 말의 최소 단위는 단어이다. 즉, 단어는 문장 안에서 홀로 쓰일 수 있는 말(자립성) 또는 그 말 뒤에 붙어 쓰이지만 쉽게 분리되는 말(분리성)을 의미한다. 품사는 공통된 성질을 가진 단어끼리 모아 분류한 단어의 갈래이다.

오답 풀이

① 단어가 문장에서 쓰일 때 '형태'가 변하는지, 어떤 '기능'을 하는지, 어떤 공통적인 '의미'를 나타내는지에 따라 품사를 분류할 수 있다.

② 우리말의 품사는 명사, 대명사, 수사, 동사, 형용사, 부사, 관형사, 조사, 감탄사로 총 아홉 가지이다.
⑤ 단어를 같은 성질을 가진 것, 즉 품사로 분류해 놓으면 단어의 특성이나 기능에 맞게 우리말을 올바르게 사용할 수 있고 우리말의 문법 체계를 이해하는 데에도 도움이 된다.

02 ③

정답 풀이

'옛(관형사)', '저것(대명사)', '고요히(부사)', '김유신(명사)'은 문장에서 쓰일 때 형태가 변하지 않는 단어(불변어)이고, '높다(형용사)'는 '높고, 높으니, 높아서, 높았다' 등으로 형태가 변하는 단어(가변어)이다.

03 ④

정답 풀이

(ㄱ)은 문장에서 쓰일 때 형태가 변하지 않는 단어이고, (ㄴ)은 문장에서 쓰일 때 형태가 변하는 단어이다. 따라서 (ㄱ)과 (ㄴ)의 분류 기준은 형태 변화의 유무이다. 참고로 (ㄴ)은 동사(웃다, 놀다)와 형용사(아름답다, 곱다, 맑다)로 나눌 수 있다.

[품사 분류의 기준]
- **형태:** 형태가 변하는 단어(불변어), 형태가 변하지 않는 단어(가변어)로 나눔.
- **기능:** 체언, 용언, 수식언, 관계언, 독립언으로 나눔.
- **의미:** 명사, 대명사, 수사, 동사, 형용사, 관형사, 부사, 조사, 감탄사로 나눔.

04 ④

정답 풀이

'국화'는 명사, '우리'는 대명사, '첫째'는 수사, '한라산'은 명사로 모두 체언에 해당하지만, '빨리'는 부사로 수식언에 해당한다.

05 ③

정답 풀이

체언에는 명사, 대명사, 수사가 있다. [보기]의 문장에서는 '나(대명사)', '첫째(수사)', '최선(명사)', '생각(명사)'이 체언이다.

06 ①

정답 풀이

[보기]의 단어들은 구체적인 대상의 이름('제주도', '학교')이나 추상적인 대상의 이름('용기', '비밀', '지혜')을 나타내는 명사이다.

오답 풀이

② 조사에 대한 설명이다.
③ 형용사에 대한 설명이다.
④ 동사와 형용사, 서술격 조사 '이다'에 대한 설명이다.
⑤ 대명사에 대한 설명이다.

07 ②

정답 풀이

체언에는 명사, 대명사, 수사가 있는데, ②의 '저'는 '가방'을 꾸며 주는 관형사로, 수식언에 해당한다.

오답 풀이

① '운동'은 명사로, 체언에 해당한다.
③ '하나'는 수사로, 체언에 해당한다.
④ '그것'은 대명사로, 체언에 해당한다.
⑤ '여기'는 대명사로, 체언에 해당한다.

08 ⑤

정답 풀이

⑤의 '한'은 '사람'이라는 명사를 꾸며 주는 관형사이다. 따라서 ⑤에는 수사가 사용되지 않았다.

오답 풀이

① '하나', '열'은 수량을 나타내는 수사이다.
② '세'는 '살'을 꾸며 주는 관형사이고, '여든'은 수량을 나타내는 수사이다.
③ '둘'은 수량을 나타내는 수사이다.
④ '첫째', '둘째'는 순서를 나타내는 수사이다.

[수사와 관형사의 구분]
수사는 조사와 결합할 수 있고, 관형사는 조사와 결합할 수 없음.
㉠ 사과 하나 먹었어. → 사과 하나를 먹었어.(○)
수사
㉠ 사과 한 개를 먹었어. → 사과 한을 개를 먹었어.(×)
관형사

09 ④

정답 풀이

④의 '정우', '사과'는 명사이고 '그녀'는 대명사이며 '하나'는 수사이다.

오답 풀이

① 대명사('너', '어디')만 포함하고 있을 뿐, 명사와 수사를 포함하고 있지 않다.
② '둘째'가 '둘째 자식'을, '첫째'가 '첫째 자식'을 의미하는

경우이므로, ②의 '둘째'와 '첫째'는 수사가 아니라 명사이다. 또 '수영'도 명사이다. 대명사와 수사를 포함하고 있지 않다.

③ '그'와 '나'는 대명사이고, '일요일'은 명사이다. 수사를 포함하고 있지 않다.

⑤ '영수', '아침', '우유', '잔'은 명사이다. '한'은 '잔'이라는 명사를 꾸며 주는 관형사로, 수사가 아니다. 대명사와 수사를 포함하고 있지 않다.

10 ②

정답 풀이

관계언은 문장에 쓰인 단어들 간의 관계를 나타내는 '조사'를 가리킨다. [보기]에 제시된 문장에서 관계언(조사)은 '는', '을', '으로'이다.

11 ③

정답 풀이

③의 '만'은 '너'라는 앞말에 '단독'이나 '한정됨'의 뜻을 더해 주는 조사이다. 이처럼 앞말에 특별한 뜻을 더해 주는 조사를 '보조사'라고 한다.

오답 풀이

①의 '이(주격 조사)', ②의 '를(목적격 조사)', ④의 '께서(주격 조사)', ⑤의 '에게(부사격 조사)'는 모두 다른 말과의 문법적 관계를 나타내는 조사(앞말에 일정한 자격을 부여하는 격 조사)이다.

12 ③

정답 풀이

용언에는 동사와 형용사가 있다. [보기]에서 '예쁜(예쁘다)'은 형용사이고, '사서(사다)'와 '선물했다(선물하다)'는 동사이다. 따라서 [보기]의 문장에 사용된 용언의 개수는 3개이다.

13 ④

정답 풀이

④의 '부른다(부르다)'는 사람이나 사물의 움직임을 나타내는 동사이다. '맑은', '달콤한', '멋지다', '아름답게'는 모두 사람이나 사물의 상태나 성질을 나타내는 형용사이다.

[동사와 형용사의 구별 방법]

용언의 어간과 다음 세 가지 어미와의 결합이 자연스러우면 동사이고 어색하면 형용사임.

- 현재를 나타내는 어미 '-ㄴ(는)다'
- 명령을 나타내는 어미 '-어라/아라'
- 권유를 나타내는 어미 '-자'

예 책을 읽는다. 책을 읽어라. 책을 읽자.
→ 어간과 어미의 연결이 자연스러우므로 '읽다'는 동사임.

예 키가 작는다. 키가 작아라. 키가 작자.
→ 어간과 어미의 연결이 어색하므로 '작다'는 형용사임.

14 ④

정답 풀이

④의 '가난했지만(가난하다)'과 '그립다'는 모두 사람이나 사물의 상태나 성질을 나타내는 형용사이다. 따라서 ④에는 사람이나 사물의 움직임을 나타내는 동사가 사용되지 않았다.

오답 풀이

① '입으니(입다)'는 동사이고, '좋다'는 형용사이다.

② '앉아서(앉다)', '놀았다(놀다)'는 모두 동사이다.

③ '연습하여(연습하다)', '완성했다(완성하다)'는 모두 동사이다.

⑤ '놓았다(놓다)'는 동사이다.

15 ③

정답 풀이

③의 '무슨'은 '일'이라는 명사를 꾸며 주는 관형사이고, '무슨'을 제외한 나머지 밑줄 친 단어는 모두 사람이나 사물의 상태나 성질을 나타내는 형용사이다. 문장에서 쓰일 때 관형사는 형태가 변하지 않지만, 형용사는 형태가 변하는, 즉 활용을 한다는 점에서 차이가 있다.

[수식언(관형사, 부사)과 용언(동사, 형용사)의 구분]

용언도 수식언과 마찬가지로 문장에서 다른 단어를 꾸며 주는 경우가 있음. 그러므로 품사를 구분할 때에는 수식언은 형태가 변하지 않지만, 용언은 형태가 변한다는 것을 고려하여야 함.

예 온갖 꽃이 피었다. / 옷이 아주 아름답다.
→ 형태가 변하지 않는 '온갖'과 '아주'는 수식언임.

예 어제 먹은 빵이다. / 기차가 빠르게 달린다.
→ 형태가 변하는(활용을 하는) '빠르게'와 '먹은'은 용언(의 활용형)임.

16 ①

정답 풀이

[보기]의 '새'는 '옷'이라는 체언을 꾸며 주는 관형사이고, ①의 '어떤'도 뒤에 오는 체언을 꾸며 주는 관형사이다.

오답 풀이

② '먼저'는 부사이다.
③ '먹다'는 동사이다.
④ '그것'은 대명사이다.
⑤ '여보게'는 감탄사이다.

17 ②

정답 풀이

(ㄱ)의 괄호 안에는 '맑다'라는 형용사를 꾸며 주는 말이, (ㄴ)의 괄호 안에는 '갔다(가다)'라는 동사를 꾸며 주는 말이 들어가야 한다. 따라서 [보기]의 괄호 안에 공통으로 들어갈 품사는 용언(형용사, 동사)을 꾸며 주는 부사이다.

18 ①

정답 풀이

수식언은 다른 단어를 꾸며 주는 역할을 하는 단어로, 관형사와 부사가 있다. 수식언은 문장에서 쓰일 때 형태가 변하지 않으므로 불변어이다. ①의 '사랑하는'은 '친구'라는 명사를 꾸며 주지만, '사랑하고, 사랑하다, 사랑하면'과 같이 형태가 변하는 가변어이며, 이는 수식언이 아닌 용언(동사)이다.

오답 풀이

② '저'는 '언덕'이라는 명사를 꾸며 주는 수식언(관형사)이다.
③ '헌'은 '옷'이라는 명사를 꾸며 주는 수식언(관형사)이다.
④ '일찍'은 '일어나는'이라는 동사를 꾸며 주는 수식언(부사)이다.
⑤ '과연'은 '내가 그 일을 해낼 수 있을까?'라는 문장 전체를 꾸며 주는 수식언(부사)이다.

19 ③

정답 풀이

[보기]의 문장에는 사람이나 사물의 움직임을 나타내는 동사가 쓰이지 않았다.

오답 풀이

① '인내', '열매'는 명사이다.
② '는'은 조사이다.
④ '그'는 '열매'라는 명사를 꾸며 주는 관형사이다.
⑤ '쓰나(쓰다)'와 '달다'는 형용사이다.

20 ④

정답 풀이

[보기]에서 '이'는 '놀이터'라는 명사를 꾸며 주는 관형사이고, '매우'는 '좋아했어요(좋아하다)'라는 동사를 꾸며 주는 부사이다. 부사는 조사와 결합하여 쓰일 수 있으나, 관형사는 조사와 결합하여 쓰일 수 없다.

오답 풀이

①, ②, ③, ⑤ '이(관형사)'와 '매우(부사)'는 모두 수식언으로 형태가 변하지 않으므로 불변어이고, 생략해도 문장의 성립에 큰 영향을 주지 않는다. 또 다른 단어를 꾸며 줌으로써 문장의 의미를 더욱 자세하고 구체적으로 표현해 준다.

[수식언과 조사의 결합]
관형사는 조사와 결합하지 않지만, 부사는 조사(앞말에 특별한 뜻을 더해 주는 조사)와 결합하여 쓰이기도 함.
예 어느 방향으로 갈까?(관형사)
그동안 많이도 컸구나.(부사+조사)

21 ①

정답 풀이

감탄사는 말하는 이의 놀람, 느낌, 부름, 대답 등을 나타내는 단어이다. ①의 '영철아'는 부름을 나타내는 말이기는 하지만, '영철'이라는 명사와 '아'라는 조사가 결합된 말이므로 감탄사가 아니다.

오답 풀이

②의 '어머나', ③의 '글쎄', ④의 '아니요', ⑤의 '여보세요'는 모두 감탄사이다.

22 ④

정답 풀이

말하는 이의 놀람, 느낌, 대답 등을 나타내는 단어는 형용사가 아니라 감탄사이다. 형용사는 사람이나 사물의 상태나 성질을 나타내는 단어이다.

23 ③

정답 풀이

수식언은 문장에서 다른 말을 꾸며 주는 단어로, 용언을 주로 꾸며 주는 부사와 체언을 꾸며 주는 관형사가 이에 해당한다.

오답 풀이

①, ⑤ 용언(형용사, 동사)에 대한 설명이다. 체언(명사, 대명사, 수사)은 문장에서 주로 동작이나 상태의 주체(누가/무엇이) 역할을 하는 단어이고, 관계언(조사)은 단어 사이의 문법적 관계를 나타내는 단어이다.
② 체언에 대한 설명이다. 용언은 문장에서 주체의 동작, 상태, 성질 등을 나타내는 단어이다.
④ 관계언에 대한 설명이다. 독립언(감탄사)은 문장에서 다

른 말과 관계를 맺지 않고 독립적으로 쓰이는 단어이다.

24 ⑤

정답 풀이

⑤에서 '첫'은 수사가 아니라 '걸음'이라는 명사를 꾸며 주는 관형사이다. 수사는 조사와 결합할 수 있지만, 관형사는 조사와 결합할 수 없다.

25 ④

정답 풀이

④의 '귀엽다', '노랗다'는 사람이나 사물의 상태나 성질을 나타내는 형용사이지만, '잠들다'는 움직임을 나타내는 동사이다.

오답 풀이

①은 관형사끼리, ②는 대명사끼리, ③은 감탄사끼리, ⑤는 부사끼리 묶인 것이다.

26 ②

정답 풀이

[보기]의 문장에서 '두'는 '송이'라는 명사를 꾸며 주고 있는 관형사이지 수사가 아니다. 따라서 [보기]의 문장에는 수사가 쓰이지 않았다.

오답 풀이

① '꽃'과 '송이'는 명사이다.
③ '여기'는 대명사이다.
④ 형태가 변하는 품사는 동사와 형용사인데, '피었네(피다)'가 동사이다.
⑤ 문법적인 관계를 나타내는 단어는 조사인데, '에'와 '가'가 조사이다.

27 ⑤

정답 풀이

'곱게(곱다)'와 '고요했다(고요하다)'는 모두 사람이나 사물의 상태나 성질을 나타내는 형용사이다.

오답 풀이

① '둘'은 수사이고, '세'는 '시'라는 명사를 꾸며 주는 관형사이다.
② '입었다(입다)'는 동사로, 문장에서의 쓰임에 따라 형태가 변한다. '빨리'는 '먹는다'라는 동사를 꾸며 주는 부사로, '빠르다'라는 형용사의 활용형인 '빠르게'와 달리 형태가 변하지 않는다.
③ '그'는 대명사이고, '이'는 '공'이라는 명사를 꾸며 주는 관형사이다.
④ '모든'은 '사람'이라는 명사를 꾸며 주는 관형사로, 형태가 변하지 않는다. '푸른(푸르다)'은 상태나 성질을 나타내는 형용사로, 형태가 변한다.

[대명사와 관형사의 구분]

대명사는 조사와 결합할 수 있고, 관형사는 조사와 결합할 수 없음.

예 그는 내가 잘 안다.
→ '그'는 조사와 결합했으므로 대명사임.
그 사람은 착하다. → 그는 사람은 착하다.(×)
→ '그'는 조사와 결합할 수 없으므로 관형사임.

28 감탄사, 관형사, 명사, 조사, 부사, 동사

정답 풀이

'와'는 말하는 이의 느낌을 나타내는 감탄사이고, '새'는 '가방'이라는 명사를 꾸며 주는 관형사이다. '가방'은 사물의 이름을 나타내는 명사이고, '을'은 단어 간의 문법적 관계를 나타내는 조사이다. '드디어'는 '샀어(사다)'라는 동사를 꾸며 주는 부사이고, '샀어'는 사람의 움직임을 나타내는 동사이다.

30 어휘의 체계 (1)_고유어

01 ○ 02 ○
03 × 04 우리
05 누나, 아침 06 스승
07 요즘, 사람

31 어휘의 체계 (2)_한자어

01 한자 02 개념
03 고유어 04 ㉡
05 ㉢ 06 ㉠
07 ㉣

32 어휘의 체계 (3)_외래어

01 ○ 02 ×
03 × 04 도움말
05 누리꾼 06 길도우미
07 ㉢ 08 ㉡
09 ㉠

33 어휘의 양상 (1)_지역 방언

01 ○ 02 ○
03 × 04 ○
05 표준어, 지역 방언 06 공식적, 비공식적
07 전 국민, 지역민

34 어휘의 양상 (2)_사회 방언

01 사회 방언 02 친밀감(친근감)
03 효율성 04 ×
05 ○ 06 ○
07 ×

개념 30~34 실력 완성하기

01 ② 02 ④ 03 ② 04 ③ 05 ①
06 ① 07 ⑤ 08 ④

01 ②

정답 풀이

②는 한자어에 대한 설명이다. 한자어는 복잡하거나 추상적인 개념을 표현하는 데 적합하며, 전문 용어나 학술 용어 등에서 그 예를 쉽게 찾아볼 수 있다.

오답 풀이

③ '말'이라는 고유어는 문장의 흐름에 따라 '단어, 표현, 대화, 설명, 해명' 등 다양한 한자어로 바꿔 쓸 수 있다. 이를 고려하면 고유어는 하나의 단어가 문맥에 따라 여러 의미를 나타내는 경우가 많다고 할 수 있다.

02 ④

정답 풀이

'사과'는 '沙果(모래 사, 열매 과)' 또는 '砂果(모래 사, 열매 과)'라는 한자를 바탕으로 만들어진 말이다. 따라서 사과는 고유어가 아닌 한자어이다.

03 ②

정답 풀이

②는 '고생(苦生)', '감기(感氣)', '신문(新聞)', '백일장(白日場)'은 한자를 바탕으로 하여 만들어진 말이므로 모두 한자어이다.

오답 풀이

'길잡이', '노래', '얼굴', '마음'은 순우리말인 고유어이다.

04 ③

정답 풀이

[보기]에 제시된 단어는 모두 외래어이며, 외래어는 대체하여 사용할 수 있는 고유어나 한자어를 찾기가 어려운 편이다.

오답 풀이

④ 상황에 맞게 외래어를 적절히 사용하면 우리말을 보완할 수 있고 우리말을 풍부하게 할 수 있다.
⑤ 외래어는 서양의 새로운 문물과 함께 들어온 말이다. 따라서 서양과의 교류가 활발해질수록 그 수가 크게 늘어날 수도 있다.

05 ①

정답 풀이

'빵, 버스, 바나나, 플루트'는 다른 나라에서 들어와 우리말처럼 쓰이는 외래어이다. '빵'은 포르투갈어 'páo'에서, '버스', '바나나', '플루트'는 영어 'bus'와 'banana', 'flute'에서 온 말이다.

오답 풀이

② '원피스(one-piece)'는 외래어이며 '헤어(hair)'와 '밀크(milk)'는 외국어이고 '치아(齒牙)'는 한자어이다.
③ '사이즈(size)', '오페라(opera)', '벤치(bench)'는 외래어이고 '의사(醫師)'는 한자어이다.
④ '앙코르(encore)'와 '모델(model)'은 외래어이고, '타이거(tiger)'는 외국어이며 '편지(便紙)'는 한자어이다.
⑤ '고무(gomme)'와 '샌드위치(sandwich)'는 외래어이고, '씨름'과 '달맞이'는 고유어이다.

[외래어와 외국어]

(1) 외래어
- 외국어에 비해 상당히 우리말처럼 느껴져 다른 나라에서 온 말이라는 느낌이 상대적으로 약함.
- 대체할 수 있는 고유어나 한자어를 찾기 어려운 편임.

(2) 외국어
- 외래어에 비해 다른 나라에서 온 말이라는 느낌이 상대적으로 강함.
- 대체할 수 있는 고유어나 한자어를 찾기 쉬운 편임.

06 ①

정답 풀이

모든 지역 사람들, 즉 국민 간의 원활한 의사소통에 도움을 주는 말은 표준어이다. 지역 방언은 지역적 원인에 따라 달라진 말로, 다른 지역 사람들과 대화할 때 사용하면 원활한 의사소통이 어려울 수 있다.

오답 풀이

④ 표준어는 주로 신문, 방송과 같은 공식적인 상황에서 전 국민을 대상으로 사용되는 반면, 지역 방언은 주로 개인적인 대화와 같은 비공식적인 상황에서 지역민끼리 사용된다.

07 ⑤

정답 풀이

[보기]의 밑줄 친 말들은 주로 청소년들이 쓰는 사회 방언이다. 이 같은 사회 방언을 사용하면 청소년 집단 내에서는 의사소통의 효율성을 높일 수 있고 친밀감을 형성할 수 있다는 장점이 있다.

오답 풀이

① 지역의 문화적 차이를 반영하는 말은 지역 방언이다.
② 한자어나 사회 방언 중 전문 분야에서 사용되는 어휘는 주로 개념을 명확하게 전달하고자 할 때 사용된다.

08 ④

정답 풀이

고유어가 한자어에 비해 정확하고 세분화된 의미를 가진 것이 아니라, 한자어가 고유어에 비해 정확하고 세분화된 의미를 가진다. 이를테면 고유어 '고치다'는 문맥에 따라 '수리하다, 수정하다, 수선하다, 치료하다' 등의 한자어로 바꾸어 쓸 수 있는데, 이를 통해 한자어가 고유어에 비해 좀 더 정확하고 세분화된 의미를 갖고 있음을 알 수 있다.

오답 풀이

② 한자어와 외래어를 무분별하게 사용하기 보다는 가능한 한 고유어(다듬은 말)로 바꿔 사용하는 것이 바람직하다.
⑤ 지역 방언은 다른 지역 사람들과 대화할 때 사용하면 의사소통의 어려움이 생길 수 있다. 또한 사회 방언도 다른 세대나 다른 직업(전문 분야)에 속해 있는 사람들과 대화할 때 사용하면 의사소통을 할 때 어려움이 생길 수 있다.

Ⅲ 문장

35 문장

01 ×　　02 ×
03 ○　　04 ○
05 ×　　06 ○
07 ㉠　　08 ㉡
09 ㉠
10 날씨가 / 매우 춥다.
11 파도가 / 세차게 출렁인다.
12 예쁜 은우가 / 우유를 먹는다.
13 저 빨간 자동차는 / 매우 빠르다.
14 보람이는 / 축구선수가 아니다.
15 이곳의 날씨는 / 여행하기에 적합하다.

36 주어

01 필수적인　　02 동작
03 체언　　04 누가 / 무엇이
05 서술어　　06 바다가
07 둘이　　08 소희만
09 눈이　　10 꽃은
11 우리도　　12 국화는
13 마음도　　14 축제가
15 ㉠　　16 ㉢
17 ㉡

37 서술어

01 주어　　02 동작
03 가자　　04 높았다
05 독서이다　　06 넣었다
07 ㉡　　08 ㉠

38 목적어, 보어

01 ○　　02 ○
03 ×　　04 ○
05 공을　　06 너를
07 오빠를　　08 새를

09 ○　　10 ×
11 ×　　12 ○

39 주성분

01 주성분　　02 서술어, 보어
03 주어　　04 서술어
05 보어　　06 목적어
07 꽃이, 아름답다
08 언니는, 고등학생이, 된다
09 강아지가, 꼬리를, 흔들었다
10 아이들은, 게임도, 좋아한다

40 관형어

01 새　　02 지민이의
03 ㉠　　04 ㉢
05 ㉡　　06 친구
07 규칙　　08 아이
09 학교

41 부사어

01 ×　　02 ○
03 너무　　04 나에게
05 많이　　06 선호는 착한 친구야.

42 부속 성분

01 ㉡　　02 ㉠
03 열심히 - 부사어　　04 환한 - 관형어
05 옛 - 관형어 / 오래간만에 - 부사어
06 헌 - 관형어 / 깨끗이 - 부사어
07 개　　08 높이
09 이번에는 편지가 올 것 같다.
10 소식

43 독립어(독립 성분)

01 ○　　02 ×
03 으악　　04 어머나
05 신이시여　　06 아무렴

07 ㉢　　08 ㉠
09 ㉡

개념 35~43 실력 완성하기

01 ⑤	02 ④	03 ⑤	04 ②	05 ②
06 ①	07 ②	08 ⑤	09 ④	10 ②
11 ③	12 ①	13 ⑤	14 ⑤	15 ③
16 ③	17 ⑤	18 (가) 주어　(나) 목적어		

01 ⑤

정답 풀이

주성분은 문장을 구성하는 필수 성분이지만, 경우에 따라 생략할 수도 있다.

오답 풀이

① 문장의 기본 구조는 '누가/무엇이+어찌하다', '누가/무엇이+어떠하다', '누가/무엇이+무엇이다'로 서술어의 성격에 따라 세 가지 유형으로 나눌 수 있다.
② 하나의 문장이 끝나면 온점(.), 물음표(?), 느낌표(!) 같은 문장 부호를 사용해야 한다.
④ 주어부는 문장의 주어와 이를 꾸며 주는 부속 성분들로 이루어진 부분이다.

02 ④

정답 풀이

'지나는 이번에 학급 회장이 되었다.'의 주어부는 '지나는'이고, 서술부는 '이번에 학급 회장이 되었다.'이다. '회장이'는 '되었다' 앞에 놓인 보어로, 주어가 아니다.

[주어부와 서술부]

- 주어부: 문장에서 주어와 그에 딸린 부속 성분으로 이루어진 부분.
- 서술부: 문장에서 서술어, 목적어, 보어와 그에 딸린 부속 성분으로 이루어진 부분.
  예 지나는 / 이번에 학급 회장이 되었다.
  (주어부) (서술부)

03 ⑤

정답 풀이

'지수는 이번 주 학급 주번이다.'는 '누가/무엇이+무엇이다'의 구조로 이루어진 문장이다.

오답 풀이

①, ②, ③, ④ '누가/무엇이+어찌하다'의 구조로 이루어진 문장이다.

[문장의 기본 구조]
문장의 기본 구조는 다음과 같이 세 가지로 나눌 수 있다.
- 누가/무엇이+어찌하다 ㉠ 그가 뛰어간다.
- 누가/무엇이+어떠하다 ㉠ 강물이 푸르다.
- 누가/무엇이+무엇이다 ㉠ 나는 학생이다.

즉 문장의 기본 구조는 '서술어'의 종류에 따라 나눌 수 있다.

04 ②

정답 풀이

서술어는 주어의 동작, 성질, 상태 등을 설명하는 부분으로, 동사나 형용사와 같은 용언이 그 자체로 서술어가 되거나 체언에 조사 '이다'가 붙어 만들어진다. 따라서 서술어가 주로 체언으로 이루어진다고 할 수 없다.

오답 풀이

① 보어는 '되다', '아니다'라는 특정 서술어 앞에서만 쓰이는 문장 성분이다.
③, ④ 목적어는 '누구를/무엇을'에 해당하는 문장 성분으로, 서술어의 동작 대상이 된다.
⑤ 주어는 '누가/무엇이'에 해당하는 문장 성분으로, 서술어의 주체를 나타낸다.

05 ②

정답 풀이

'저는 주장이 아닙니다.'는 '주어+보어+서술어'로 이루어진 문장으로, 주성분만으로 이루어져 있다.

오답 풀이

① 모든(관형어) 기회가(주어) 중요하다.(서술어) – '모든'이라는 관형어가 사용되었다.
② 나는(주어) 붉은(관형어) 노을을(목적어) 보았다.(서술어) – '붉은'이라는 관형어가 사용되었다.
④ 허,(독립어) 벌써(부사어) 시간이(보어) 이렇게(부사어) 되었구나.(서술어) – '허'라는 독립어와 '벌써', '이렇게'라는 부사어가 사용되었다.
⑤ 너는(주어) 언제나(부사어) 나에게(부사어) 큰(관형어) 힘이(보어) 되었다.(서술어) – '언제나', '나에게'라는 부사어와 '큰'이라는 관형어가 사용되었다.

[문장의 성분]
- 주성분: 주어, 목적어, 보어, 서술어
- 부속 성분: 부사어, 관형어
- 독립 성분: 독립어

06 ①

정답 풀이

'언제나(부사어) 나는(주어) 너의(관형어) 곁에(부사어) 있을게.(서술어)'에서 '나는'은 서술어 '있을게'의 주체이다.

오답 풀이

② 서술어는 주체의 동작, 상태, 성질 등을 풀이하는 문장 성분이다.
③ 목적어는 서술어의 대상이 되는 문장 성분이다.
④ 관형어는 문장에서 체언을 꾸며 주는 문장 성분이다.
⑤ 보어는 주어를 보충하는 문장 성분이다.

07 ②

정답 풀이

서술어는 주어의 동작이나 상태, 성질 등을 풀이하는 문장 성분으로, 문장에서 '어찌하다', '어떠하다', '무엇이다'에 해당한다.

오답 풀이

① 문장에서 설명하고자 하는 대상은 주어이다.
③ '되다', '아니다'가 주어 이외에 요구하는 문장 성분은 보어이다.
④ 다른 문장 성분을 꾸며 주어 의미를 풍부하게 하거나 한정하는 것은 부속 성분이다.
⑤ 다른 문장 성분과 관계를 맺지 않고 독립적인 성격을 지닌 것은 독립 성분이다.

08 ⑤

정답 풀이

'거미는 해로운 벌레가 아니다.'에서 '벌레가'는 '아니다'의 앞에 쓰인 보어이다.

오답 풀이

①, ②, ③, ④ 밑줄 친 부분의 문장 성분은 모두 주어이다.

09 ④

정답 풀이

[보기]의 문장은 '와,(독립어) 민지가(주어) 교실에서(부사어) 책을(목적어) 읽네!(서술어)'로, 관형어는 쓰이지 않았다.

10 ②

정답 풀이

'나는 커다란 짐을 천천히 운반했다.'에서 '짐을'은 서술어의 동작 대상이 되는 목적어이다.

오답 풀이

① 관형어에 대한 설명이다.
③ 부사어에 대한 설명이다.
④ 서술어에 대한 설명이다.
⑤ 주어에 대한 설명이다.

11 ③

정답 풀이

'나는 구르는 돌을 피했다.'에서 '구르는'은 '돌'이라는 체언을 꾸며 주는 관형어로, 부속 성분이다.

오답 풀이

① '불을'은 목적어이다.
② '회장이'는 '되었다' 앞에 쓰인 보어이다.
④ '어머니께서'는 주어이다.
⑤ '걸었다'는 서술어이다.

12 ①

정답 풀이

'제비가(주어) 벌써(부사어) 마을로(부사어) 돌아왔다.(서술어)'에서 관형어는 쓰이지 않았다.

오답 풀이

② 관형어는 '삼촌의', '도시의'이다.
③ 관형어는 '가는', '친한'이다.
④ 관형어는 '과거의', '새로운'이다.
⑤ 관형어는 '옛'이다.

13 ⑤

정답 풀이

'지금은 잘 적응해서 나름 즐거운 시간을 보내고 있다.'에서 '즐거운'은 '시간'이라는 체언을 꾸며 주는 관형어이다.

오답 풀이

① '더'는 '일찍'이라는 부사어를 꾸며 주는 부사어이다.
② '일찍'은 '일어나야 하고'라는 용언을 꾸며 주는 부사어이다.
④ '제발'은 '초등학교로 돌아갔으면 좋겠다는 마음까지 들었다.'는 문장 전체를 꾸며 주는 부사어이다.
⑤ '잘'은 '적응해서'라는 용언을 꾸며 주는 부사어이다.

[부사어]
부사어는 일반적으로 동사와 형용사 같은 용언, 문장 전체, 관형어, 다른 부사어를 꾸며 준다. 다만 부사어가 다음의 예처럼 체언을 꾸며 주는 경우도 있다. 이런 경우는 부사어가 체언의 수량이나 정도, 위치를 한정하는 경우이다.

예 겨우 둘이 이길 수 있을까?
너는 꼭 그것만 좋다고 하더라.

14 ⑤

정답 풀이

㉤ '진우는 그 옷을 입었다.'에서 '그'는 '옷'을 꾸며 주는 관형어로, 의미를 보다 분명하게 해 주거나 한정해 주는 역할을 한다. '그'를 생략할 경우 어떤 '옷'인지 구체적으로 알 수 없다.

오답 풀이

① '닭이'는 '되었다'의 의미를 보충해 주는 보어이다.
② '정말'은 '예쁘구나'를 꾸며 주는 부사어로, 부속 성분에 해당한다.
③ '읽는다'의 주체는 '소희가'로 문장의 주어이다.
④ 부름이나 응답, 감탄을 나타내는 독립어는 다른 문장 성분과 관계를 맺지 않고 독립적으로 쓰인다.

15 ③

정답 풀이

'희수가 공책을 샀다.'에서 '공책을'은 '샀다'라는 동작의 대상이 되는 목적어이다.

16 ③

정답 풀이

'와, 새 농구공은 정말 잘 튄다.'에서 '정말'은 '잘'이라는 부사어를 꾸며주는 부사어이다.

17 ⑤

정답 풀이

주영이는(주어) 그렇게(부사어) 불성실한(관형어) 학생이(보어) 아니다.(서술어) – 주어, 서술어, 보어, 관형어, 부사어가 모두 쓰였다.

오답 풀이

① 나는(주어) 멋진(관형어) 차를(목적어) 보았다.(서술어) – 보어와 부사어가 쓰이지 않았다.
② 지선이는(주어) 새(관형어) 학교에(부사어) 일찍(부사어) 갔다.(서술어) – 보어가 쓰이지 않았다.
③ 와,(독립어) 정말(부사어) 훌륭한(관형어) 학생이(보어) 되었구나.(서술어) – 주어가 쓰이지 않았다.
④ 동생이(주어) 정말(부사어) 어려운(관형어) 문제를(목적어) 풀었다.(서술어) – 보어가 쓰이지 않았다.

18 (가) 주어, (나) 목적어

정답 풀이

의사소통에서 말하는 사람과 듣는 사람 모두 생략된 말을 알고 있거나 어떤 말이 생략되었을지 알 수 상황일 때는 주성분이라도 생략이 가능하다. 그러나 (가)에는 너에게 오라고 하신 주체에 해당하는 주어가, (나)에는 내가 만든 대상에 해당하는 목적어가 추가될 필요가 있다.

44 홑문장, 겹문장

01 홑문장, 겹문장
02 이어진문장, 안은문장
03 홑
04 겹
05 겹
06 홑
07 겹

45 이어진문장 (1)_대등하게 이어진 문장

01 ○
02 ○
03 ×
04 해가 뜨고 바람이 분다.
05 나는 키가 크고 동생은 키가 작다. / 나는 키가 크지만 동생은 키가 작다.
06 경수는 축구를 잘하고 지민이는 농구를 잘한다.
07 ㉡
08 ㉠
09 ㉡

46 이어진문장 (2)_종속적으로 이어진 문장

01 의존적
02 조건
03 ㉡
04 ㉢
05 ㉠
06 ○
07 ×
08 ○

47 안은문장, 안긴문장 (1)_명사절, 관형절, 부사절

01 ㉡
02 ㉠
03 ㉢
04 나는 파도가 넘실대는 바다를 보고 있었다.
05 그는 소리도 없이 내게 다가왔다.
06 우리는 형준이가 정직함을 이제야 알았다.
07 ㉠
08 ㉢
09 ㉣
10 ㉡

48 안은문장, 안긴문장 (2)_서술절, 인용절

01 서술어
02 서술절
03 직접 인용, 간접 인용
04 민주는 성격이 밝다.
05 풍선은 부피가 크다.
06 "제가 그 짐을 가져오겠습니다."라고
07 자기가 그 짐을 가져오겠다고

개념 44~48 실력 완성하기

01 ⑤	02 ③	03 ②	04 ③	05 ④
06 ⑤	07 ①	08 ②	09 ⑤	10 ④
11 ①	12 ②	13 ①	14 ⑤	

15 (1) ㉠, ㉡, ㉤ (2) ㉢, ㉣
16 ㉠ "내가 과자를 준비할게."
㉡ 자기가 과자를 준비한다

01 ⑤

정답 풀이

홑문장이 다른 홑문장을 하나의 성분처럼 안고 있는 문장을 안은문장이라고 한다.

[문장의 종류]

① 홑문장: 주어와 서술어의 관계가 한 번만 나타나는 문장
예) 나는(주어) 밥을 먹었다(서술어).

② 겹문장: 주어와 서술어의 관계가 두 번 이상 나타나는 문장.

- 이어진문장: 두 개 이상의 홑문장을 연결하는 어미를 사용하여 결합한 문장.
예) 나는(주어) 밥을 먹고(서술어), 언니는(주어) 빵을 먹었다(서술어).
- 안은문장: 하나의 홑문장(안긴문장)을 문장 성분으로 포함하고 있는 문장.
예) 나는(주어) 언니가(주어) 사온(서술어) 빵을 먹었다(서술어). – 관형절을 안은 문장 [언니가 사온: 관형절]

02 ③

정답 풀이

따뜻한(관형어) 햇살에(부사어) 눈이(주어) 빨리(부사어) 녹았다(서술어).

오답 풀이

① 어제 그 집에 갔다.
부사어 관형어 부사어 서술어

② 나무에 예쁜 꽃이 피었다.
부사어 관형어 주어 서술어

④ 숙영이는 언니의 노래에 깜짝 놀랐다.
주어 관형어 부사어 부사어 서술어

⑤ 수정이는 큰 목소리로 노래한다.
주어 관형어 부사어 서술어

03 ②

정답 풀이

나는 반드시 내 꿈을 이루겠다.
주어 부사어 관형어 목적어 서술어

②는 주어와 서술어의 관계가 한 번만 나타나는 홑문장이다.

오답 풀이

① 그는 목소리가 정말 크다.
주어 서술절
서술절을 안은 문장으로, 겹문장에 해당한다.

③ 방이 추워서 언니가 힘들어한다.
주어 서술어 주어 서술어
주어와 서술어의 관계가 두 번 나타나는 종속적으로 이어진 문장으로, 겹문장에 해당한다.

④ 눈이 와서 상은이는 눈사람을 만들었다.
주어 서술어 주어 서술어
주어와 서술어의 관계가 두 번 나타나는 종속적으로 이어진 문장으로, 겹문장에 해당한다.

⑤ 시험이 어렵지만 나는 좋은 점수를 받았다.
주어 서술어 주어 서술어
주어와 서술어의 관계가 두 번 나타나는 대등하게 이어진 문장으로, 겹문장에 해당한다.

04 ③

정답 풀이

'철수가 돌아와서 나는 기뻤다.'는 '철수가 돌아왔다.'라는 홑문장과 '나는 기뻤다.'라는 홑문장이 연결된 이어진문장이다.

오답 풀이

① 그는 입맛이 까다롭다. – 서술절을 안은 문장
② 그가 옳았음이 밝혀졌다. – 명사절을 안은 문장
④ 우리는 그 일이 성공하기를 바란다. – 명사절을 안은 문장
⑤ 나는 방학이 오기를 간절히 기다린다. – 명사절을 안은 문장

05 ④

정답 풀이

홑문장이 다른 문장 속에서 하나의 문장 성분 역할을 하는 것은 안긴문장이다.

오답 풀이

① 대등하게 이어진 문장 중, 앞뒤 문장이 서로 반대되는 내용으로 이어지는 경우도 있다.
② 종속적으로 이어진 문장의 경우 앞뒤 문장은 원인과 결과, 조건, 목적 등으로 이어진다.
③ 대등하게 이어진 문장과 종속적으로 이어진 문장의 경우 의미 관계에 따라 연결하는 어미가 달라진다.
⑤ 이어진문장은 크게 대등하게 이어진 문장과 종속적으로 이어진 문장으로 나눌 수 있다.

[이어진문장의 종류]

• 대등하게 이어진 문장

앞뒤 내용이 나열되는 경우	나는 요리를 한다.+동생은 상을 차린다. → 나는 요리를 하고 동생은 상을 차린다.
앞뒤 내용이 대조적으로 이어지는 경우	오늘은 비가 온다.+내일은 맑을 것이다. → 오늘은 비가 오지만 내일은 맑을 것이다.

• 종속적으로 이어진 문장

원인과 결과로 이어지는 문장	문이 열려서 먼지가 들어왔다. (원인) (결과)
앞 문장이 뒤 문장의 조건으로 이어진 문장	네가 나를 돕는다면 일이 빨리 끝날 것이다. (조건)
앞 문장이 뒤 문장의 목적으로 이어진 문장	나는 건강해지려고 산에 올라간다. (목적)

06 ⑤

정답 풀이

⑤는 '태훈이는 운동을 잘한다.'와 '태훈이는 그림을 잘 그린다.'라는 두 개의 홑문장이 대등하게 결합한 문장이다. ⑤에서 뒤 문장의 주어는 '태훈이는'으로 앞 문장과 같기 때문에 생략이 가능하다.

오답 풀이

①, ③ 종속적으로 이어진 문장 중, 앞뒤 문장이 원인과 결과로 이어진 문장이다.
② 종속적으로 이어진 문장 중, 앞 문장이 뒤 문장의 목적이 되는 문장이다.
④ 종속적으로 이어진 문장 중, 앞 문장이 뒤 문장의 조건이 되는 문장이다.

07 ①

정답 풀이

[보기]와 ①의 문장은 종속적으로 이어진 문장으로, 앞뒤 문장이 원인과 결과로 이어진 경우이다.

오답 풀이

②, ⑤ 대등하게 이어진 문장 중 앞뒤 문장이 반대되는 내용으로 이어진 경우이다.

③, ④ 대등하게 이어진 문장 중 앞뒤 문장이 비슷한 내용으로 이어진 경우이다.

08 ②

정답 풀이

안긴문장은 안은문장 속에서 하나의 문장 성분처럼 쓰이는 것으로, 안은문장과 대등하게 연결된다고 볼 수 없다.

09 ⑤

정답 풀이

[보기]의 '산은 높고 푸르다.'는 두 개의 홑문장이 이어진 문장으로 서술어는 '높다'와 '푸르다'이다.

오답 풀이

①, ② '산은 높다'와 '산은 푸르다'가 대등하게 이어진 겹문장으로, 뒤 문장에서 주어인 '산은'은 앞 문장과 중복되어 생략되었다.

10 ④

정답 풀이

채영이는 자신이 그 일을 했다고 말했다.
(자신이 그 일을 했다: 인용절(간접 인용))

11 ①

정답 풀이

'삼 남매는 매일매일 열심히 일했습니다.'의 주어는 '삼 남매는', 서술어는 '일했습니다'로, 홑문장에 해당한다.

오답 풀이

② 아이들은 비가 오는 날에도 열심히 일을 했습니다.
(아이들은: 주어) (비가: 주어)(오는: 서술어) (했습니다: 서술어)

③ 와, 우리가 같이 일을 하니 일이 힘들지 않아.
(우리가: 주어) (하니: 서술어)(일이: 주어) (힘들지 않아: 서술어)

④ 삼 남매는 행복해하며 나무를 소중히 돌봤습니다.
(삼 남매는: 주어) (행복해하며: 서술어) (돌봤습니다: 서술어)
앞 문장의 주어와 뒤 문장의 주어가 같은 경우로 뒤 문장에서 주어 '삼 남매는'이 생략되었다.

⑤ 나무는 하루가 다르게 쑥쑥 자랐습니다.
(나무는: 주어) (하루가: 주어) (다르게: 서술어) (자랐습니다: 서술어)

12 ②

정답 풀이

[보기]에서 '그가 입원했다는'은 '소식'이라는 명사를 꾸며 주는 관형절이다. ㉡'아이들은 비가 오는 날에도 열심히 일을 했습니다.'에서 '비가 오는'은 '날'이라는 명사를 꾸며 주는 관형절로 [보기]와 같은 형식의 문장이다.

오답 풀이

① 홑문장이다.

③ 종속적으로 이어진 문장이다.

④ 대등하게 이어진 문장이다.

⑤ 부사절을 안은문장이다.

13 ①

정답 풀이

[보기]는 주어에 관한 설명이다. '소희는 학교에 가기가 너무 힘들다.'에서 '학교에 가기가'는 명사절로 전체 문장에서 주어의 역할을 하고 있다.

오답 풀이

② '고등학생이 된'은 '오빠'를 꾸며 주는 관형어 역할을 하는 관형절이다.

③ 문장의 전체 주어는 '영진이는'으로, '성격이 원만하다'는 서술어 역할을 하는 서술절이다.

④ '할머니께서 건강해지시기를'은 전체 문장에서 목적어 역할을 하는 명사절이다.

⑤ '소리도 없이'는 전체 문장에서 서술어인 '왔다'를 꾸며 주는 부사어 역할을 하는 부사절이다.

14 ⑤

정답 풀이

'사람들은 거기에 너구리가 산다고 했다.'는 "거기에 너구리가 산다."라는 사람들의 말을 간접적으로 인용한 인용절을 안은 문장이다.

오답 풀이

① 토끼는 뒷발이 길다. (서술절)

② 민식이는 친구가 많다. (서술절)

③ 이 의자는 등받이가 있다. (서술절)

④ 할아버지께서는 인정이 많으시다. (서술절)

15 (1) ㉠, ㉡, ㉤ (2) ㉢, ㉣

정답 풀이

㉠ '전화도 없었다.'와 '전기도 없었다.'라는 두 개의 홑

문장이 대등하게 이어진 문장이다.
㉡ '나는 과제를 한다.'와 '(나는) 집을 나섰다.'라는 두 개의 홑문장이 '목적'이라는 의미 관계로 연결된 종속적으로 이어진문장이다.
㉢ '네가 깜짝 놀랄'이라는 관형절을 안은 문장이다.
㉣ '밖이 잘 보이게'라는 부사절을 안은 문장이다.
㉤ '가을이면 단풍이 물든다.'와 '가을이면 산이 붉게 변했다.'라는 두 개의 홑문장이 '이유'라는 의미 관계로 연결된 종속적으로 이어진 문장이다.

16 ㉠ "내가 과자를 준비할게."
㉡ 자기가 과자를 준비한다

정답 풀이

다른 사람의 말을 직접 인용할 경우에는 인용하는 문장을 그대로 사용하며 큰따옴표를 넣어 인용문을 만들지만, 간접 인용할 경우에는 말하는 사람의 입장에서 문장을 바꾸어 말한다는 차이가 있다.

IV 단어의 발음과 표기

49 모음의 발음

01 ○ 02 ×
03 × 04 [얘기]
05 [무레] 06 [살쩌]
07 [회이] 08 [띠다]
09 [은헤] 10 [예의], [예이]

50 받침의 발음 (1)_홑받침(7종성)

01 발음 02 [ㄱ]
03 같은 04 다른
05 [빋] 06 [낟]
07 [숩] 08 [키윽]
09 [품] 10 [밥]
11 ㉠ - ⓑ 12 ㉡ - ⓐ

51 받침의 발음 (2)_겹받침

01 [목] 02 [닥꽈]
03 [점따] 04 [널따]
05 [일꼬] 06 [넙쭈카다]

52 받침의 발음 (3)_받침 'ㅎ'

01 × 02 ○
03 ○ 04 ㉠
05 ㉡

개념 49~52 실력 완성하기

01 ③	02 ②	03 ④	04 ①	05 ⑤
06 ⑤	07 ④	08 ②	09 ①	10 ③
11 ⑤	12 ②	13 ⑤	14 ④	15 ①
16 ⑤	17 ③	18 ④	19 ④	20 ③

01 ③

정답 풀이

국어의 자음은 첫소리로 쓰일 때와 받침으로 쓰일 때, 다르게 발음되기도 한다. 또한 받침으로 쓰인 자음은 앞뒤에 오는 음운의 영향을 받아서 원래의 표기와 다르게 발음되는 경우가 있다.

오답 풀이

① 국어의 모음은 단모음 10개와 이중 모음 11개가 모두 소리 난다. 다만 환경에 따라 표기와 다르게 발음되기도 한다.
② 국어의 첫소리에는 19개의 모든 자음이 사용될 수 있다.
④ 첫소리로 쓰인 자음 'ㅌ'이 받침으로 쓰일 때에는 다른 소리로 바뀌어 소리 나게 된다.
⑤ 받침으로 쓰이는 자음 중 'ㄱ, ㄴ, ㄷ, ㄹ, ㅁ, ㅂ, ㅇ'은 원래의 표기 그대로 소리 난다.

[국어의 7종성]
받침에 사용된 자음 중 실제로 발음되는 소리는 [ㄱ], [ㄴ], [ㄷ], [ㄹ], [ㅁ], [ㅂ], [ㅇ] 7개이다.

02 ②

정답 풀이

'가져'는 '가지-+-어'가 줄어든 단어로, 이중 모음인 'ㅕ'를 [ㅓ]로 발음한다는 규정에 따라 '[가저]'로 발음한다.

오답 풀이

① 이겨[이겨], ③ 누워[누워], ④ 도와[도와], ⑤ 싸여[싸여]는 모두 원래 소리대로 발음한다.

03 ④

정답 풀이

[보기]의 규칙에서 'ㅖ'를 [ㅔ]로 발음하는 것은 '예, 례'의 경우를 제외한다고 하였으므로, '예의'의 '예'는 표기와 발음이 일치하도록 [예]로 발음해야 한다.

오답 풀이

① '시계'는 [시계] 또는 [시게]로 발음할 수 있다.
② '연계'는 [연계] 또는 [연게]로 발음할 수 있다.
③ '혜택'은 [혜택] 또는 [헤택]으로 발음할 수 있다.
⑤ '폐문'은 [폐문] 또는 [페문]으로 발음할 수 있다.

04 ①

정답 풀이

'의미'의 '의'는 단어의 첫소리에 위치하며, 'ㅢ'가 자음과 결합하지 않은 경우에 해당하므로 원래의 소리를 살려 [의]로 발음해야 한다.

오답 풀이

② '성의'의 '의'는 단어의 두 번째 음절에 위치하고 있어 [ㅣ]로도 발음할 수 있다. 따라서 올바른 발음은 [성의] 또는 [성이]이다.
③ '강의'의 '의'는 단어의 두 번째 음절에 위치하고 있어 [ㅣ]로도 발음할 수 있다. 따라서 올바른 발음은 [강의] 또는 [강이]이다.
④ '희미하다'는 자음 'ㅎ'을 첫소리로 가지고 있는 'ㅢ'이므로 [ㅣ]로 발음한다. 따라서 올바른 발음은 [히미하다]이다.
⑤ '하늬'는 자음 'ㄴ'을 첫소리로 가지고 있는 'ㅢ'이므로 [ㅣ]로 발음한다. 따라서 올바른 발음은 [하니]이다.

05 ⑤

정답 풀이

'ㅢ'를 발음할 때 첫소리로 자음이 결합한 경우 이중 모음 [ㅢ]로 발음하지 않고 단모음 [ㅣ]로 바꾸어 발음한다. '늴리리'는 'ㅢ'가 자음 'ㄴ'과 결합하고 있으며, '씌어'는 'ㅢ'가 'ㅆ'과 결합하고 있고, '틔어'는 'ㅢ'가 자음 'ㅌ'과 결합하고 있어 각각 [닐], [씨], [티]로 소리 내야 한다. 다만 '의지'와 '의회'의 경우 'ㅢ'가 자음과 결합하지 않는 첫소리이므로 [의]로 발음한다.

오답 풀이

① '의지', '의회'에 쓰인 'ㅢ'는 [의]로 발음해야 한다.
② 거센소리인 자음과 결합된 'ㅢ'는 '틔어' 하나밖에 없다.
③ [보기]에 제시된 단어의 경우 모두 '의'가 첫음절에 쓰인 경우에 해당하며, 환경에 따라 [ㅣ], [ㅢ]로 구분하여 발음한다.
④ [보기]에서 조사 '의'에 해당하는 예는 없다.

06 ⑤

정답 풀이

두 번째 '의'는 조사이므로 [의] 또는 [에]로 발음할 수 있다. 세 번째 나오는 '의'는 단어의 첫음절에 해당하므로 [의]로 발음해야 한다. 네 번째 나오는 '의'는 첫음절이 아니므로 [의] 또는 [이]로 발음할 수 있다.

[이중 모음 'ㅢ'의 발음]
'ㅢ'의 발음은 위치나 자음과의 결합 여부, 품사가 조사인지의 여부에 따라 구분된다.
- 단어의 첫음절에 쓰인 경우 원래의 소리를 살려 발음한다.
- 첫음절이 아닌 경우에는 [ㅢ] 또는 [ㅣ]로 발음할 수 있다. 조사 '의'는 [ㅢ] 또는 [ㅔ]로 발음할 수 있다.
- '민주주의의 의의'에서 처음 나오는 '의'는 단어의 넷째 음절에 위치하므로 [ㅢ] 또는 [ㅣ]로 발음할 수 있다.

07 ④

정답 풀이

국어 받침의 표기는 모든 자음을 사용할 수 있으나 실제로 발음되는 소리는 [ㄱ], [ㄴ], [ㄷ], [ㄹ], [ㅁ], [ㅂ], [ㅇ] 7개이다. 받침에 쓰인 'ㅅ'은 대체로 [ㄷ]으로 바뀌어 소리 난다.

08 ②

정답 풀이

'낫', '낮', '낯'은 모두 [낟]으로 소리 난다. 받침에 쓰인 'ㅌ, ㅅ, ㅆ, ㅈ, ㅊ, ㅎ'은 단어의 끝부분이나 자음 앞에서 모두 대표음인 [ㄷ]으로 바뀌어 소리 난다.

오답 풀이

①, ③, ⑤ [ㅅ], [ㅊ], [ㅈ]은 모두 첫소리에서는 소리 날 수 있으나 받침에서 소리나지 않는다.
④ 받침에 'ㅂ, ㅍ'이 사용된 경우 [ㅂ]으로 소리 난다.

09 ①

정답 풀이

'밖'의 받침 'ㄲ'은 단어의 끝부분이나 자음의 앞에서 실제로 소리 날 때에는 대표음인 [ㄱ]으로 바뀌어 소리 난다. 따라서 '밖'의 올바른 발음은 [박]이다.

오답 풀이

② '솥'의 받침 'ㅌ'은 대표음인 [ㄷ]으로 바뀌어 소리 나므로 올바른 발음은 [솓]이다.
③ '빛'의 받침 'ㅊ'은 대표음인 [ㄷ]으로 바뀌어 소리 나므로 올바른 발음은 [빋]이다.
④ '앞'의 받침 'ㅍ'은 대표음인 [ㅂ]으로 바뀌어 소리 나므로 올바른 발음은 [압]이다.
⑤ '옷'의 받침 'ㅅ'은 대표음인 [ㄷ]으로 바뀌어 소리 나므로 올바른 발음은 [옫]이다.

10 ③

정답 풀이

'키읔'에 사용된 받침 'ㅋ'은 단어의 끝부분이나 자음 앞에서 대표음 [ㄱ]으로 소리 난다. 따라서 '키읔'의 올바른 발음은 [키윽]이다.

[받침 'ㄱ, ㄲ, ㅋ'의 발음]

받침에 사용된 'ㄱ, ㄲ, ㅋ'은 어말이나 자음 앞에서 모두 [ㄱ]으로 소리 난다.

예 이득[이득], 강적[강적]
안팎[안팍], 볶다[복따]
부엌[부억], 해질녘[해질력]

11 ⑤

정답 풀이

'짓궂다'에 쓰인 받침인 'ㅅ'과 'ㅈ'은 모두 다른 자음 앞에서 [ㄷ]으로 소리 난다. '짓'의 받침 'ㅅ'은 '궂'의 첫소리 'ㄱ' 앞에서 사용되었으며, '궂'의 받침 'ㅈ'은 '다'의 첫소리 'ㄷ' 앞에서 사용되었으므로 모두 [ㄷ]으로 소리 난다. 따라서 '짓궂다'의 발음은 [짇:굳따]이다.

12 ②

정답 풀이

[보기]의 자음은 모두 겹받침이 사용된 예로, 겹받침을 발음할 때에는 두 자음 중 하나가 대표음으로 소리 난다. '넋'의 경우 앞의 'ㄱ'만 발음되어 [넉]으로 소리 나고, '앉-'의 경우 'ㄴ'과 'ㅈ' 중 'ㄴ'만 발음되어 [안]으로 소리 난다. '여덟'의 '덟'은 'ㄹ'과 'ㅂ' 중 앞에 있는 'ㄹ'이, '핥-'의 경우에도 'ㄹ'과 'ㅌ' 중 'ㄹ'이 소리 난다. '없-'에 쓰인 겹받침도 실제로 발음할 때에는 'ㅂ'과 'ㅅ' 중 앞에 있는 'ㅂ'만 소리 난다.

오답 풀이

① '앉다'의 경우 'ㄴ'과 'ㅈ' 중 울림소리인 [ㄴ]으로 소리 난다.
③ '넋'과 '여덟'의 경우 겹받침이 자음과 결합되지 않고 어말에 사용된 사례이다.
④ 품사는 겹받침이 있는 단어의 발음과 상관 없다.
⑤ '넋', '앉다', '핥다', '없다'는 첫음절, '여덟'은 두 번째 음절에 겹받침이 사용되었다.

[겹받침의 발음]

- 겹받침의 앞 자음이 발음되는 경우: ㄳ, ㄵ, ㄼ, ㄽ, ㄾ, ㅄ, ㄶ, ㅀ
- 겹받침의 뒤 자음이 발음되는 경우: ㄺ, ㄻ, ㄿ

13 ⑤

정답 풀이

'넓다'의 겹받침 'ㄼ'은 일반적으로 앞의 자음 [ㄹ]로 소리 나는 경우가 많다. 다만 '-둥글다', '-적하다', '-죽하다'와 결합하는 경우 [ㅂ]으로 발음한다. '넓둥글다'의 올바른 발음은 [넙뚱글다]이다.

오답 풀이

① 넓다[널따], ② 넓고[널꼬], ③ 넓소[널쏘], ④ 넓지[널찌]는 모두 겹받침 'ㄼ'이 [ㄹ]로 발음되는 예이다.

14 ④

정답 풀이

'늙고'는 겹받침 'ㄺ'이 사용된 형용사(용언)에 해당하며, '늙-'이 'ㄱ'으로 시작하는 '-고'와 결합한 경우이다. 이와 같은 경우 'ㄹ'과 'ㄱ' 중 'ㄹ'이 선택되어 '늙-'은 [늘]로 소리 난다. 따라서 '늙고'의 올바른 발음은 [늘꼬]이다.

오답 풀이

① '맑아'의 경우 '맑-'이 모음으로 시작하는 '아'와 결합하여 [말가]로 소리 난다.
② '묽다'는 '묽-'이 자음 'ㄷ'으로 시작하는 '다'와 결합하여 [묵따]로 소리 난다.
③ '얽지'는 '얽-'이 'ㅈ'으로 시작하는 '지'와 결합하여 [억찌]로 소리 난다.
⑤ '읽자'는 '읽-'이 'ㅈ'으로 시작하는 '자'와 결합하여 [익짜]로 소리 난다.

15 ①

정답 풀이

'읊지'는 겹받침 'ㄿ'이 사용된 단어로, 겹받침 'ㄿ'은 자음 앞에서 [ㅂ]으로 소리 나므로 [읍찌]로 발음해야 한다.

16 ⑤

정답 풀이

'많고'는 [만코]로 소리 난다. '많고'의 겹받침 'ㄶ'은 자음 'ㄱ'으로 시작하는 '고'와 결합하여 소리가 바뀌게 된다. 겹받침 'ㄶ'에 있던 'ㄴ'은 앞 음절에서 그대로 소리 나고 뒤의 'ㅎ'은 'ㄱ'과 결합하여 [ㅋ]으로 소리 나는 것이다.

오답 풀이

①, ② 겹받침 'ㄶ' 중 'ㄴ'은 탈락되지 않으며, 'ㅎ'은 'ㄱ'과 축약되어 소리 난다.
③ 'ㄶ' 중 'ㄴ'은 뒤의 'ㄱ'의 영향을 받지 않는다.
④ 'ㄶ' 중 'ㄴ'은 그대로 소리 난다.

[받침 'ㅎ'의 축약]
받침 'ㅎ'이 뒤에 이어지는 자음 'ㄱ, ㄷ, ㅈ'과 결합하는 경우 축약이 일어나 각각 [ㅋ, ㅌ, ㅊ]으로 소리 난다.
예 놓고 [노코], 놓다[노타], 놓지[노치]

17 ③

정답 풀이

'옳소'[올쏘], 닿소[다쏘], 않소[안쏘]와 같이 받침 'ㅎ'이 'ㅅ'으로 시작하는 말과 결합하는 경우 [ㅆ]으로 바뀌어 소리 난다.

오답 풀이

① '놓아'의 'ㅎ'은 뒤에 모음으로 시작되는 어미와 결합하면 소리가 나지 않는다. 따라서 [노아]로 발음해야 한다.
② '좋던'의 'ㅎ'은 'ㄷ'과 결합하여 [ㅌ]으로 축약되므로 [조턴]으로 발음해야 한다.
④ '곯고'의 'ㅎ'이 'ㄱ'과 결합하여 [ㅋ]으로 축약되므로 [골코]로 발음해야 한다.
⑤ '낳지'의 받침 'ㅎ'은 'ㅈ'과 결합하여 [ㅊ]으로 축약되므로 [나치]로 발음해야 한다.

18 ④

정답 풀이

'싫대'는 겹받침에 있는 'ㅎ'이 뒤에 이어지는 'ㄷ'과 결합하여 [ㅌ]으로 축약되어 소리 난다. 따라서 '싫대'의 올바른 발음은 [실태]이다.

오답 풀이

①, ②, ③, ⑤ 모두 겹받침 'ㅀ'이 모음으로 시작하는 말과 이어지는 경우로, 'ㅎ'은 탈락되어 소리 나지 않는다. 각각 [꾸르면], [노아], [다라], [시러]로 발음한다.

19 ④

정답 풀이

받침 'ㅎ'은 'ㄴ'으로 시작되는 말과 결합하는 경우 [ㄴ]으로 바뀌어 실제 발음에서는 'ㄴ'과 'ㄴ'이 연이어 소리 나게 된다. 따라서 '놓는'의 올바른 발음은 [논는]이다.

20 ③

정답 풀이

'많습니다'의 경우 '많-'은 겹받침 'ㄶ' 중 앞의 자음인 [ㄴ]으로 소리 나며, 'ㅎ'은 '-습'의 'ㅅ'과 결합하여 [ㅆ]으로 소리 난다. 따라서 '많습니다'는 [만:씀니다]로 발음해야 한다.

오답 풀이

① '쫓던'은 받침 'ㅊ'이 자음 'ㄷ' 앞에 있으므로 [ㄷ]으로 바뀌어 [쫀떤]으로 발음해야 한다.
② '밟지'의 겹받침 'ㄼ'이 자음 'ㅈ' 앞에 있으므로 [ㅂ]으로 바뀌어 [밥찌]로 발음해야 한다.
④ '않은'은 겹받침 'ㄶ'이 모음으로 시작하는 말과 결합하므로 'ㅎ'이 탈락하여 [아는]으로 발음해야 한다.
⑤ '뚫고'는 겹받침 'ㅀ'의 'ㅎ'이 뒤의 'ㄱ'을 만나 [ㅋ]으로 축약되어 [뚤코]로 발음해야 한다.

[언어의 특성]

53 언어의 특성

01	×	02	○
03	○	04	×
05	㉡	06	㉢
07	㉠	08	㉣
09	역사성	10	자의성

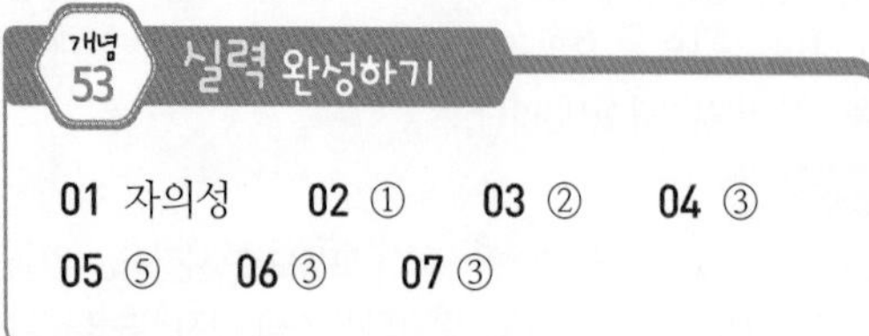

01 자의성 02 ① 03 ② 04 ③
05 ⑤ 06 ③ 07 ③

01 자의성

정답 풀이

언어의 의미(내용)와 말소리(형식)의 관계가 필연적이지 않다는 것과 관련이 있는 언어의 특성은 '자의성'이다.

02 ①

정답 풀이

다른 사람들과 의사소통을 원활하게 하기 위해서는 그 사회에서 약속된 말을 사용해야 한다. 개인이 마음대로 말을 바꾸어 사용하면 의사소통에 어려움이 있을 수 있는데, 이와 관련된 언어의 특성은 '사회성'이다.

03 ②

정답 풀이

조선 시대에 '어여쁘다'는 '불쌍하다'라는 의미로 쓰였지만 지금은 '예쁘다'라는 의미로 쓰이고 있다. 이는 언어의 특성인 역사성 중, 시대에 따라 같은 말의 의미가 달라진 예이다.

오답 풀이

① [보기]의 '어엿브다'는 과거와 말소리는 같지만 뜻이 달라진 경우이다.
③ 언어의 창조성에 관한 설명이다.
④ '아파트, 컴퓨터'와 같은 단어들은 새로운 사물이나 대상이 생겨나면서 만들어진 것으로, 언어의 역사성과 관계가 깊지만 [보기]의 예를 설명하기에는 적절하지 않다. [보기]의 예는 시간의 흐름에 따른 의미 변화를 보여 준다.
⑤ 언어의 사회성에 관한 설명이다.

[언어의 역사성]
① 새로운 사물이나 개념이 생겨나면서 만들어진 단어
 ㉮ 아파트, 인공위성, 휴대 전화, 컴퓨터
② 소리나 의미가 변한 단어
• 소리가 변하는 경우
 ㉮ 나모 → 나무, 곶 → 꽃
• 의미가 변하는 경우
 ㉮ 다리: 사람이나 짐승의 다리 → 무생물의 다리
 ㉮ 미인: 재주나 용모가 뛰어나 매력적인 남녀 → 외모가 아름다운 여자
③ 과거에 사용되다가 사라진 단어
 ㉮ 온(백), 뫼(산), 즈믄(천), 오란비(장마), 가람(강)

04 ③

정답 풀이

[보기]는 앵무새 언어의 특징을 설명하고 있다. 동물의 언어인 앵무새의 언어는 정해진 말이나 내용만을 전달할 수 있을 뿐, 상황에 맞추어 새로운 표현이나 의미를 전달할 수 없다는 내용이다. 따라서 이와 대비되는 언어의 특성은 한정된 단어로 무한히 많은 문장을 만들 수 있다는 언어의 특성인 '창조성'이다.

오답 풀이

① 언어의 역사성에 관한 설명이다.
② 인간은 이미 만들어진 문장을 활용할 수 있고, 수많은 문장을 만들 수 있다.
④ 같은 대상을 나라마다 다르게 부르는 것은, 말소리와 의미 사이에는 필연성이 없기 때문인데, 이를 언어의 '자의성'이라고 한다.

05 ⑤

정답 풀이

과거에는 표준어가 아니었던 말도, 실생활에서 많은 사람들이 사용하면 표준어로 인정받기도 한다. 이는 그 말이 사회의 구성원에게 인정을 받았기 때문이며, 언어의 특성 중 사회성과 관련이 있다.

오답 풀이

① 시간이 흐름에 따라 새로운 말이 만들어지는 것은 언어의 역사성과 관련이 있다.
② 새로 발견한 곤충에 과학자 자신의 이름을 붙일 수 있는 것은 언어의 의미와 형식 사이에 필연성이 없기 때문이

다. 이는 언어의 자의성과 관련이 있다.

③ 시대에 따라 말소리가 달라진 것은 언어의 역사성과 관련이 있다.

④ 사람들이 오랜 기간 동안 '컴퓨터'를 '컴퓨터'라고 부르기로 약속을 했기 때문에 '컴퓨터'를 갑자기 다른 말로 바꾸어 부르면 의사소통이 어려워진다. 이는 언어의 사회성과 관련이 있다.

06 ③

정답 풀이

'개'를 '개'라고 부르는 것은 모두가 그렇게 하자고 약속했기 때문이라는 내용은 언어의 사회성과 관련이 있다. 또 독일, 프랑스 등 다양한 국가에서 '개'를 부르는 말이 다르다는 내용은 언어의 자의성과 관련이 있다.

07 ③

정답 풀이

[보기]는 언어의 역사성에 관한 설명으로, 시간의 흐름에 따라 언어의 의미가 축소된 사례를 보여 주고 있다. ③은 과거에 사용되던 단어가 현대에서 사용되지 않는 경우를 보여 주고 있으며, 이 역시 언어의 역사성과 관련이 있다.

오답 풀이

②, ④ 언어의 사회성을 지키지 않은 사례이다.

⑤ 같은 대상(의미)을 다른 형식(말소리)으로 표현하는 것은 언어의 자의성과 관련이 있다.

[담화]

54 담화의 개념과 구성요소

01	발화	02	담화
03	맥락	04	상황 맥락
05	사회·문화적 맥락	06	○
07	○	08	×
09	㉡	10	㉠
11	㉢		

55 담화의 특성과 유형

01	×	02	○
03	○	04	㉠
05	㉢	06	㉡
07	×	08	○
09	×	10	㉡
11	㉠	12	㉡, ㉤

개념 54~55 실력 완성하기

01 ⑤ 02 ③ 03 ⑤ 04 ⑤ 05 ①
06 ㉠ 맥락 ㉡ 의도 07 거기

01 ⑤

정답 풀이

같은 말이어도 상황 맥락이나 사회·문화적 맥락에 따라 다르게 해석되는 경우도 있다. 그렇기 때문에 담화의 의미를 파악하려면 단어의 의미도 중요하지만 상황 맥락이나 사회·문화적 맥락도 고려해야 한다.

오답 풀이

①, ③, ④ 시간, 장소 등 상황 맥락이나 성별이나 문화 같은 사회·문화적 맥락이 담화에 영향을 미치기도 한다.

② 담화는 두 개 이상의 발화가 모여 하나의 의미를 이룬 덩어리이다.

02 ③

정답 풀이

(가)와 (나)는 똑같은 말이 상황 맥락에 따라 다르게 해석될 수 있음을 보여 주고 있다. (가)는 손님이 숙소에 머문 후, 불편함이 없는지를 물어보고 있는 상황이다.

03 ⑤

정답 풀이

(나)는 병원에서 의사가 환자를 진료하는 상황이다. 따라서 이 같은 상황 맥락을 고려할 때, 병원 시설과 관련하여 불편한 점을 사과하고 있다고 보는 것은 적절하지 않다.

오답 풀이

①, ② (가)의 발화에는 호텔에서 제공한 서비스의 전반적인 측면에 관해 불만이나 요구 사항이 없는지 묻는 의도가 담겨 있다.

③, ④ (나)의 발화에는 몸 상태에 이상이 없는지, 잠과 관련하여 의사에게 이야기할 점이 있는지 묻는 의도가 담겨 있다.

04 ⑤

정답 풀이

'수진'은 같은 내용의 말이지만 상대방이 웃어른이냐 동생이냐에 따라 높임 표현을 다르게 사용하고 있다.

05 ①

정답 풀이

제품의 사용 방법을 설명하는 것은 제품을 사용하는 사람이 제품을 잘 사용할 수 있도록 정보를 주는 것이므로 정보 제공 담화에 해당한다.

06 ㉠ 맥락 ㉡ 의도

정답 풀이

[보기] 중 어머니의 발화에는 아들이 '내일 학교에 가는지 안 가는지를 알고 싶다'는 것이 아니라, '내일 학교에 가야 하니 일찍 자라'는 의도가 담겨 있다.

07 거기

정답 풀이

동생은 형의 휴대전화가 '형 바로 앞에 있'다고 하였으므로, 휴대전화는 듣는 이인 형과 가까운 곳에 있음을 알 수 있다. 따라서 빈칸에는 '거기'가 들어가는 것이 적절하다.

[한글 창제 원리]

56 자음 창제 원리

01	○	02	○
03	ㄱ, ㅋ	04	혓소리, ㅌ
05	목구멍, ㅎ		

57 모음 창제 원리

01	×	02	×
03	㉢	04	㉡
05	㉠	06	초출자

개념 56~57 실력 완성하기

01 ⑤	02 ⑤	03 ④	04 ④	05 ④
06 ③	07 ⑤	08 ②	09 ①	

01 ⑤

정답 풀이

모음에는 기본자에 획을 더한 것이 아니라, 기본자끼리 결합하거나, 모음의 기본자를 합쳐서 만든 초출자를 다시 기본자와 결합한 재출자가 있다.

오답 풀이

①, ④ 자음의 기본자는 발음 기관의 모양을 본떠서 만든 것이고, 모음의 기본자는 하늘, 땅, 사람의 모습을 본떠서 만든 것이다.

② 자음은 기본자에 획을 더해 새로운 글자를 만들기도 하였다(가획).

③ 모음의 기본자는 'ㆍ, ㅡ, ㅣ'이고, 자음의 기본자는 'ㄱ, ㄴ, ㅁ, ㅅ, ㅇ'이다.

02 ⑤

정답 풀이

'ㅇ'은 목구멍 소리로, 목구멍의 모양을 본뜬 글자이다.

03 ④

정답 풀이

[보기]는 가획자에 관한 설명이다. 이러한 원리와 관련이 없는 것은 이체자로, 'ㆁ, ㄹ, ㅿ'이 이체자이다.

04 ④

정답 풀이

'ㄹ'은 모양을 달리해 만든 이체자이다. 이체자는 소리의 세기를 나타내지 않는다.

오답 풀이

①, ②, ③ 5개의 기본자에 획을 더해 소리의 세기가 커짐을 나타낸 것은 가획자이다. 'ㄹ'은 가획자가 아니라 이체자이다.

⑤ 'ㄹ'은 모양을 본뜨거나 획을 더한 것이 아니라 모양을 달리해 만든 이체자이다.

05 ④

정답 풀이

가획자에는 기본자에 한 획을 더한 것과 두 획을 더한 것이 있는데, 'ㅋ'은 'ㄱ'에 한 획을 더한 것이다.

오답 풀이

①, ②, ③, ⑤ 기본자에 두 획을 더한 것이다.

06 ③

정답 풀이

ㄱ. 'ㄱ'은 혀뿌리가 목구멍을 막는 모양을 본뜬 어금닛소리이다.
ㄴ. 'ㅁ'에 한 획을 더한 글자는 'ㅂ'이고, 두 획을 더한 글자는 'ㅍ'이다.
ㄹ. 'ㆁ'은 'ㄱ'의 이체자로 16세기 말까지 쓰였지만, 현대에는 쓰이지 않는다.

오답 풀이

ㄷ. 'ㅈ'의 기본자는 'ㅅ'이며, ㅅ은 이의 모양을 본뜬 것이다.

07 ⑤

정답 풀이

모음은 모음의 기본자를 합쳐 초출자와 재출자를 만들었는데, 이때 합성의 원리가 적용되었다.

오답 풀이

① 'ㅣ'는 사람이 서 있는 모양을 본뜬 것이다.
② 'ㆍ'는 하늘의 둥근 모양을 본뜬 것이다.
③ 'ㅡ'는 땅의 평평한 모양을 본뜬 것이다.
④ 모음의 기본자는 '하늘, 땅, 사람'의 모양을 각각 본떠(상형) 만든 것이다.

08 ②

정답 풀이

'ㅛ, ㅠ, ㅑ, ㅕ'는 재출자로, 기본자와 초출자를 결합하여 만든 것이다.

오답 풀이

① 'ㅣ'는 기본자이고 'ㅗ, ㅜ, ㅏ'는 기본자끼리 결합하여 만든 초출자이다.
③ 가획의 원리는 자음의 창제 원리에 해당한다.
④ 'ㅓ'는 기본자인 'ㆍ'와 'ㅣ'를 결합한 초출자이며, 이체의 원리가 적용되지 않았다.
⑤ 'ㅏ, ㅓ'는 기본자끼리 결합하여 만든 것이고 'ㅛ, ㅠ'는 기본자와 초출자를 결합하여 만든 것이다.

09 ①

정답 풀이

자음 중 잇소리에는 'ㅅ, ㅈ, ㅊ, ㅿ'이 있다. 모음 중 땅의 모습을 본떠 만든 것은 'ㅡ'이다. 따라서 잇소리와 땅의 모습을 본 떠 만든 자음을 결합하여 만든 글자로 '즈'가 적절하다.

오답 풀이

② 'ㅎ'은 목구멍소리이다.
③ 'ㅣ'는 사람이 서 있는 모습을 본뜬 글자이다.
④ 'ㅗ'는 모음의 기본자가 아니라, 초출자이다.
⑤ 'ㅍ'은 입술소리이고, 'ㅏ'는 모음 기본자가 아니라 초출자이다.

제1회 10분 Review 테스트

I. 음운 개념 1~8 ①

01 ○
02 ×
03 ○
04 ×
05 ㄱ, ㅗ, ㅇ
06 ㅎ, ㅐ
07 ㄴ, ㅗ, ㄹ, ㅐ
08 ㄱ, ㅗ, ㅇ, ㅊ, ㅐ, ㄱ
09 단
10 단
11 이중
12 단
13 단
14 이중
15 전설 모음
16 원순 모음
17 고모음, 저모음
18 ㉠
19 ㉢
20 ㉡

제2회 10분 Review 테스트

I. 음운 개념 1~8 ②

01 ×
02 ○
03 ○
04 ×
05 6
06 앞
07 높다
08 후설 모음
09 전설 모음
10 원순 모음
11 평순 모음
12 중모음
13 저모음
14 ㉢
15 ㉡
16 ㉠
17 ㅣ
18 ㅏ
19 ㅚ
20 ㅔ

제3회 10분 Review 테스트

I. 음운 개념 9~13 ①

01 ○
02 ×
03 ×
04 ○
05 ○
06 파열음
07 거센소리
08 잇몸소리
09 안울림소리
10 울림소리
11 마찰음
12 비음
13 ㄴ, ㄹ, ㅁ, ㅇ
14 ㅁ, ㅂ, ㅃ, ㅍ
15 ㄱ, ㄲ, ㅇ, ㅋ
16 ㅊ, ㅋ, ㅍ
17 ㄴ, ㅁ, ㅇ
18 ㅈ, ㅉ, ㅊ

제4회 10분 Review 테스트

I. 음운 개념 9~13 ②

01 안울림소리
02 혀끝
03 혓바닥
04 세기
05 파열음
06 마찰음
07 울림소리
08 입술소리
09 ㉣
10 ㉢
11 ㉤
12 ㉠
13 ㉡
14 ㉥
15 ㅉ
16 ㅁ
17 ㅊ
18 ㅎ
19 ㄴ, ㄹ
20 ㄱ, ㄲ, ㅋ
21 ㅂ
22 ㄷ, ㄸ, ㅌ

제5회 10분 Review 테스트

II. 품사와 어휘 개념 14~29 ①

01 품사
02 기능
03 의미
04 관계언, 용언
05 ㉦
06 ㉧
07 ㉢
08 ㉤
09 ㉥
10 ㉡
11 ㉠
12 ㉨
13 ㉣
14 ×
15 ○
16 ×
17 조사
18 관형사
19 명사
20 수사
21 동사
22 대명사
23 형용사
24 부사
25 감탄사

제6회 10분 Review 테스트

II. 품사와 어휘 개념 14~29 ②

01 수식언
02 대명사, 수사
03 감탄사
04 ○
05 ×
06 ○
07 ×
08 ×
09 청소한다, 공부한다 / 동사
10 모든, 저 / 관형사
11 맑다, 푸르다 / 형용사

12 우리(대명사), 선생님(명사)
13 오늘(명사), 학생(명사), 다섯(수사), 지각(명사)
14 2개(에, 이)
15 3개(이, 에게, 을)
16 ㉠
17 ㉡
18 ㉠
19 ㉠
20 ㉡
21 새 옷을 입으니 기분이 무척 좋다.
22 햇빛이 너무 강해서 눈이 정말 부시다.
23 ㉠ 형용사, ㉡ 관형사
24 ㉠ 부사, ㉡ 형용사
25 ㉠ 대명사, ㉡ 관형사

제7회 10분 Review 테스트 Ⅱ. 품사와 어휘 개념 14~29③

01 빨리, 조용히 / 부사
02 앗, 어머나 / 감탄사
03 그녀, 나 / 대명사
04 께서, 을 / 조사
05 민수(명사), 때(명사), 여기(대명사)
06 당신(대명사), 옆(명사), 그것(대명사), 나(대명사)
07 그(대명사), 첫째(수사), 노력(명사)
08 4개(만, 으로, 는, 에)
09 3개(는, 를, 으로)
10 5개(에서, 까지, 은, 를, 이다)
11 그 꽃은 며칠만 더 기다리면 필 것이다.
12 이 빌딩은 서울에서 가장 높은 건물이다.
13 헌 옷을 깨끗이 빨아서 햇볕에 바싹 말렸다.
14 동사, 형용사
15 형용사, 동사
16 형용사, 동사
17 형용사, 형용사
18 ㉣
19 ㉢
20 ㉠
21 ㉡
22 ㉤
23 ㉠ 수사, ㉡ 관형사
24 ㉠ 관형사, ㉡ 부사
25 ㉠ 감탄사, ㉡ 명사

제8회 10분 Review 테스트

01 ○
02 ×
03 ○
04 외래어
05 지역, 사회
06 한자어
07 ㉢
08 ㉡
09 ㉠
10 ㉡
11 ㉢
12 ㉠
13 지역 방언
14 사회 방언
15 사회 방언

제9회 10분 Review 테스트

01 ×
02 ○
03 ○
04 외래어
05 지역 방언
06 사회 방언
07 ㉢
08 ㉠
09 ㉡
10 ㉠
11 ㉡
12 ㉢
13 ○
14 ×
15 ×

제10회 10분 Review 테스트

01 ○
02 ×
03 ○
04 ○
05 빠른 말은 / 벌써 도착했다. (주어부 / 서술부)
06 오늘 아침 햇살은 / 매우 강하다. (주어부 / 서술부)
07 간절한 나의 소원이 / 이루어졌다. (주어부 / 서술부)
08 사랑스러운 아이가 / 해맑게 웃는다. (주어부 / 서술부)
09 관형어
10 서술어
11 주어
12 관형어
13 목적어
14 ㉡
15 ㉦
16 ㉠
17 ㉢
18 ㉤
19 ㉣
20 ㉥

제11회 10분 Review 테스트 Ⅲ. 문장 개념 35~43②

01 ○
02 ○

03 × 04 ○
05 ○ 06 보어
07 목적어 08 독립어
09 부사어 10 주어
11 운동 12 잘
13 장난꾸러기 14 비가 오겠어
15 할머니께서 즐겁게 텃밭을 가꾸신다.
16 나영이가 운동장에서 선수를 오래 기다린다.
17 어머나, 올챙이가 벌써 큰 개구리가 되었구나.
18 거미는 곤충이 절대 아니다.
19 작은 강아지들이 벌써 눈을 떴다.
20 앗, 곧 갈게요.

제12회 10분 Review 테스트
Ⅲ. 문장
개념 44~48 ①

01 × 02 ○
03 ○ 04 홑
05 겹 06 겹
07 홑 08 겹
09 겹 10 대등
11 종속 12 대등
13 종속 14 코가 길다 – 서술절
15 충무공이 만든 – 관형절
16 "오늘이 그날이다." – 인용절
17 공기가 잘 통하게 – 부사절
18 눈치가 없음 –명사절
19 소리도 없이 – 부사절
20 마음이 아팠다 – 서술절
21 내가 그 일을 했음 – 명사절
22 아빠가 사 주신 – 관형절

제13회 10분 Review 테스트

Ⅲ. 문장 개념 44~48 ②

01 × 02 ○
03 ○ 04 겹
05 겹 06 홑
07 겹 08 홑
09 겹 10 종속
11 대등 12 종속
13 대등 14 ㉠

15 ㉢ 16 ㉡
17 ㉠ 18 ㉢

제14회 10분 Review 테스트

Ⅳ. 단어의 발음과 표기 개념 49~52 ①

01 ○ 02 ○
03 × 04 ×
05 ○ 06 [은혜], [은헤]
07 [다처] 08 [예술]
09 ㄷ 10 ㄱ
11 ㄷ 12 ㄱ
13 ㅂ 14 [노라케]
15 [노아] 16 [낟]
17 [넙] 18 [싼]
19 [올] 20 [언]

제15회 10분 Review 테스트

Ⅳ. 단어의 발음과 표기 개념 49~52 ①

01 [히다] 02 [고의], [고이]
03 ㄱ 04 ㄷ
05 ㅂ 06 ㄴ, ㄹ, ㅁ, ㅇ
07 ㄱ, ㄴ, ㄷ, ㄹ, ㅁ, ㅂ, ㅇ
08 ㄴ 09 ㅁ
10 ㄹ 11 ㅆ
12 ㄴ, ㅎ 13 ≠
14 = 15 ≠
16 [집] 17 [극]
18 [찌] 19 [발]
20 [옫]

01 ㉡ 02 ㉣
03 ㉢ 04 ㉠
05 자의성 06 창조성
07 사회성 08 역사성
09 ○ 10 ○
11 × 12 ○
13 문화 14 의도

15 혓소리인 'ㄴ'과 땅의 평평한 모양을 본뜬 'ㅡ'가 결합함.

16 잇소리인 'ㅅ'과 하늘의 둥근 모양을 본뜬 'ㆍ'가 결합함.

17 ㄱ, ㄴ, ㅁ, ㅅ, ㅇ

18 ㅁ

19 ㄷ, ㅌ

20 ㅇ, ㆆ, ㅎ

21 ㅋ

22 가획자

23 초출자

24 이체자

25 재출자

MEMO

MEMO

MEMO

MEMO

MEMO

[숨마 주니어®]는

고교 상위권 선호도 1위 브랜드 숨마쿰라우데®가 만든
중학생들을 위한 혁신적인 **중등 브랜드**입니다!

숨마 주니어® 중학 국어 **문법 연습** 시리즈

수준별·단계별 구성	수록 개념	주요 학습 내용
중학 국어 문법 연습 1 **기본**	핵심 개념 **57**개	개념 학습 + 문제로 연습하기 + **실력 완성하기**
중학 국어 문법 연습 2 **심화**	핵심 개념 **16**개	개념 학습 + 문제로 연습하기 + **내신 뛰어넘기**

「중학 국어 문법 연습」을 추천합니다.

국어 문법 개념을 이해하는 능력은 어느 날 갑자기 생기는 것이 아닙니다. 개념을 확실히 이해할 때까지 반복해서 공부해야 어렵게 느껴지기만 했던 국어 문법을 나의 것으로 만들 수 있습니다. 일반적으로 소홀하기 쉬운 문법 공부이지만 중학교 때 제대로 공부해 두면 수능까지도 효과적으로 대비할 수 있습니다.

추천 이유 1 **국어 문법은 국어 공부의 기본입니다.**

- 국어 문법 개념을 정확하게 알고 있으면 문장의 구조를 파악하는 능력이 향상됩니다.
- 문장의 구조를 파악하는 것은 국어 공부의 기초가 됩니다.

추천 이유 2 **교과서 문법 개념을 총정리하여 학습할 수 있습니다.**

- 국어 교과서와 교육 과정에 나오는 국어 문법의 핵심 개념을 총정리하였습니다.
- 꼭 알아두어야 하는 문법 개념을 한눈에 파악하여 학습할 수 있습니다.

추천 이유 3 **중학교 과정의 문법 개념으로 수능 문제(5문항)까지 대비할 수 있습니다.**

- 국어 문법은 개념이 변하지 않아 한 번 제대로 익혀두면 대입 수능 문법 문제까지 대비할 수 있습니다.

이룸이앤비의 특별한 중등 영어교재 시리즈

숨마 주니어® WORD MANUAL 시리즈

중학 주요 어휘 **총 2,200단어**를 수록한
『어휘』와 『독해』를 한번에 공부하는 **중학 영어휘 기본서!** (전 3권)

- WORD MANUAL ❶
- WORD MANUAL ❷
- WORD MANUAL ❸

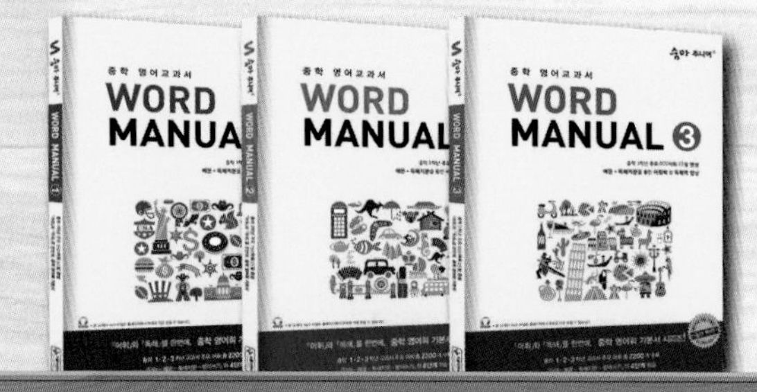

숨마 주니어® 중학 영문법 MANUAL 119 시리즈

중학 **영어 문법 마스터**를 위한
핵심 포인트 119개를 담은 **단계별 문법서!** (전 3권)

- 중학 영문법 MANUAL 119 ❶
- 중학 영문법 MANUAL 119 ❷
- 중학 영문법 MANUAL 119 ❸

숨마 주니어® 중학 영어 문장 해석 연습 시리즈

중학 영어 교과서에서 뽑은 **핵심 60개 구문!**
1,200여 개의 짧은 문장으로 **반복 훈련하는 워크북!** (전 3권)

- 중학 영어 문장 해석 연습 ❶
- 중학 영어 문장 해석 연습 ❷
- 중학 영어 문장 해석 연습 ❸

숨마 주니어® 중학 영어 문법 연습 시리즈

중학 영어 **필수 문법 56개**를
쓰면서 마스터하는 문법 훈련 워크북!! (전 3권)

- 중학 영어 문법 연습 ❶
- 중학 영어 문법 연습 ❷
- 중학 영어 문법 연습 ❸